NF

妻を帽子とまちがえた男

オリヴァー・サックス
高見幸郎・金沢泰子訳

HAYAKAWA NONFICTION

早川書房

6505

THE MAN WHO MISTOOK HIS WIFE FOR A HAT
by
Oliver Sacks

Translated by
Yukio Takami &
Yasuko Kanazawa
Published 2009 in Japan by
HAYAKAWA PUBLISHING, INC.
This book is published in Japan by
arrangement with
THE WYLIE AGENCY (UK) LTD.

病気について語ること、それは『千夜一夜物語』のようなものだ。

——ウィリアム・オスラー

自然科学者とちがって医者が問題にするのは、一個の生命体、すなわち、逆境のなかで自己のアイデンティティを守りぬこうとする個人としての人間である。

——アイヴィ・マッケンジー

目次

はじめに 9

第一部 喪失

1 妻を帽子とまちがえた男 30
2 ただよう船乗り 58
3 からだのないクリスチーナ 96
4 ベッドから落ちた男 118
5 マドレーヌの手 124
6 幻の足 137
7 水準器 145
8 右向け、右! 154
9 大統領の演説 158

第二部 過剰

10 機知あふれるチック症のレイ 178
11 キューピッド病 195
12 アイデンティティの問題 205

13 冗談病 220
14 とり憑かれた女 226

第三部 移 行

15 追 想 242
16 おさえがたき郷愁 274
17 インドへの道 279
18 皮をかぶった犬 284
19 殺人の悪夢 293
20 ヒルデガルドの幻視 301

第四部 純 真

21 詩人レベッカ 320
22 生き字引き 335
23 双子の兄弟 348
24 自閉症の芸術家 385

訳者あとがき 419
参考文献 435

妻を帽子とまちがえた男

はじめに

「本を書くとき一番最後にきめることは、最初に何を書くかである」とパスカルは言った。私は以下に見られるような奇妙な話をいくつも書いて、整理して、順にならべおえた。表題もきめたし、エピグラフも二つ選んだ。いまやなすべきことは、いったい私は何をしたのか、そしてなぜしたのかということを、とくと考えてみることである。

二つのエピグラフ、それもまったく対照的なエピグラフは、私のなかにある二面性に通じるものがある。アイヴィ・マッケンジーのことばのなかでは、医者と自然科学者は対照的なものとされているが、私は、自分が自然科学者と医者との両方であると感じている。病気と人々との両方に、おなじように関心をもっている。また、適当でない言い方かもしれないが、私は理論をあつかう人間であり劇作家でもある、と思っている。科学にもロマンチックなものにも同じようにひかれており、その両者を、人間をとりまく条件のなかに、とりわけ病気《シックネス》のなかに、たえず見てきている（病気こそは、人間の条件のうちの最たるものといえるだろう。なぜならば、動物でも疾病《ディジーズ》にはかかるけれど、病気《シックネス》におちいるのは人間だけなのだから）。

私の仕事も私の人生も、つねに病気の人たちといっしょだった。しかし病人や病気に接していたおかげで、ちがう道をあゆんでいたらおそらく考えなかったようなことを、いろいろと考えさせられた。その結果いまや私は、ニーチェとおなじことを言わずにいられない——「われわれ人間、病気というものなしでやっていけるのだろうか」と。そして、このことばが言わんとすることは、まさに核心的な問題であると考えざるをえない。患者はたえず私に疑問を抱かせ、疑問は、私をたえず患者のもとへ走らせる。こうして本書に収められた物語や研究のなかでは、両者のあいだをたえず行ったり来たりするさまが見られるはずである。

これらは「研究」にはちがいないが、ではなぜ「物語」であり「症例」なのか？　ヒポクラテスによって、病気ははじめて「歴史的に」見られるようになった。病気は時間とともに進行する。すべて病気には初めがあり、しだいにそれは大きくなって、クライマックスあるいは危機をむかえる。そのあと、幸せな結末あるいは致命的な結末へといたる。これがヒポクラテスの見方だった。ここに「病歴」という考え方が、彼によって導入されたのである。それは病気の過程を叙述あるいは描写することであり、「パソロジー」とは、古くはこれをさしていた。これも自然の研究のひとつではある。だがこれは、個人についてや彼自身の内面の歴史については何も語らない。病気にあい、それに負けまいとしてたたかう当人のことや、彼がそこで経験したことについては、何も伝えていないのである。この狭い意味での「病歴」のなかには、主体はいないのである。たとえば現代でも病歴を記すとき、「三染色体をもつ二十一歳の女性」などと書く。これで主体《サブジェクト》にふれたつもりでいたらそれは考えちがいで、こんな書き方ならねずみについても同じように書けるはず、人間として扱ったものとはいえない。人間を——悩み、苦しみ、たたかう人間をこそ中心に据えなければならないのであって、そのためにわれわれは、病歴を一段と掘りさげ、ひとりの患者の物語にする必要がある。そうしてこそはじめて、「何が？」だけでなく「誰が？」ということをわれわれは知る。病気とつきあい、医者とつきあっている生身の人間、現実の患者個人というものを目の前にするのである。

高度の神経学や心理学においては、患者の人間としての存在そのものがひじょうに問題となる。患者の人間としてのありようが根本的に関係してくるからで、したがってこの分野では、病気の研究とその人のアイデンティティの研究とは分けることができない。そこでこのような病気を叙述したり研究するためには、当然のことながら新しい方法が必要になってくる。あえて名づければ「アイデンティティの神経学」とでもいえようか。それは、人をその人たらしめている根本である神経の世界をあつかうものであり、古くからいわれている頭と心の問題をあつかうからである。精神（心理）と物質（肉体）とはたがいに別の領域であって、両者のあいだには越えがたい溝が必然的に存在するにちがいない。だが、その両者に同時にかつ分かちがたく結びついた研究や話がもし書けるとすれば——私がとくに関心をもちこの本でめざしたのは、概してそうしたものであるが——カテゴリーがちがうその両者を近づけるのに役立つかもしれない。それが書けたなら、われわれは機構《メカニズム》と生命《ライフ》が交差する場所に近づき、病理的記述と伝記との接合部にもっと目が向くようになるかもしれないのである。

人間味あふれる臨床話を書く習慣は、十九世紀に頂点に達し、その後は、非個人的な神経学という科学の到来にともない、衰えていった。ルリアはこう書いている。「叙述する力、これは十九世紀の偉大な神経学者や精神科医にとってはごく普通のことでしたが、今ではほとんどなくなってしまいました……ぜひとも回復させなければなりません」『偉大な記憶力の物語』や『こなごなになった世界の男』といったルリアの後期の著作は、この失われた伝統をふたたびよみがえらせようとする試みである。このようなわけで、本書におさめた臨床話は、昔の伝統への回帰といえよう。ルリアが語った十九世紀への回帰。「病歴」を導入した最初の人ヒポクラテスへの回帰。そもそも大昔から患者は医者にむかって自分たちの話をつねに語ってきたではないか、これはその「語り」の伝統への回帰にほかならないのである。

古典的な物語のなかでは、われわれは英雄、犠牲者、殉教者、戦士といったタイプの原型に出会う。神経学の患者も多種多様で、われわれはこれらのタイプすべてに出会う。古典以上でさえある。なぜなら、本書に収めた奇妙な話のなかには、古典のなかに存在しない人物が登場するからである。たとえば、「ただよう船乗り」をはじめとしてその他の風変りな人たちは、古典に描かれたタイプのどれにあてはまるといえるだろうか？　この本の患者たちは、想像もできない国を旅した人たちだった。そんなふしぎな国があろうとは、もし彼らが教えてくれなかったら、われわれには想像もできなかったし、思いつくことさえできなかったろう。それほどにふしぎな国である。だから彼らの人生と旅には、架空のつくり話かと思わせるところがあり、それゆえに私は、オスラーが『千夜一夜物語』になぞらえたことばをエピグラフに選んだ。そしてまた、症例報告ばかりでなく、お話を、物語を、語らねばならない気持になったのである。このような領域では、科学的なものとロマンチックなものとがともに顔を出す（ルリアは「ロマンチック・サイエンス」ということばを使うのが好きだった）。事実と夢のような話の交錯。この本に登場する患者たちの生涯を特徴づけているのも――私の著書『レナードの朝』もそうだったが――その両者の交錯なのである。

それにしても、なんという事実だろう！　なんという信じがたい話であることか！　これに比肩しうるものがほかにあるだろうか？　類例もなければ、比較できるものもない。

原型といえるものもないのである。あらたな象徴、あらたな神話の時代が到来したのであろうか？

本書のなかの八篇は前に発表したものである。「ただよう船乗り」「マドレーヌの手」「双子の兄弟」「自閉症の芸術家」は、『ニューヨーク・レヴュー・オブ・ブックス』（一九八四、一九八五）にのった。「機知あふれるチック症のレイ」「妻を帽子とまちがえた男」「追想」は、『ロンドン・レヴュー・オブ・ブックス』（一九八一、一九八三、一九八四）にのった。ただしその時の「追想」はもっと短いもので、タイトルは「音楽的な耳」であった。「水準器」は『科学』（一九八五）に発表された。「おさえがたき郷愁」は一九七〇年春の『ランセット』に発表されたが、このときのタイトルは「L・ドーパによってもたらされたおさえがたき郷愁」だった。この話は私の患者の一人がずっと以前に話してくれたものだが、この患者というのは『レナードの朝』のなかに出てくるローズ・Rのモデルとなった人物である。戯曲『いわばアラスカ』を書いたハロルド・ピンターは、私の『レナードの朝』からヒントを得て、劇中にデボラという女性を登場させているが、上記の患者はこのデボラのモデルである。「幻の足」のなかの四篇についていうと、最初の二つは『ブリティッシュ・メディカル・ジャーナル』（一九八四）のなかに「診療奇談」として書かれたものである。以前私が書いた本のなかから取ってきて本書に転載したものが二つある。ともに短いもので、ひとつは「ベッドから落ちた男」で、これは『左足をとりもどすまで』からの抜粋。「ヒルデガルドの幻視」は『サックス博士の片頭痛大全』からの抜粋である。その他の十二篇は未発表でまったく新しいもの。一九八四年の秋と冬にすべて書かれた。

今日この本があるのは、つぎの編集者の方たちのおかげである。まず第一に、『ニューヨーク・レヴュー・オブ・ブックス』のロバート・シルヴァーズと『ロンドン・レヴュー・オブ・ブックス』のメアリ＝ケイ・ウィルマーズである。つぎにニューヨークのサミットブックス社のジム・シルバーマンと、ロンドンのダックワース社のコリン・ヘイクラフト。両氏は本書の出版にいろいろとご尽力くださった。心からお礼を申し上げる。

神経学者のなかで私がとりわけ感謝しなければならないのは、故ジェイムズ・パードン・マーチン博士である。博士には私がつくった「クリスチーナ」と「マグレガー氏」のビデオを見ていただいたし、この二人の患者についてずいぶん時間をかけて話しあったものである。その結果が「からだのないクリスチーナ」と「水準器」だったわけで、この二篇は博士に負うところが大きい。つぎは、私のロンドン時代に医長だったマイケル・クリーマー博士である。彼は私の『左足をとりもどすまで』を読んだあと、彼自身が経験したとてもよく似た症例を書き送ってくれた。それは「ベッドから落ちた男」の後記で紹介しておいた。つぎはドナルド・マックレイ博士である。彼は非常にめずらしい視覚失認症に出会った。それは私の例とおかしいほどよく似た症例で、私がそれを発表した二年あとに、ふとした偶然から知ったのだった。「妻を帽子とまちがえた男」の後記で書いたのがそれである。現在ニューヨークにあって私の親しい友であり同僚でもあるイザベル・ラパン博士にはとくにお礼を言わなければならない。彼女と私とは多くの症例を話しあってきたし、クリスチーナ(「からだのないクリスチーナ」)を紹介してくれたのは彼女である。また彼女は、自閉症の芸術家ホセを、彼が子供のとき永年にわたって診てきたのだった。

私は、本書で書いた多くの患者の人たちの(ある場合には患者の家族や親戚の方々の)私心のない後援と寛容さにお礼を申し上げたい。彼らは、自分ではどうしようもなく、どうすることもできないことを知りながら——実際は知っている場合が多いのである——彼らの話を私が書くことを許してくれた。ときには奨励さえしてくれた。せめて他人がそこから何かを得、理解を深め、いつの日か治す方法が見つかるならばそれでよしと考えてくれたのである。『レナードの朝』の場合もそうだったが、話を書くにあたって、私は患者の名前と細部にわたることがらは変えた。これは個人的職業的な信頼の問題にかかわるからである。しかし、彼らの生活のいちばんもとにあるフィーリングだけは、ひとつも書きもらすまいと努めたつもりである。

最後に、私の良き助言者であり医師でもあるレナード・シェンゴールド博士に深い感謝を申し述べ、本書を同氏に捧げたい。

ニューヨーク、一九八五年二月十日
オリヴァー・サックス

第一部　喪失

神経学が好んで用いる語は「欠損」で、これは、機能の損傷あるいは不能をさしている。発話機能の喪失、言語機能の喪失、記憶の喪失、視覚の喪失、手先を器用にうごかす機能の喪失、アイデンティティの喪失、そのほかにも多くの特定機能（あるいは能力）の欠陥や喪失がある。これらの「機能喪失」（これもよく用いられる語）にたいしてそれをさす個々の術語がある。たとえば無声症、運動性失語症、失語症、失読症、失認症、健忘症、運動失調症等々。これらはみな、神経的機能あるいは精神的機能にかかわる語であって、患者はその機能を、疾患、損傷、あるいは発達不全などのため、一部もしくは全部失っているのである。

脳と精神との関係に目をむけた科学的研究は、一八六一年にはじまった。フランスのブローカが、脳の左半球のある部分が損傷するときまって失語症がおこることに気づいたのである。ここから脳神経学への道がひらかれ、その後、人間の大脳の図が描けるようになり、言語能力、知的能力、感覚的能力のようなさまざまの能力は、大脳内のそれぞれの中枢がつかさどっていることがわかってきた。十九世紀末になると、それまでの図は、するどい観察者――とりわけ『失語症』を著したフロイト――の目には単純すぎるとうつった。すべての精神的行動は複雑な内部構造をもっていて、おなじように複雑な生理学的原因に左右されているにちがいないことが明らかになった。フロイトがこのことに気づいたのは、とりわけ認知および知覚の障害にかんしてであって、このとき彼は「失認症」なる語をつくった。失語症あるいは失認症を正しく理解しようとするなら、新しい、もっと複雑な科学を必要とする、とフロイトは信じた。

フロイトが期待をかけたその新しい科学は、第二次大戦中にロシアでおこった。A・R・ルリア（とその父R・A・ルリア）、レオンチェフ、アノーキン、バーンスタインその他の人たちの協同の産物といっていい。そしてそれは、彼らによって「神経心理学」と呼ばれた。このきわめてみのり多い科学が今日のように進歩をとげたのは、A・R・ルリアの生涯かけての研究によるものだった。だが画期的な重要性をもつものでありながら、それが西ヨーロッパに達するには時間がかかった。この科学がはじめて体系的にまとめられて発表されたのは、金字塔ともいうべき名著『人間における高次中枢機能』（英語版は一九六六年）においてだった。また、『こなごなになった世界の男』（英語版は一九七二年）

に見られるように、一人物の伝記あるいは病例史というまったく異なるやり方でも発表された。これらの二著は、それなりにほとんど完璧といっていいけれども、それでもルリアが手をつけなかった領域があった。『人間における高次中枢機能』は、脳の左半球に関係する機能だけしかあつかっていなかった。同様に『こなごなになった世界の男』の主人公ザゼツキーは、左半球に大きな疾患をもっていた。右半球は、どこもなんともなかったのである。こうしてみると、神経学や神経心理学の歴史は、左半球の解明・研究の歴史だったと言えなくもない。

「劣《マイナー》った」とされる右半球がなおざりにされた大きな理由は、左半球だったらそのなかの疾患部の影響を見きわめることが容易であるのにたいし、右半球におこった症候群はわかりにくいからである。右半球は左半球よりも「原始的である」と言われてきた（この語には軽侮がこめられている）。左半球は、人間進化の華と見られてきた。ある意味ではこれは正しい。左半球のほうが複雑で、特殊化されていて、霊長類の——それも最も進化した人間の——脳のなかで、一番あとになって発達した部分だからである。いっぽう右半球は、事実を認識するというきわめて重要な能力をつかさどっている。だがそのような能力は、人間にかぎらずすべての生物が生きつづけるために当然もっている能力である。生物であるかぎり当然の、基盤といってもいいこの部分にコンピューターがつながっていて、そのコンピューターに相当するのが左半球だから、こちらはいわばプログラムや図式にあたることになる。古典的な神経学は、事実よりも図式のほうに関心をもった。だから、右半球に原因をもつ症候群があらわれてきたとき、それらはへんな奇妙なものに思われたのだった。

右半球の症候群を研究する試みは、過去になかったわけではない。たとえば一八九〇年代のアントンや、一九二八年のペーツルがそうだった。だがこれらの試みは、ふしぎなことになぜか無視されてきた。ルリアは晩年の著書のひとつ『働く脳』のなかで、わずかではあるが、右半球の症候群に考察をくわえている。その部分はごく短いものだが、まさに興味をかきたてる鋭い考察である。彼は最後にこう結んでいる。

これまでまったく研究されることがなかったこれらの欠陥は、もっとも根本的な問題のひとつにわれわれを導いてゆく。すなわち直截的知覚作用において右半球がしめる役割である……ひじょうに重要なこの分野の研究は、これまでなおざりにされてきた……その問題のくわしい検討を、私は今後の論文で書くつもりでいる。

結局ルリアは、死を前にした最後の数か月間で、こうした論文を数篇書きあげた。だが生前は未発表のままにおわり、その後もロシアでは出版されなかった。彼はそれらの論文を英国のR・L・グレゴリーに送ったので、グレゴリーが編集中の『オクスフォード・コ

ンパニオン　精神篇』にのるはずになっている。

右半球の研究が困難なのは、内側からはわからない、外側からもわかりにくい、といったことがあるからだ。右半球の症候群におかされている場合、その当人は、自分自身の問題が何であるのか知ることはむずかしい。不可能だといっていい（バビンスキーは、このめずらしい特殊な状態を「病識欠損症」と名づけた）。一方、外にいる者がこのような患者の内面状態を思いえがくことは、非常に鋭敏な観察者であってもきわめてむずかしい。彼がこれまでに知っている何とくらべてもまったくちがうからである。左半球の症候群ならば、比較的容易に想像がつくのである。右半球の症候群だって、左半球のそれと同じくらいによくおこりうるはずなのに――同じでないわけがどうしてあろうか――神経学や神経心理学の文献のなかに顔をだす頻度は、右半球症候群の記述が一だとすれば、左半球症候群の記述のほうは千くらいの割合なのである。まるで右半球症候群などは、神経学の気質に合わず、よそ者のように見られている。だがルリアが言っているように、右半球の問題はきわめて重要なのである。そのために新しい種類の神経学がまたひとつできてもおかしくないくらい、それほど重要なのである。その新しい種類の神経学は、「個人主体の」科学といえよう。あるいは、ルリアがとくに好んだことばを借りて「ロマンチック・サイエンス」と言ってもいい。なぜならばこの科学では、「自己」とか「人格」の根底にある基礎からして明るみにだされ、検証されることになるからだ。ルリアは、この種の科学では、物語のかたちをかりるのが最善最適ではないかと考えた。右半球に重大な障害のある人だったら、そのくわしい病歴を叙述するのである。『こなごなになった世界の男』と対《つい》をなすような症例史を、ということだ。ルリアは、死ぬ前に私にくれた手紙のなかで次のように書いていた。「そういう話を、たとえスケッチ程度のものでもかまいません。ぜひ発表なさい。それはそれはたいへんな驚異の世界です」正直いって私は、こうした障害にはとりわけ興味をひかれている。それらは、これまでほとんど考えられたことがなかったような世界をひらいてくれるからだ。少なくともそれを約束してくれるからだ。そして、過去の堅苦しい機械主義的な神経学とはうってかわった、開放的で視野の広い神経学や心理学へわれわれを導いてくれるからだ。

当時私が興味を抱いていたのは、それまで言われてきたような「欠損」よりもむしろ、「自己」そのものをどうかさせてしまうような神経障害であった。こうした障害にはいろいろな種類があるだろうし、また、機能の欠損が原因ではなくて、機能の過剰から生じることもあるだろう。となると、この二つを一応わけて、別々に考えていくのが妥当かもしれない。しかし、はじめにこれだけは言っておかなければならないが、病気とは、けっして喪失か過剰だけではない。病気におかされている生命体は――つまり個人の側は――つねに反発し、立ち直ろう、元どおりになろう、アイデンティティを守ろう、あるいは失われたアイデンティティをとり返そうとして、ひどく奇妙な手段をとることはあるが、かならず反応する。こうした手段を調べたり導いたりすることは、たしかに神経組織にたいして僭越なことかもしれないが、それこそが、医者としてのわれわれの基本的なつとめなのである。このことはアイヴィ・マッケンジーによって堂々と述べられている。

いったい病気の「本質」とか「新しい病気」とはなにをいうのか？ 医者は自然科学者とはちがう。自然科学者は、多くの生命体を広くとりあげ、それらがある方法によってある環境に適合してゆくさまを研究するが、このとき、方法も環境も平均で考えている。これに反して医者が問題にするのは、一個の生命体、すなわち、逆境のなかで自己のアイデンティティを守りぬこうとする個人としての人間である。

このダイナミックな活動――手段や結果がどんなに奇妙であろうと、アイデンティティを守りぬこうとするこの努力――は、はるか以前に精神医学では注目されていた。とくにフロイトの仕事は、それに深く関係していた。フロイトによれば、偏執病《パラノイア》の妄想は、こなごなにくだけて混沌《ケイオス》と化した世界を何かによって償おう、もう一度再構築しようという努力の結果と考えられた。努力のあらわれ、という点が大事なのであって、手段がまちがっていようと問題ではないのである。まったく同じことを、アイヴィ・マッケンジーはこのように書いている。

パーキンソン症候群の治療とは、混沌からの復旧だといえよう。調和をつくっていたものが壊され、最初の混沌がくる。それがリハビリテーションをとおして、まだ不安定な基礎ではあるが、一応その上に再統合が果たされるのである。

『レナードの朝』は、あるひとつの病気によって生じた混沌の「復旧再統合」を書いたものだった。そこで次なる研究は、ひとつでなくさまざまの病気から生じた混沌とそこからの復旧再統合の物語である。

第一部「喪失」のなかでもっとも重要なものは、きわめて特殊な視覚的失認症の例、すなわち「妻を帽子とまちがえた男」であろう。私は、これは根本的に重要なものだと考えている。このような症例は、古典的神経学では公理のごとく信じこまれていた固定観念にたいする挑戦であろう。これまでの考え方でいくと、脳の損傷は、どのような損傷であろうと、「抽象的・範疇的な態度」（これはクルト・ゴールドスタインのことば）を不能にし、失わせる。あと本人にのこるのは、感情と具体的・即物的なものだけ、ということになっている（ほぼ似たことが、一八六〇年代にヒューリングズ・ジャクソンによっても言われている）。本書の音楽家Pの場合は正反対である。彼は感情、具体性、パーソナルなもの、リアルなもの一切をうしない——といってもこれは視覚の世界についてだけのことであるが——あとには、抽象的・範疇的なものだけしかのこらず、さまざまなとほうもない結果を生じたのだった。ヒューリングズ・ジャクソンとゴールドスタインがいまこれを知ったら、いったいなんと言うだろうか？　私はこんな場面をときどき想像する——この二人に私の患者Pを診させる、そしてそのあとでこう言うのだ。「さあ先生、これを見てどうお考えですか？」と。

1　妻を帽子とまちがえた男

Pはすぐれた音楽家だった。長年声楽家としてよく知られ、それからあと、地方の音楽学校で先生になった。ここで生徒を相手にしていたときのことだ、いくつかの奇妙なことがおこりはじめたのは。ときおり生徒が前に現れても、彼はそれに気づかないのだ。相手の顔がそこにあっても、誰だかわからない。生徒がなにかしゃべると、その声で誰だかわかるのだ。こうした出来事がたびかさなるにつれて、困惑や、気まずさや、不安が増大した。ときには喜劇も生じた。相手の顔がわからなくなったばかりでなく、相手もいないのに、誰かそこにいるかのようにふるまいはじめたのだ。町を歩いていて、消火栓やパーキングメーターを見ると、子供たちの頭であるかのように、それをぽんとたたくのである。家具のノブの彫り物にむかって愛想よく話しかけ、応答がないのでびっくりしているふうだった。はじめのうち、こうしたまちがいは笑ってすまされていた。P自身も笑っていた。彼には一風変ったユーモアのセンスがあったし、禅問答に見られるような逆説やふざけが結構わかる人間だった。彼の音楽的才能は、依然としてすばらしかった。病気を訴えることもなかった。これ以上ないほど健康だった。しくじりも、これほどばかげて念が入っていると、深刻に受けとられなかったし、深刻な問題の前兆だとも考えられなかった。なにやらおかしい、と思いはじめたのは、それから三年ほどたって、糖尿病になってからのことだ。糖尿病だと眼をやられることを知っていたから、Pは眼科医のところへ行った。医者は、症状をよく聞いてから、Pの眼を入念にしらべた。「眼はまったくなんともありません」と彼は言った。「しかし、脳の視覚系の部分に異常があるようです。これは眼科医の領域ではないから、脳神経の専門医のところへ行ってみてください」こうしてPは、私のところへくるようになったのである。

会ってただちにわかったが、通常いわれるような精神異常はなんら認められなかった。彼はたいへん教養があり、魅力的な人物だった。話すことはまともだし、会話もよどみがなかった。想像力もユーモアも十分ある。どうして私のところへまわされてきたのか、ふしぎだった。

だが、ちょっとだけおかしなところがあった。彼は私のほうを見ながら話をする。彼の顔はたしかにこちらを向いている。だが問題はそこなのだ。はっきりとうまく言えないが、前にいる私に注意をはらっているのは耳であって、眼ではない。彼の眼は、私を注視していない。ふつう相手を見るときのような眼つきではないのだ。その視線は、つぎつぎと移って、私の鼻に向けられたり、右の耳へいったり、顎へおりたり、右の眼にいったりする。

私の顔の各部分をじっと見つめるけれど、顔を全体として把握することはしていないし、表情をくみとろうとする様子もなかった。そのときは、私もそれほどよくわかっていなかった。ただ、ちょっと変だな、と不安に感じただけだった。普通やるように、たがいに見つめあい、顔と顔とで何かを表現しあう、ということがぜんぜんなかったのである。彼は私を見ていた。しげしげと見つめはする、なのに……

「どういうふうに悪いのですか」と私は聞いてみた。

「わからないんです」彼は微笑をうかべながら言った。「でも、みんなは、私の眼がどこかおかしいのじゃないか、と考えているらしいのです」

「でも、ちゃんと見えるんでしょう?」

「ええ、見えますよ。でも、ときどきまちがいをやらかすんです」

私は、彼の妻と話をするために、ちょっと中座した。部屋にもどってみると、Pは窓のそばの椅子におとなしくすわって、真剣な顔つきで、あたりを見まわしていた。いや、見まわすのでなく、あたりのものに聞き耳をたてていた。

「ほら、路を車が何台も行きます。通りのあの物音。汽車が遠くを走ってます。シンフォニーみたいだ。オネゲルの『パシフィック二三一』って知ってるでしょう?」

まったく愛すべき男だな、と私は心のなかで思った。これでいったいどこが悪いというのだろう。では、すこしテストさせてもらっていいだろうか?

「もちろんですとも、サックス先生」

私は、いつもやる神経学的検査にとりかかった。やり慣れている仕事だけに、やっているあいだ、私の不安は——おそらくPもそうだろうが——おさまっていた。筋肉テスト、協調運動、腱反射、筋肉緊張……彼の腱反射は、左側がすこし異常だったが、これを検査していたとき、はじめて奇妙なことがおこった。私は、左の靴をぬがせて、足の裏を鍵でちょっと掻いた。つまらないことのように見えるかもしれないが、これは、腱反射を調べるためにかならずやることだった。それがすむと、靴をはくようにと言って、私は検眼鏡の準備にとりかかった。ところが驚いたことに、一分たっても、彼は靴をはきおわらないではないか。

「手伝いましょうか」と私は言った。

「何をです？ 誰を手伝うのですか」

「あなたが靴をはくのを、ですよ」

「あっ、そうか」と彼は言った。「靴でしたね、忘れていました」それからひとり言のように「靴ねえ、靴ねえ」と言って、困ったような顔をしていた。

「あなたの靴ですよ」私はくり返した。「自分ではけるでしょう」

彼は下を見つづけていたが、靴を見ていなかった。熱心に見つめているけれど、ちがうところを見ていた。そのうちにやっと、視線が足に定まった。「あれが私の足かな、そうでしょうか？」

私の聞きちがいだろうか？　彼は言いわけしながら、足を手でさわって言った。「これ、私の靴ですよね、ちがいますか？」

「ちがいます、それは足です。靴はあっちです」

「あっそう、あれは足だと思ってた」

彼はふざけているのだろうか？　頭がおかしいのか？　眼が見えないのだろうか？　こういうのを「妙なまちがい」と彼が言っているのだとしたら、これほど奇妙な話は、まったく前代未聞だ。

これ以上面倒なことになるのはご免だったから、私は手を貸して靴をはかせた。Pは、まったく当惑したようすもなく、平然としていた。むしろ楽しんでいるくらいだった。私は検査にとりかかった。彼の視力は良かった。床の上の針でも、難なく見つけた。ただしときどき、彼の左側に置いてあると見のがすことがあったけれど。

彼はよく見えるのだ。だが、いったい何を見ていたのだろうか。私は『ナショナル・ジオグラフィック』誌をひらいて見せ、なかにどんな写真があるか言ってみてくれと頼んだ。

彼の反応はひどく変っていた。その眼は、写真から写真へとつぎつぎに移ってゆく。私の顔を見ていたときと同じように、ちょっとした特徴や、それぞれに固有の特徴はちゃんと見ている。とりわけ明るく輝いているものや、色彩やかたちには敏感で、批評めいたことを口にする。だが、けっして場面全体をとらえてはいないのである。瑣末的なものは見えているくせに、全体として見ることはできないのである。あたかも、レーダー・スクリーンに像が点々と浮かんでいるのはわかるけれども、全体像は見えていないかのように。ひとつの写真を見ても、全体とどう関連するかはわからない。顔にたとえていえば、いわゆる表情までは読みとれないのだ。風景として、あるいは情景として、ぜんぜん理解できないのである。

私は表紙を見せた。見わたすかぎりサハラ砂漠がひろがっている写真だった。

「このなかに何が見えますか」

「川が見えます」と彼は答えた。「川のほとりには、テラスのあるゲストハウス。テラスの上で、人々が食事をしています。いろんな色の日傘《パラソル》があちこちに見えます」このとき彼の視線は、表紙の上になかった。空中を向いていて、そこに見えもしない川や、テラスや、色とりどりの日傘などを、勝手に想像しているかのようだった。

私は呆然とした顔つきになっていたにちがいない。だが彼は、立派な答をした気になっていた。彼の顔には、微笑がうかんでいた。テストは終了したと思ったのだろう、帽子をさがしはじめていた。彼は手をのばし、彼の妻の頭をつかまえ、持ちあげてかぶろうとした。妻を帽子とまちがえていたのだ！　妻のほうでも、こんなことには慣れっこになっている、というふうだった。

私は従来の神経学（あるいは神経心理学）からみてこれをどう説明したらよいのか、まったくわからなかった。ある面では、彼はいたってまともである。ほかの面では、お話にならないほど、どうしようもないほど、ひどい。妻を帽子とまちがえるような男が、どうして音楽学校の教師をつとめていられるのか？

私は考えなければならなかった。もう一度彼に会う必要があった。それも、彼がうちとけられる場所、つまり、彼の自宅で、会ってみなければならなかった。

数日後、私はP夫妻を自宅にたずねた。かばんのなかには、『詩人の恋』の楽譜――彼がシューマンが好きなことはわかっていた――と、知覚検査に必要な物などを入れて持っていった。Pの奥さんが出てきて、私は大きな部屋に案内された。十九世紀末のベルリンを思わせるような部屋だった。中央には、堂々とした古いベーゼンドルファーがあって、その周囲には、譜面台、楽器、楽譜などが置いてあった。本もあったし、絵もあったが、この部屋をみたしているのはなんといっても音楽だった。Pが部屋にはいってきた。心ここにあらず、といった感じだった。握手のために手をさしだしながら、壁の掛時計のほうにむかって歩きかけたが、私の声を聞くと向きを変え、私のところへ来て握手をした。挨拶がすむと、しばらくのあいだわれわれは、最近のコンサートや演奏のことについておしゃべりをした。おそるおそる私は、歌ってもらえないかと頼んだ。

「『詩人の恋』をですって？」彼は大きな声をあげた。「だけど、もう楽譜が読めないんでね。伴奏してくれますか、いいですか？」

私は、やってみると言った。その古いすばらしいピアノだと、私が弾いても良い音がでた。Pときては、年老いてこの上なくまろやかになったフィッシャー・ディスカウのようだった。完ぺきな耳と声。するどい音楽的知性。その音楽学校が、慈善から彼を雇っているのではないことは明らかだった。

Pの側頭葉にはなんら異常はなかった。音楽にかんする皮質は、きわめてすぐれていた。つぎに問題になるのは、頭頂部と後頭部だ。とくに視覚にかんする部分はどうなっているのだろうか？　私は、かばんのなかに検査用の品々を持参していたので、それらを使ってテストすることにした。

「これは何ですか？」まずひとつを取り出して、私はたずねた。

「立方体」

「ではこれは？」私は二つ目をかかげて見せた。

手にとって見てもいいか、と彼は言い、調べたあとですぐに答えた。「十二面体ですね。もうほかのはいいですよ、二十面体でもわかります」

抽象的なかたちだったら問題ないのだ。では人の顔はどうだろうか？　私はトランプをとり出した。Pは即座に、ジャック、クィーン、キング、ジョーカーをちゃんと見わけた。だがこれらはみな、きまりきった図案みたいなものだ。はたして彼が、ひとつひとつを顔としてとらえているのか、それともたんに型として認識しているのか、それは判断がつかなかった。そこで私は、かばんに入れてきた似顔絵の本を見せることにした。今度もPは、ほとんどまちがえずにあてた。チャーチルの葉巻、シュノズルの鼻……特徴になるものをひとつ見つければ、誰だかわかった。しかし似顔絵もまた、形式的・図式的といえる。実際の顔が写実的に描かれている場合はどうだろうか。これをテストする必要があった。

私は、音が聞こえないようにしてテレビをつけた。ベティ・デイビスの若いころの映画をやっていた。たまたまラブシーンのところだった。Pは、この女優が誰だかわからなかった。それはいいとしよう。もともとベティ・デイビスを知らなかったのかもしれないから。だがもっと驚いたことには、Pは、彼女の顔や相手の顔の表情を見ても、それが何をあらわしているか、まったく理解できなかったのである。それは激しい場面《シーン》で、情熱、驚き、嫌悪、怒りが交錯して、最後におだやかな和解にいたるのだったが、Pにはそれらがぜんぜんわからないのである。いま画面でなにがおこなわれているか、誰が誰なのか、男なのか女なのかさえも、彼にははっきりしないのだ。彼の評ときては、まったくちんぷんかんぷんだった。

彼が理解できないのは、ハリウッド映画という非現実的世界だからかもしれない。彼自身とおなじ世界にある顔ならわかるのだろうか、と私は思った。われわれがいた部屋の壁に、写真がいくつもあった。家族がうつっている写真、同僚の写真、生徒の写真、彼自身の写真。私はこれらを集め、どうかなと危ぶみながら、順々に彼に見せた。映画の場合は、たとえできなくても笑ってすんだけれど、現実生活でも同じだとなると、悲劇的だった。大方どの写真を見ても、彼はそれが誰だかわからなかった。家族も、同僚も、生徒もだめ。彼自身の写真でさえ、だめだった。アインシュタインの写真はわかった。例の特徴ある髪と口ひげで見わけがついたのである。ほかに一人か二人、おなじような理由からわかるのがあった。「あ、ポールだ」弟がうつっている写真を見せられたとき、彼は言った。「ほら、この角ばった顎、大きな歯。ポールならどこにいてもわかります」だがはたして、眼で見てポールと知ったのだろうか。それとも、顔の特徴ある部分だけが見え、それからあとは頭をはたらかせて、何者であるか当てたのかもしれない。あきらかな特徴がない場合には、彼はまったくお手あげの状態だったのである。しかし問題は、知覚能力の欠陥ばかりではなかった。彼が見せた態度全体が、根本的におかしいのだ。顔がうつっている写真を前にしたとき、それが近親者や親しい人間の顔であっても、なにか抽象的な判じ物かテストをやらされるときのような態度を見せるのだった。自分とのかかわりをなんにも感じていない様子なのだ。じっと見ていないのである。見おぼえのある顔だ、と感じている様子がぜんぜん見られないし、顔の特徴からわかろうとする努力も見られない。どの顔を見ても、「あなたは」でなくて、「それは」でしかないのである。すべては形式的・外面的で、人間らしいところがまったく見えないのである。さらに、顔にはなんの表情もあらわれず、およそ感情の表出などゼロだった。普通われわれだったら、顔は人だと思って見ている。顔のむこうには人間があって、それがこっちを見ているのだと考える。しかしPの場合は、写真のなかに人間は存在していないかのようなのである。

私は、彼の家へくるまえに花屋に寄り、大きなバラの花をひとつ買って、襟のボタン穴にさしていった。そこでそれをぬきとって、彼にさしだした。それを受けとったときの彼ときたら、とても花をもらった人間とは思えぬ態度で、標本を見せられたときの生物学者か形態学者のような感じだった。

「約三センチありますね。ぐるぐると丸く巻いている赤いもので、緑の線状のものがついている」

「その通り」私ははげますように言った。「で、何だと思います？」

「なかなかむずかしいな」彼は当惑顔だった。「さっきの多面体のような単純な対称性はありませんね。もっとも、別の意味でもっと高度の対称性があるのかもしれないけれど……これは花といってもよさそうですね」

「その可能性ありますか」

「ありえますね」彼はきっぱりと言った。

「匂いをかいでごらんなさい」私が言うと、彼はふたたび当惑した顔つきになった。高度の対称性を匂いでかぎ当てろと言われているように思ったらしい。しかし彼はおとなしく言うことを聞いて、それを鼻のところにもっていった。とつぜん、彼は生き返ったように元気になった。

「なんときれいな！」彼は声をあげた。「早咲きのバラだ。なんとすばらしい匂い！」

彼は、「いとしのバラよ、いとしの百合よ……」とハミングで歌いはじめた。実体の認識は、視覚でなく嗅覚によっておこなわれているかのようだった。

私は最後のテストを試みた。その日は早春で、まだ寒かった。私の脱ぎすてたオーバーと手袋は、ソファーの上に置いてあった。

片方の手袋をとりあげて、私はたずねた。「これは何ですか」

「手にとってみていいですか？」彼はそう言うと私の手から手袋をとり、あたかも幾何学の図形をしらべるときのような調子で、子細に検討しはじめた。

しばらくして、彼は口をひらいた。「表面は切れめなく一様につづいていて、全体がすっぽりと袋のようになっていますね。先が五つにわかれていて、そのひとつひとつがまた小さな袋ですね。袋と言っていいかどうか自信はないけれど」

「その通り」私は慎重に口をきいた。「あなたがおっしゃること、まちがっていません。ではそれは何でしょう？」

「なにかを入れるものですね」

「そうです。何を入れるのでしょう？」

「中身を入れるんですよね」そういってPは笑った。「いろいろ可能性があるなあ。たとえば小銭はどうかな。大きさがちがう五種類のコイン。さもなければ……」

ばかげたおしゃべりが続きそうになるのを、私はさえぎって言った。「それ、いつも見ているでしょ、めずらしくないはずです。体の一部をこのなかへ入れるでしょ、どうです？」

わかったぞ、という表情の兆しはぜんぜん見られなかった。(1)

子供だったら、「表面は切れめなく一様につづいていて、全体がすっぽりと袋のようになっている」などという言い方はできるはずがない。だが子供は、どんな子供だって、手袋を見れば手袋だとすぐわかるし、日常見なれた――たとえば手とおなじくらい――卑近な物として受けとるにちがいない。だがPはそうでなかったのである。彼は何を見ても、卑近な物として受け入れることができなかった。目のまえに物を見ながら、彼は生命のない抽象の世界に没しきっていた。実のところ彼には、視覚の世界はなかったのである。あれこれと物について語りはするが、それらの物をまともに見ることはできなかった。ヒューリングズ・ジャクソンは、失語症患者や左半球障害者について次のように言っている。彼らは抽象的で論理的な思考ができない。だから犬に似ている、と（実際には、犬のほうを失語症患者にたとえているのだが）。これと反対にPの場合、その機能たるや、まったく機械のそれにひとしかった。コンピューターとおなじく、目に見える世界に無関心だったばかりではない。さらにおどろくべきことだが、いくつかの主要な特質と大体の基本的関係だけをとりこんだら、あとは、それらをもとにひとつの世界を構築する、という点でもコンピューターと同じだった。そこでつくられた世界像が、外の現実などぜんぜん理解されていなくとも、それなりにつじつまが合うものとなることは、ありえないことではなかった。

これまでやってきたテストでは、Pの内部世界はすこしも解明されなかった。彼の視覚的記憶力や想像力には異常がないのだろうか。そこで私は彼に質問してみた。彼が住んでいるマンションに北側からやってきた場合を想像するなり思い出してみてくれ、そして、途中にどんな建物があるか言ってみてくれ、と。彼は、右側にある建物はすべて列挙してみせたが、左側にある建物はひとつも答えられなかった。そこで今度は、南側から歩いていく場合を想定しておなじことをやらせてみた。すると今度もまた、右側にある建物だけしか答えなかった。前回口にしなかった建物が、今度は列挙するなかにちゃんとはいっている。そして前回見えていたはずの建物のことは、ひとことも言わないのである。おそらく、それらは見えなくなってしまったのだろう。こうしてみると、左側のものは見えないこと、つまり左方向の視野に欠陥があることは明らかとなった。そしてそのことは、記憶や想像力の世界にもおよんでいたのである。

さらに内奥の世界にはいった場合はどうなのだろうか。トルストイの小説では、作中人物がじつに生き生きと視覚的に描かれている。それを思い出したので、『アンナ・カレーニナ』について質問してみた。彼は小説のなかの出来事をよくおぼえていた。物語の筋もみな思いだせた。だが、視覚にうったえる特徴や、視覚的な挿話や情景は、完全にぬけ落ちていた。作中人物が口にすることばはおぼえているが、顔は思いだせなかった。Pはおどろくべき記憶力の持ち主で、ある一節を逐一暗唱することさえできたけれど、そのなかに視覚的な表現があっても、彼はなにも感じておらず、感覚的・情緒的にもリアリティは認識できないのだった。かくしてこれもまた一種の失認症ということになるのだった。(2)

しかし、視覚化がどんな場合も不可能なわけではないことが、やがてわかってきた。顔とか情景、具体的イメージをともなう話やドラマの場合にかぎり、視覚化能力の欠陥を見せるのだった。こと図式にかんすることになると、能力はちゃんとある。むしろ増大するくらいだった。頭のなかでチェスをやらせてみたところ、チェス盤や駒の動きは難なく思いうかべることができ、ゲームはおそろしく強くて、私など打ち負かされてしまうのだった。

ザゼツキーについて、ルリアはつぎのように書いている。ザゼツキーは人とチェスをやる能力をすっかり失ってしまったけれども、彼の想像力はすこしも減っていなかった、と。ザゼツキーもPも、現実のいわば鏡像である世界に住んでいたのである。ただ二人が決定的にちがうのはつぎの点だった。ザゼツキーは、ルリアが言っているように、「彼が失った能力をやっきになってとりもどそうとしていた」のにたいし、Pは少しもむきにならなかった。なにが失われたのか気づいていなかった。なにかが失われたことにさえ気づいていなかった。だが、いったいどちらが悲劇的であり、不幸なのだろうか。気づいている人間だろうか、それとも気づいていない人間だろうか。

テストが終るとPの奥さんは、コーヒーやおいしそうな小さなケーキがいくつも並べてあるテーブルにわれわれを誘った。Pはふんふんと鼻歌《ハミング》をうたいながら、待ちかねたように早速ケーキにとりかかった。さっさと手早く、よどみない手つきで、ほかのことは何も考えていないといった様子で、歌をうたいながら、ケーキ皿を手もとにひき寄せ、あれを取りこれをつまみ、むしゃむしゃ食べていった。歌もまたひっきりなしに続いていた。すると突然、はたと止んだ。ドアがどんどんとたたかれたのだ。Pはぎょっとし、食べるのをやめ、凍りついたように動かなくなった。その後は、どうしていいかわからないといったようすで、まったくうつろな表情と化した。眼はテーブルの上に向けられたままだったが、もはや何も見えていない様子だった。テーブルの上のケーキは見えていないかのようだった。奥さんがコーヒーをついだ。その香りが彼の鼻に達したとたん、彼は現実にたち返り、ふたたびハミングとむしゃむしゃがはじまった。

いったい彼はどうやって暮らしているのだろう、と私はふしぎに思った。服を着がえるときや、便所へいくときや、風呂にはいるときなど、いったいどういうありさまなのか？

私は奥さんについて台所までいって、そっと聞いてみた。たとえば自分で着がえるときなど、彼はどういうふうにやるのか、と。「さっきの食べるときとまったく同じです」と奥さんは話してくれた。「着るものは、わたしがいつもきまった場所に置いておきます。主人は自分でちゃんと着ます、歌をうたいながら。何をするときもひとりでうたいながらやるんです。でも、もし途中でなにか邪魔がはいって中断させられ、糸を見失ってしまうと、完全に止まってしまうんです。着るものがどれだかわからなくなってしまう。自分のからださえわからなくなってしまうんです。年がら年じゅううたっています。食べるときも歌、着るときも歌、お風呂にはいっても歌。すべて歌です。うたいながらでなければ、なにもできません」

この話をしているとき、私は壁にかかっている絵に気がついてそちらを見ていた。「そうです」と奥さんは言った。「主人は歌だけじゃなく、絵もなかなかうまいんです。学校では毎年絵を展示してくださるのです」

私はそれらにひどく興味をそそられ、壁にそって歩きながら順々に見ていった。はじめのころの絵は自然主義的リアリズムの作風で、気分《ムード》と雰囲気がよく出ており、細部まで具体的に描けていた。そのうちに、具体性がだんだん欠けてきて、写実的でなくなってきていた。でも抽象画というのではぜんぜんない。幾何学的でもキュビスムでもなかった。ところがごく最近になると、画面は無意味《ナンセンス》になっていた。すくなくとも私にはそう思えた。

線はまったく混沌としか言いようがなく、ただ絵具《えのぐ》がぽたぽたついているにすぎなかった。私はこうした感想を奥さんに話した。

「まあお医者さんってひどいんですね。これ、芸術的に進歩してきているってことじゃありませんの？　はじめの頃はリアリズムだったのが、しだいにそれから脱却して、より抽象的なスタイルへ進んできているんじゃありません？」

「ちがう、そうじゃない」私は心のなかでつぶやいた。だが気の毒なPの奥さんにむかってそれを言うのは遠慮した。たしかに彼は、リアリズムから非写実へ、そして抽象主義へと変ってきていた。だがそこに見られたのは、芸術家の成長ではなく、病気の進行だった。視覚系認知能力が失われてゆき、表現力や具象化能力はおろか、具体的なものをとらえる力や現実把握力のいっさいが破壊されていることを示していた。いくつかの絵がかかっていたこの壁は、悲劇的な病気の展示板にほかならず、芸術ではなくて神経病理学の世界に属するものだった。

だが、Pの奥さんが言うことにも一理あるかもしれない、と私は思った。病気の力と彼の創造力とがしばしば格闘しているのが見てとれたからである。もっと興味深いことには、その両者の馴れあいすら見られたのである。もしかすると、彼がキュビスムで描くようになった時期に、芸術的進歩と病気の進行との両方があったのかもしれない。そしてそこから、ある独創的な様式が生じたのかもしれなかった。なぜならば、具体性がうすれるのに反比例して、彼は抽象性を獲得していったように思えるからだ。そして、物のかたちを示すために必要とされる線だの輪郭だのにたいして、それまでとはちがった感覚をそなえるようになり、ついにはピカソの眼力にも似たものをもつにいたったのではないだろうか。つまりそれは、具体性のなかに通常包まれている抽象性を見ぬき、これを描く、という能力である……とはいえ最後のころの絵には、ただ混沌と認知能力の欠落しか見られなかったけれども。

われわれは、大きな音楽室にもどった。ベーゼンドルファーが真ん中にあり、Pはハミングしながら最後のトルテを食べているところだった。

「やあ、サックス先生」と彼は言った。「どうなんです、興味ある症例《ケース》なんでしょ、このわたしは。悪いところを言ってくれませんか。忠告があったら言ってください」

「どこが悪いのかは、私には言えません。だけど、良いところは言えます。それはね、あなたはすばらしい音楽家であるということ、そして、音楽があなたの生命《いのち》だということです。もし私が処方箋を書くとしたら、あなたにはまったく音楽だけの生活を、とすすめたいところです。これまで音楽はあなたの生活の中心でした。でもこれからは、音楽があなたの生活のすべて、というふうにしていいと思いますね」

これは四年前のことだった。それ以後ふたたび会うことはなかったが、私はしばしば彼のことを思い出しては、視覚的な能力を喪失して音楽だけで生きている彼はその後どうしているのだろうと想像したものだった。思うに彼の場合は、音楽が心象《イメージ》のかわりを果たしていたのだ。自分のからださえ眼では認知できない、だが音楽によってはちゃんとわかっていた。だからこそ、あのようにすいすいとからだが動いたのだ。だが、いったん「内なる音楽」が止まってしまうと、彼はどうしていいかわからず、行動がパタリと止まってしまうのだった。外部世界にたいしたときもおなじだった[3]。

ショーペンハウエルは『意志と表象としての世界』のなかで、音楽は「純粋な意志」であると述べている。もし彼がPに会ったなら、さぞかし興味を感じ、喜んだにちがいない。なぜならPは、表象としての世界はまったく失ったにもかかわらず、音楽または意志として、世界をしかと把握していたことになるのだから。

このことは、幸いなことに最後まで変ることがなかった。もちろん彼の病気はしだいに進み、脳の視覚系部位は大きく膨張して、機能の崩壊にむかうことはあっただろうが。いずれにせよPは、生涯の最後まで、生徒に音楽を教えつづけることができたのである。

後記

Pは手袋を手袋と認めることができなかったが、このことはどう説明すべきだろうか。

明らかに彼は、仮説をいろいろめぐらすことはできただろうが、認識にかんして判断ができなかったのである。判断とは、直感的、個人的、総合的、具体的なものだ。われわれはものに接したとき、それが他者との関係においてどうあるかということを、直感的に「見る」のである。Ｐに欠けていたのは、この「見る」能力、他者とのかかわりを把握する能力だった（その他の領域では、彼の判断はすばやく、正常だった）。これは、視覚情報が不足していたためなのか、あるいは視覚情報を形成するにあたって正常さが欠けていたためなのだろうか（このように説明していくのは、古典的な図式的神経学のやり方である）。それとも、Ｐの態度のなかにどこかおかしいところがあって、目にはいってきたものを自分自身と関連させることができなかったのだろうか。

これら二つの解釈の仕方は、絶対に相いれないものではない。他方をまったく排除するものだとは言いきれない。次元が異なるだけであって、二つとも共存しうるし、二つとも事実であると言ってもいい。そのことは、すでに古典的な神経学でも、暗に、あるいは公然と、認めていた。暗に認めていたのは、たとえばマックレイだ。彼は、視覚的認識の誤りに原因があるとするだけでは不十分だと考えている。公然と認めていたよい例は、ゴールドスタインだ。彼が「抽象的態度」を口にするときがそうなのである。しかし、抽象的態度は「範疇化」を認めるものだが、これではＰの場合、いや一般に「判断」なるものを考える場合、まとはずれとなってしまう。なぜなら、Ｐの場合には、抽象的態度は存在していたからだ。それだけがあって、それ以外のものが何もなかったのである。抽象的態度だけしかなかったがゆえに、彼はものの実体が、具体的なもののいっさいが認識できなかった。

おかしな話だが、神経学や心理学はあらゆることに口を出すくせに、「判断」にかんしては、ほとんどなにも語らない。だが「判断」はきわめて重要なことで、判断の欠落こそが、多くの神経心理学的障害の核心なのである。Pのような特殊な症例でもそうだし、もっと一般的なコルサコフ症候群の場合でもそうなのである（12章・13章参照）。判断と個別認識は重要な問題なのに、神経心理学はけっしてその点にふれようとしないのである。

だが哲学的な（つまりカント的な）意味においても、経験論的・進化論的な意味においても、判断こそは、われわれの能力のうちで最も重要なものである。動物は、人間もそうだが、「抽象的態度」などなくてもやっていける。だがもし判断がなかったら、たちまち滅んでしまうだろう。判断こそは、高等な生活あるいは精神にあって最も重要なものであるはずなのに、従来の古典的な神経学（つまりコンピューター的な神経科学）ではなおざりにされ、正しく理解されないできた。なぜこんなばかげたことがおこるのかといえば、その原因は、これまでの神経学が基盤としているさまざまの臆説にある。神経学そのものの発展からしておかしかったと言ってもいい。なぜなら古典的神経学は、古典的物理学と同じく、これまでつねに機械的なものだった。ヒューリングズ・ジャクソンにはじまって今日のコンピューター理論にいたるまで、つねに機械的だったのである。

もちろん頭脳は機械であり、一種のコンピューターである。この点では古典的神経学が説くところはまちがっていない。しかしわれわれの精神のはたらきとなると——それが基盤となってわれわれの存在や生活がつくられているのだが——ただ単に抽象的・機械的なものではなく、それぞれに個性的なものである。区別し分類するだけでなく、つねに判断を下したり、ものを感じたりしているものである。同様に、もし感じたり判断すること（つまり個人的なるもの）を認識科学からはずしてしまったら、そういう認識科学は、Pとおなじように欠陥があるものとなってしまうし、具体的なもの・現実的なものを把握できないことになってしまう。

滑稽かつ怖るべきことだが、今日の神経学も心理学も、あわれなPとなんら変るところがない。いまわれわれには、Pとおなじく、具体的で現実的なものが必要なのだ。それなのにそのことがわかっていない、これまたPとおなじように。今日の認識科学そのものが、Pとおなじように、認知能力に欠陥をもっているのである。したがってPは、ある種の警告あるいは教訓になると言えなくもない。判断や、具体的なもの・個なるものをなおざりにして、まったく抽象的にコンピューターのようになりつつある科学にたいする警告。

たいへん残念なことだったが、どうにもならない事情があって、私はPの問題をそれ以上手がけることはできなかった。それまでのような観察をさらにつづけることも、病理研究に深く立ち入ることもできないで終ったのだった。

Pのような異常な症状に出会うと、とかくわれわれは、これこそ「他に例のない《ユニークな》」症例ではないかと考える。だから、その後これに似た例を発見したとき、私はひじょうに興味をひかれ、うれしくなった。安堵したといっても嘘ではなかった。まったく偶然のことだが、一九五六年の『ブレイン』誌に目を通していたとき、おかしいくらいよく似た事例に行きあたったのである。神経心理学的にも現象学的にも、ほとんど同じといっていいくらいだった。ちがうのは、異常の原因が急性頭部損傷であったことと、患者の生活環境だけで、それ以外はじつによく似ていた。その報告を書いていた筆者たちは、「これこそ、いまだかつて報告されたことがないほどユニークな例」と記し、彼らが目撃した事実に、Pのときの私と同じようにおどろいていた[4]。それはマックレイとトロールの論文で、興味のある読者は原論文を見ていただきたいが、その概略を、原文からの引用をまじえつつ紹介しておきたい。

その患者は三十二歳の青年で、ひどい自動車事故にあい、三週間意識不明の状態になった。そしてそのあと「人の顔の見わけがつかなくなり、自分の妻や子供たちの顔を見ても、誰だかわからなくなった」という。彼にとって「見なれた」顔はひとつもなくなってしまった。

だが彼が見わけることができた顔が三つだけあった。ひとつは、片方の目をぴくぴくさせる男の顔。もうひとつは、頬に大きなほくろのある顔。三人目は「のっぽで、痩せていて、ほかにこんなのはないから見まちがえるはずはなかった」。三つとも、マックレイとトロールのことばによれば、「きわ立った特徴があるがためにわかった」のである。ところで彼は（Pとおなじように）、身近の親しい人たちならその声だけで、誰だかわかっていたのである。

彼は鏡にうつった自分を見ても、それが誰だかよくわからなかった。そのことを、マックレイとトロールは次のようにくわしく書いている。「はじめのうち彼は、とりわけひげを剃っているときなど、鏡のなかからこちらを見ている顔がほんとうに自分のものかどうか半信半疑のようすだった。そして、それが自分の顔であるはずだとわかっていても、一応たしかめるために、しかめつらをしてみたり、舌をつき出したりしていた。鏡のなかの顔を子細に観察して、はじめて彼は、それが自分であることに気がつきはじめるのだった。以前のように、瞬時にしてわかるのではない。髪のかたちや顔の輪郭、それに左の頬にある二つのほくろなどを手がかりにして、徐々に理解していく、というありさまだった」

概して彼は、「一目見ただけ」では、対象物が何であるかわからなかった。一つか二つ特徴をさがしだし、それをもとに推測していくやり方でなければだめだった。その推測が、まったく見当はずれのこともあった。とりわけ、目の前のものが生きているものだとうまくいかなかった、という。

　他方、鋏、時計、鍵などのようにきまったかたちをした単純な品物の場合は、ぜんぜん問題がなかった。マックレイとトロールは、つぎのようなことも書いている。「彼の地理的記憶は奇妙だった。まったく矛盾したはなしだが、自宅から病院までちゃんとこられるし、病院の周辺もまちがいなく歩けるというのに、自分がとおってきた通りの名前は言えないし（Pとちがって、彼は多少失語症ではあった）、道順を視覚的に思いえがくこともできなかった」

　このほかにわかったことは、事故にあうずっと以前から、彼の視覚的記憶はひどいものだったということだ。人々の行動や癖などの記憶はあるけれども、外貌や顔となるとおぼえていられないのだった。同様に、いろいろと質問してわかったことだが、夢のなかでも、視覚的イメージはあらわれなくなっていた。かくしてPの場合とおなじように、この患者の場合、視覚的認識能力ばかりでなく、視覚的な想像力も記憶力もまったく損なわれてしまったのである。視覚的イメージをよびだす基本的な能力が欠落してしまったのである。すくなくとも、個人的なもの、身近なもの、具体的なものにかんするかぎりでは。

　最後にユーモラスな点をひとつ。Pは妻を帽子ととりちがえたけれど、マックレイの患者は、これまた自分の妻がわからず、わかるためには、妻のほうがなにか目じるしをつける必要があったという。「身につけるものではっきり目立つもの、がよかった。たとえば大きな帽子、といったように」

注

(1) のちに、ふとしたことからそれが何であるかわかって、彼はさけんだ――「おやまあ、これは手袋だ！」ここで思いだされるのは、クルト・ゴールドスタインの患者ラヌーティである。彼は、品物を目の前に置かれても何だかわからず、それを実際に使ってみようとしてはじめて認識できた、という。

(2) ヘレン・ケラーが視覚的な叙述表現ができるのを、私はしばしばふしぎに思ってきた。雄弁ではあるけれど、ほんとうに空疎でなく実体の裏づけがあるのだろうか、と。それとも、触覚によって得たものを視覚的心象《イメージ》へ転換させることをくり返しているうちに――さらにこれは驚くべきことだが――言語または形而上的世界のものを感覚的・視覚的なものへとイメージ転換をくり返しているうちに、目がものを見てそれが大脳の視覚皮質を直接刺激するということなどなくても、視覚的イメージの創造能力を獲得してしまったのだろうか、と。しかしPの場合は、画像をつくる上で重要不可欠な視覚皮質に、まさしく欠損があった。興味をひかれることだが、彼はもはや夢を視覚的に見ることができなかった。夢が告げるものは、すべて非視覚的なかたちで伝えられたのである。

(3) のちに彼の妻から聞いて知ったことだが、彼は、生徒がじっとすわっていると誰だかわからなかったそうだ。イメージとしては把握できないからだ。しかし生徒がからだを動かすと、「カールだね、動きでわかる」とすぐに当てたそうである。

(4) 本書を書きあげてからわかったことだが、視覚的失認症にかんする文献、とりわけ人の顔が認識できない症例はかなりたくさんある。とくに最近私にとって大きな喜びだったのは、このような失認症患者のきわめて詳細な研究(一九七九)を発表したアンドルー・カーテッツ博士に会えたことだった。カーテッツ博士が話してくれたなかに次のような例があった。ある農夫は顔貌失認症がどんどん進行していって、ついに飼っている牝牛たちの顔の見わけがつかなくなった。また、別の患者で、自然史博物館の案内係だった男は、鏡にうつった自分の姿を、類人猿の見本展示《ジオラマ》ととりちがえてしまった、という。Pの場合や、マックレイとトロールの患者の場合とおなじく、相手がとくに生きものだと、とほうもない誤認がおきるのだそうだ。

2　ただよう船乗り(1)

記憶をすこしでも失ってみたらわかるはずだ、記憶こそがわれわれの人生をつくりあげるものだということが。記憶というものがなかったら、人生はまったく存在しない……記憶があってはじめて、人格の統一が保てるのだし、われわれの理性、感情、行為もはじめて存在しうるのだ。記憶がなければ、われわれは無にひとしい……（わたしが最後にたどり着くところ、それはいっさいの記憶の喪失だ。これによって、わたしの全生涯は消し去られる。わたしの母の生涯もそうであったのと同じように）

ルイス・ブニュエル

ブニュエルの回顧録にあるこの悲愴な恐ろしいことばは、いくつかの根本的な――臨床的、実際的、実存的、哲学的な――問題を提起している。もし記憶の大部分が失われたら、もしそれによって本人の過去も時間のなかでの繋留も失われたとしたら、どのような世界、どのような自己が、その人のなかに残るのだろうか？

　こうした問題を考える非常にいい例としてただちに思いうかぶのは、以前私が診たある患者──魅力的で、頭がよくて、記憶を一部失ったジミー・Gである。彼は一九七五年のはじめ、ニューヨーク市の近くにあるわれわれのホームにやってきた。前の医師からまわされてきた書類には、「絶望的、痴呆、錯乱、失見当識」と謎めいたことばが書かれていた。

　ジミーは整った顔だちをしており、髪は灰色の縮れ毛で、見るからに健康そうでハンサム、年は四十九歳だった。陽気で、社交的で、活発だった。

「やあ先生」と彼は言った。「いいお天気ですねえ。この椅子に腰かけていいんですか？」彼は愛想がよく、すすんでしゃべり、私が何を質問してもてきぱきと答えた。自分の名前と生年月日を告げ、彼が生まれたコネチカット州のある小さな町のことを愛情こめて語り、地図までかいてみせた。両親が住んでいた家の話もした。家の電話番号も忘れていなかった。学校や学校時代のこと、そのころの友人のこと、自分は数学と科学がとくに好きだったということなどをしゃべった。海軍にいた時代のことを熱っぽい調子で話してくれた。海軍にはいったのは一九四三年で、ハイスクールを卒業したばかりの十七歳のときだった。もともと理工系に向いていたからラジオやエレクトロニクスにたちまち習熟し、テキサスで速成コースの研修を受けたあと、潜水艦の副通信士になった。乗り組んだ潜水艦の名前はどれも全部おぼえていたし、それぞれの任務や、配属された場所や、仲間の乗組員の名前も記憶していた。モールス信号もおぼえていて、ツー・トン・トンと今でもすらすら打つことができた。

　このように、充実して楽しかった若い時代のことを、彼は克明に、詳細に、いとしげに思い出すことができた。だがどういうわけか、そこで彼の回想はストップしてしまった。思い出してまざまざと語れるのは、戦争時代と軍務のこと、戦争終結のときのこと、そのあと将来をどうするかいろいろ考えたこと、だった。海軍が好きになっていたから、このままつづけてもいい、と思っていた。だが復員法にもとづく援助が得られると知って、彼は、大学へいくのが一番いいかもしれないと考えた。彼の兄は計理士学校にいっていて、オレゴン州出身の女の子、「すごい美人」と婚約していた。

　昔をふたたび呼びおこし、追体験にひたりながら、ジミーは嬉々としていた。過去のことでなく現在のことをしゃべっているみたいだった。ところで私は、彼の話が学校時代から海軍時代のことにうつってくると時制《テンス》が変るので、非常におどろいた。さっきまで過去形で話していたのに、今は現在形に変っているではないか。それも、過去の話だが小説ふうにわざと現在形を用いているのではなくて――ないらしく、と私には思われた――過去の直接経験がなんの作為もなしに現在形で話されているのだった。

　とつぜん、ある疑惑が私をおそった。

「ミスターG、それ、何年のことですか?」つとめてなにげない調子をよそおって、私はたずねた。

「四五年ですよ、どうかしましたか？」彼は話をつづけた。「われわれは戦争に勝ったのです。ルーズベルトが死んでトルーマンが大統領になりました。これからがたいへんな時代になるでしょう」

「それでジミー、きみはいくつになるの？」

どうしたわけか、彼はためらいを見せた。自信なげに勘定しているかのようだった。

「えーと、十九歳じゃないかな。今度の誕生日で二十歳になるところです」

髪の毛がすっかり灰色になっている男を目の前にして、私は矢も楯もたまらなくなった（あとから思えば、ずいぶんひどいことをやったものだと思う。ジミーが今でもおぼえているかどうか知らないが、とにかくそれはこの上ない残酷な仕打ちで、こればかりは今日まで自分を許すわけにいかない気がしている）。

「ではこれを見て」私はそう言って、彼に鏡をつきだした。「鏡を見てごらん、なにが見える？　それが十九歳の若者の顔かい？」

彼は顔面蒼白となり、椅子の両肘をにぎりしめた。「なんてことだ」彼はつぶやいた。「いったいどうなってるんだ。どうなっちまったんだろう。夢だろうか？　頭がおかしくなったのかな？　これ、悪ふざけ《ジョーク》なんだろうか？」彼は狼狽のあまり気が狂ったようになった。

「いいんだ、ジミー、大丈夫だよ」私はなだめるように言った。「まちがいだよ、ぜんぜん気にすることないよ。ほら！」と私は彼を窓のところに連れていった。「ごらん、いいお天気だろ。子供たちが野球をやっているのが見えるだろ？」彼は喜色をとりもどし、すこし笑うことができるようになった。私は罪つくりのいまわしい鏡をとりあげると、部屋からそっとぬけ出した。

二分後私は部屋にもどった。ジミーは相かわらず窓ぎわに立って、下で野球をしている子供たちを楽しそうに見ていた。私がドアを開けたのを知ると、彼はくるりと向きなおった。その顔には元気そうな表情が浮かんでいた。

「やあ、先生」彼は言った。「おはようございます。わたしに話があるんでしょう？　この椅子に腰かけてもいいですか」さばさばした屈託のないその顔は、私を初対面の人間と見ているらしく、先刻とおなじ人間だと気づいているしるしはどこにもなかった。

「以前会ったことありませんでしたかね」私はさらりと質問した。

「いや、ありません。先生のひげ、すごい。前に会っていたら忘れるはずないですよ、先生」

「なぜ私のことを先生って言うんです？」

「だって医者だもの、そうじゃないんですか」

「そうです。でも会ったこともないのに、どうして私が医者だということがわかるんですか？」

「しゃべり方が医者みたいですからね。医者だとわかります」

「よろしい、その通りです。私はここの神経内科医です」

「神経内科医？　じゃあ、わたし、神経がおかしいんですか？　それに、こ、ここってなんのことですか。いったいここはどこなんです？」

「いまそれを言おうとしていたんですがね。いまあなたは、どこにいると思いますか？」

「ベッドがたくさんありますねえ。それから病人らしいのが大ぜいいますね。なんだか病院みたいですね。だけど、わたしはいったい病院で何をしようってんでしょう、こんな老人たちのいる所へ来て。みんなわたしより年とっていますよ。わたしは元気でどこも悪くない、雄牛のように丈夫です。もしかするとここで働くのかな……働くんですか？　どういう仕事ですか？……いや、あなたは首を横にふりましたね。わかりました、ここで働くのではないんですね。先生、わたしは患者なのですか？　だのにそれがわからないでいるんですか？　まったくどうかしてますよ、気味が悪いったらありゃしない……これ冗談でしょ？」

「ではあなたは、何がどうなっているのか知らないんですね。本当に知らないんですか？　あなた、子供のときの話を私にしてくれたの覚えているでしょう？　それからコネチカットで大きくなって、そのあと潜水艦で副通信士になったと言ったじゃありませんか。あなたの兄さんがオレゴン出身の娘さんと婚約した話もしてくれたじゃありませんか」

「へーえ、よく知ってますね、その通りです。だけど、わたしが話したんじゃない。これまで一度も先生に会ったことなかったんですからね。先生はきっと経歴書を読んだにちがいありません」

「よし、では話してあげよう」と私は言った。「ある男が医者のところへ行って、記憶のまちがいがよくおきて困ると訴えた。医者はおきまりの質問をいくつかして、それから言った。さてきみのいうまちがいだけれど、いったいどういうのかね、と。すると患者は答えた、なんです、そのまちがいっていうのは？」

「ああそれですよ、わたしの問題も」ジミーは笑った。「わたしもなんとなくそうだと思ってたんです。わたしもときどき忘れてしまうんです。ちょっと前におこったことをね。でも昔のことははっきりしてるんです」

「あなたのこと、すこし調べてみていいですか、すこしテストしてみたいんだが」

「もちろんどうぞ」彼は愛想よく言った。「なんなりとやって下さい」

知能テストをしてみると、彼の能力はすばらしいことがわかった。頭の回転が早く、観察力はすぐれ、論理的で、複雑なむずかしい問題もわけなく解いてしまう（とはいうものの、わけなく解いてしまうのは、すばやくやれたときにかぎっていて、時間を長くかけていると、やっていることを途中で忘れてしまうのだった）。三目ならべやチェッカーズをやらせると、機敏で上手だった。巧妙で、攻めるのが強かった。私など簡単に負かされてしまった。だがチェスになるとだめだった。駒の動きが遅すぎるからだった。

彼の記憶力を調べてわかったことは、異常なことに、ちょっと前の記憶がないということだった。だから、なにを言われても見せられても、数秒後にはもう忘れている。たとえば、私が時計とネクタイとめがねを机の上に置いて、上から布をかぶせ、下の物をよくおぼえておくように言ったとする。一分ばかりおしゃべりをしてから、下にあるものは何かとたずねる。だがなんにも思い出せない。おぼえておくように、と私が言ったことすら忘れてしまっている。私はもう一度おなじテストをやってみた。今度は三つの物の名前を紙に書かせておいたが、やはり忘れてしまっていた。そこで彼が書いた紙を見せたところ、彼はびっくりし、紙に書いたことも思い出せないという。だが書かれた字を見て、自分の筆跡だということは認めた。しばらくしてから、さっきそれを自分が書いたという事実が、かすかに思い出されてくるらしかった。

ときどき、かすかに記憶がのこっていることはあった。漠とした残響とでもいうか、はじめてのことではないといった意識である。そういうわけで、彼は、私と三目ならべをやったあと五分ぐらいたってから、ある医者と三目ならべをしばらく前にやったことを思い出すのである。「しばらく前」とは数分のことなのか、数か月を意味しているのか、それは彼にはぜんぜんわかっていない。彼はだまって考えこみ、しばらく間をおいてからこう言う。「それはあなただったかもしれない」そうだと私が答えると、それを聞いて彼は愉快そうな顔をする。愉快がることと、ひややかな無関心とがきわめて特徴的だった。時間にかんする見当識がおかしいのも、特徴的なことだった。今日は何月何日かとジミーにきくと、とたんに彼は、手がかりはないかと周囲を見まわす。だが私は、机の上にあったカレンダーをわざとかくしてしまっている。そこで彼は、窓から外に目をやって、しきりに月日をかぞえようと努力するありさまだった。

記憶にきざみつけることができない、というのではどうやらないらしい。記憶へのきざみつけ方が弱いためにじきに消えてしまう、ということらしいのである。一分ぐらいしかもたない。ほかに気を散らせるような強い刺激がある場合には、一分もしないうちに記憶のきざみが消えてしまうのだ。いっぽう知性や知覚能力は、ぜんぜん損なわれることなく保存され、依然としてきわめてすぐれているのである。

ジミーの科学的知識は、優秀な理系の高校卒業生に十分匹敵するものだった。算術的計算能力にいたっては——代数もそうだが——ことのほかすぐれていた。ただし、瞬時にやってのける計算の場合にそうなのであって、多くの過程を必要としたり、多くの時間がかかるようなものになると、今どこをやっているのかわからなくなる。問題さえも忘れてしまうのだ。元素のこともよく知っていて、くらべあったり、周期表を書くことができた。だが、ウラニウムから先の元素は書かなかった。

「それで全部ですか？」私は、彼が書きおえた周期表を見て言った。

「全部です。最新の知識にもとづくものです」

「ウラニウムの次にくる元素があるはずでしょう？」

「冗談じゃない、元素は全部で九十二です。ウラニウムが最後です」

私はだまった。それからテーブルの上にあった『ナショナル・ジオグラフィック』誌を手にとって、ページをぱらぱらやりながら言った。「太陽系の惑星を言ってみてください。それから、それらについて知っていることも」すかさず、自信にみちた調子で彼は答えた。惑星の名前、どうやって発見されたか、太陽からの距離、質量、それぞれの性質、重力の大きさ等々。

「これは何ですか」私はあるページの写真を見せて言った。

「月です」

「ちがいます。これは月から撮った地球の写真です」

「うそですよ、先生。それだったら、誰かがカメラを持って月へ行かなければいけません」

「そのとおり」

「まさか。どうやってそんなことができるんですか」

抜群の演技力をもった役者か、感じてもいないおどろきをさも本当らしく見せるぺてん師ならいざ知らず、それまでの応答からはっきりわかったのは、彼がまだ昔の時代にいるということだった。彼が発することば、顔にあらわれた感情、素朴なおどろき、目で見たことが納得できないでもがいているありさま——これらはまさしく、一九四〇年代の知性ある若者のそれだった。ここ三十年間の出来事をまだ知らず、予測も想像もできないでいる人間のそれだった。私はノートに書きつけた。「彼の記憶が一九四五年あたりを境に、そのあとぷっつり切れていることは明らかだ。私が見せたこと・話したことは、彼にとって本当のおどろきだった。スプートニクをまだ知らないころの知的青年のおどろきとまったく変るところがなかった」

その雑誌にもうひとつ写真があったので、私はそれを彼のほうに押しやった。

「航空母艦ですね」彼は言った。「えらくモダンなかたちだ。こんなの見たことありません」

「その艦名は？」

彼は下へ目をやった。顔に動揺があらわれた。「ニミッツだって！」

「どうかしましたか」

「ちきしょう、あったのか！」彼はかっかとして言った。「全部知っているはずだったんだがなあ。ニミッツなんて知らないなあ……たしかにニミッツという提督はいましたよ、でもその名前をとった空母があったとは知りませんでした」

怒ったように彼は雑誌をほうりだした。

彼は疲れてきた。いらだちやすく、不安そうな様子になっていた。さっきから、彼にとって理解に苦しむ思いがけないことばかりがつづき、気にしないではすまされぬ内容がからんでいるとあっては、無理もないことだった。私は自分でも気づかないうちに、彼をパニックにおとしいれていたのだった。もうこのへんでやめるべきだと思った。われわれは、ふたたび窓のほうへ歩いていって、陽があたっている野球のダイヤモンドを見おろした。そのうちに、彼の顔からは緊張が去っていった。ニミッツも、宇宙船からの写真も、彼をぞっとさせたその他のことすべてを忘れていき、下でやっている野球に夢中になりはじめた。そのうちに食堂からおいしそうな匂いがただよってくると、彼は口をぱくつかせ、「あ、ランチだ」とひとこと言うと、にこりと笑い、立ち去っていった。

あとに残った私は、胸がしめつけられる思いだった。なんとも痛ましい話だ。それに、奇妙この上ない。彼の人生が忘却の世界に置きさられ、溶けて崩れていっているかと思うと、どうしてよいかわからなかった。

私はノートに書きつけた。「彼という人間は、瞬間だけの存在だ。いわば、忘却という か空白という濠《ほり》でとり囲まれて完全に孤立しているようなものだ。彼には過去もなければ未来もない。たえず変動してなんの意味もない瞬間瞬間にはりついているだけだ」と。そのあともう少し散文的な書き方になって、「その他の点については、神経学的検査の上からは完全に正常である。印象からいえば、おそらくコルサコフ症候群で、アルコールが原因でおきた乳頭体変性だろうと思われる」私のノートは、事実と感想のごたまぜだった。長い文章もあれば、要点だけの箇条書きもあった。このような問題がなにを意味するか、否応なしに考えざるをえなかった。この哀れな男は誰であり、何であり、どこへ行くのか、と思いめぐらすのだった。また、このように記憶をもたず、連続性を失った存在ははたして「存在」といえるかどうか、といぶかりもしたのだった。

　私はこのときも、そのあとに書いたノートのなかでも、この「失われた魂」――とは科学的でないことばだが――について終始考えつづけた。どうしたら連続性をとりもどせるのだろうか、と。どうしたら根《ルーツ》が得られるのだろうか？　彼は根がないのだ。いや、遠い過去にしか根がないのだった。

「ただ結びあわせよ《オンリー・コネクト》」――それはいいとしても、でもどうやって結びあわせることができるのか？　どうしたら、彼が結びあわせるのを助けることができるのか？　いったい、コネクションのない人生とは何であろうか？　ヒュームは書いている。「あえて言うならば……われわれは、無数の雑多な感覚の集積または集合体にほかならない。それらの感覚は、信じがたい速さで次から次へと引きつがれ、動いて、変って、流れてゆくのである」ある意味でジミーは、ヒュームにぴったりの人間になってしまっていたのだった。もしヒュームがジミーを見たらさぞかし興味をもったことだろう、と私は思わざるをえなかった。ヒュームの大胆な見解の実証例があらわれたのだ。人間が、もはやばらばらで一貫性のない流動と変化にすぎぬものと化した姿がここにあった。

これまでの医学的文献を調べているうちに、手がかりあるいは参考になるものがあった。主としてロシアのものにそれがあった。古いところでは、一八八七年のコルサコフの独創的な論文だ。これは記憶喪失の症例を数多くあつかっており、ここから、今日のコルサコフ症候群という呼称が生まれたのである。新しいところでは、ルリアの『記憶の神経心理学』があげられる（この本は、私がはじめてジミーに会った一年後に翻訳が出た）。コルサコフは、一八八七年に次のように書いている。

最近おこったことの記憶だけが混濁している。近いものほど一番早くに消えてしまう。昔のことは、まちがえずに思いだすことができる。当人の知性、頭脳のはたらき、能力などはほとんど影響を受けることがない。

コルサコフの観察のすばらしさには感心するが、量的には多くない。このあと約一世紀にわたってつぎつぎと研究が加わっていくのだが、そのなかでもっとも内容豊かで深遠なものは、なんといってもルリアの研究だ。そしてルリアの手にかかると、科学は詩に近づき、記憶喪失は、悲劇にも似た痛ましさをもって切々と読者の心にせまってくる。ルリアは書いた。「受けとった印象すべてを統合し、時間的順序にしたがってつなぎ合わせるということが、こうした患者たちにはできなかった。その結果として彼らは、時間の経過が理解できず、それぞれ孤立して脈絡のない、雑然とした印象の群れのなかで暮らすことになる」さらに――これもルリアが書いていることだが――印象の消去は、手前から遠い方へむかって、逆向きにひろがっていくことさえあり、「ひどい場合には、かなり昔のころにまでおよぶのである」。

この本に出てくるルリアの患者たちは、ほとんどみな脳に腫瘍があり、それがために、コルサコフ症候群と同じ症状が見られたのだった。やがて腫瘍はひろがり、彼らの命をうばっていった。したがって本書のなかには、「単純な」コルサコフ症候群の症例はひとつもあつかわれていない。「単純な」ケースというのは、コルサコフが書いているように、アルコールのために乳頭体がおかされ、脳のほかの部分はなんともないが一部の神経細胞だけが破壊される、といった場合をいう。そういうわけだから、ルリアの本では、長期にわたって観察がつづいた例はひとつもない。

はじめのうち私は、なぜジミーの記憶が一九四五年でぷつんと切れるのかわからず、ふしぎでならなかった。それは大戦終結の年で、なにやら象徴的ではある。私はノートに次のように書いた。

大きな謎の空白がある。そのとき何がおこったのだろうか？　この「消え失せた」何年間かを、なんとしても埋めなければならない。彼の兄に聞くか、海軍あるいは入院先の病院に照会をしてでも。この時期ジミーは、大きな外傷でも受けたのだろうか？　戦争中とっ組みあいでもやって、頭をひどくやられたのか、あるいは感情の面でひどいショックを受けることでもあったのだろうか？　そしてその影響があとまで尾を引いているのか？……戦時中こそ彼の「絶頂期」――すなわち、真に充実して生きていた時――であって、それからあとの生活は、気がぬけた、いわばアンチ・クライマックスの日々というわけだったのだろうか[2]？

われわれは、彼にいろいろな検査をしてみたが、脳に大きな障害はなにもなかった（もっとも、微小な乳頭体にたとえ萎縮があったとしても、おそらく検査では見つからなかっただろうが）。海軍からとどいた報告書には、ジミーは一九六五年まで海軍にいたとあり、そのころの彼はまったく有能だったと書いてあった。

つぎは、ベルヴュー病院が書いた短いひどい記録だった。日付は一九七一年で、「失見当識がとくに顕著で……アルコールによる脳症候群がかなり進行している」とあった（このころには、肝硬変もはじまっていた）。そのあとジミーはベルヴュー病院から出され、同じ村にあるもっとひどいみじめな療養所へやられた。そして一九七五年、われわれのホームによってそこから救い出され、みすぼらしい、飢えにやつれた姿でやってきたのだった。

われわれは、兄のいどころをさがした。この兄は計理士の学校にかよっていて、オレゴン州出身の娘と婚約中だということを、われわれはジミーから聞かされていた。だが実際には、彼はオレゴンの娘と結婚していて、とっくに父となり、孫もでき、すでに三十年間計理士をやっていたのである。

この兄から多くのことが聞けるかと期待していたが、われわれが受けとったものは、いんぎんな調子で書かれてはいるが、ごく短い手紙だった。その手紙を読んで――とりわけ行間から察してわかったのは、二人は一九四三年以後はほとんど会っていない、ということだった。二人はまじわることなく別々の道を歩いていた。ひとつには、居場所や職業がかけはなれているためであり、いまひとつは、気質がまったくちがうからだった(仲が悪いというわけではなかったが)。ジミーはけっして「腰をすえて一箇所に落ちつく」ことはなかったし、「のんき」で、「いつも飲み助」だったようだ。兄が思うには、海軍にいるあいだは安定していたようだったが、一九六五年に海軍を去ったころからおかしくなりはじめた。生活にけじめを与えていたそれまでの枠がはずされ、いわば錨にあたるものがなくなると、ジミーは働こうとしなくなり、「ばらばらになって」しまった。そして大酒を飲むようになったのである。六〇年代の中ごろ、とくに後半になって、コルサコフ型の記憶障害がはじまった。だがそれほどひどくなかったから、ジミーは例ののんきなやり方でなんとか「切りぬけて」いられた。しかし一九七〇年になって、彼の飲酒はいっそうひどくなった。

これも兄の話だが、その年のクリスマスごろになってジミーはとつぜん「頭がへんに」なり、自分でもわからず興奮し、錯乱するようになった。これでとうとう彼は、ベルヴュー病院へ連れていかれたのである。翌一月、興奮と錯乱状態はややおさまったが、あとに奇妙なひどい記憶障害（医者仲間のことばでいえば記憶の「欠損」）が認められるようになった。このとき兄はジミーに会いにいったが——ふたりが会うのは二十年ぶりだった——おどろいたことに、ジミーは相手が誰だかわからなかったばかりでなく、こう言ったという。「冗談じゃない、あんた、おれのおやじみたいな年じゃないか。おれの兄貴は若いんだよ。計理士の学校へ行ってるんだぜ」

こうした話を知らされて、私はいっそうわからなくなった。どうしてジミーは、海軍にいた終りのころのことをおぼえていないのだろうか。どうして彼は、一九七〇年までのことを思い出せないのか。そこまでの記憶が統合されていないのか？　当時の私はまだ、このような患者には逆行性健忘（「後記」参照）の可能性があるということをぜんぜん知らなかった。私はこのころノートにこう書いている。「この健忘症は発作興奮型《ヒステリー》なのか、それとも遁走曲的《フーガ》なのだろうか？ 思い出したくない、ある恐ろしいことからの逃避とは考えられないだろうか」と。こうして私は、精神分析医に診てもらうことをすすめたのだった。精神分析医の報告は徹底的で、詳細にわたるものだった。彼女は、アミタール・ナトリウム塩テストをおこなった。もし抑圧された記憶があれば、これで呼びおこせるはずだからだ。彼女はまた、ジミーに催眠術も試みた（これは、ヒステリー性健忘の場合には、記憶をひき出すのにかなり効果があるとされている）。しかしこれは失敗だった。ジミーには催眠術が効かなかったのだ。「抵抗」したためではなく、健忘の度合いがあまりにひどかったためだった。催眠術者が言うことにぜんぜんついていけないほどひどいのだった（ボストン退役軍人病院の健忘症病棟の医師M・ホモノフ博士は、おなじような経験を語っている。さらに博士の所見では、このことはコルサコフ症候群の患者にだけ見られることで、ヒステリー性健忘の患者はこの点がちがうのだそうだ）。

「ヒステリー性欠損ではないし、欠損を装っているとも思えない」とその精神分析医は書いていた。「彼にはとりつくろう手段もないわけだし、そのようなことをする動機もない。彼の記憶欠損は本物であり、不可逆的なもので、治すことは不可能である。それにしても異常なのは、欠損がかくも長い年月におよんでいることである」当人がぜんぜん気づいておらず、なんら不安を訴えておらず、この先問題がおきるとも思えないから、彼女としてはこのままにしておかざるをえない、有効な治療の方法もまったく考えられない……という次第だった。

それならばもはやこれはコルサコフ症候群にまちがいない、情緒やほかの器質的因子がからんでいない「純然たる」コルサコフ症候群である——私はそう確信したので、ルリアに手紙を書いて意見を求めた。(3) ルリアがくれた返事のなかには、彼が診ているベルという患者のことが書いてあった。ベルはひどい健忘症で、過去十年間の記憶が消えてしまっていた。どうして十年間でとまっているのか、どうして過去すべてが消えないでいるのか、その理由はわからない、とルリアは書いていた。「全生涯を消し去るところのいっさいの記憶喪失」とはブニュエルのことばだが、ジミーの健忘は、理由はどうであれ、大ざっぱにいって一九四五年を境にして、それからあとの記憶だけを消し去っていた。ときには一九四五年よりずっとあとのことを記憶していることもあった。だがその記憶は断片的で、時間的順序はくるっていた。ある時など、新聞の見出しに人工衛星という文字があるのを見て、いともさらりとこんなことを言った——チェザピーク・ベイ号に乗っていたとき、人工衛星追跡の仕事をやったことがあったっけ、と。これは、一九六〇年代の初めか中ごろの記憶の一断片だった。しかし彼の記憶の連続性が実際にたち切られているのは、一九四〇年代の中ごろ（あるいは後期）であって、それ以後の記憶があったとしてもそれは断片的なものにすぎず、脈絡がないのである。われわれに何ができただろうか？ われわれは何をすべきだったろうか？ 「このようなケースにあっては、これといった処方箋は何もないのです」とルリアは書いていた。「あなたが考えつくことはなんでも、良いと思うことはなんでもやってみてください。彼の記憶がもどる見こみは、まずまったくないのです。でも人間は、記憶だけでできているわけではありません。人間は感情、意志、感受性をもっており、倫理的存在です。神経心理学は、それらについて語ることはできません。それだからこそ、心理学のおよばぬこの領域において、あなたは彼の心に達し、彼を変えることができるかもしれないのです。いまのあなたのお仕事からみて、とりわけあなたにはこれが可能です。というのは、あなたはホームで働いておられる。ホームといえば、小さいながらもひとつの人間社会であり、私がいる診療所や施設とはまったくちがいます。神経心理学の上からいえば、われわれにできることはほとんどない、いやまったくないといっていい。しかし人間としては、すくなからず何かができるかもしれないのです」

ルリアによれば、彼の患者クールは、まれに見るほどの自意識をもっていて、そこには絶望とふしぎな平静さとが混在している、とのことだった。「私は現在についての記憶がないのです」クールはいつもそう言うのだった。「たったいま自分が何をしたか、どこから来たか、わからないのです。……過去はひじょうによく思い出すことができる、だが現在の記憶となると、まったくだめなのです」いま検査をしている人を前に見たことがあるかと聞かれると、彼の答はこうだった。「イエスともノーとも言えません。前に会ったことがあると断言できないし、否定もできません」ジミーの場合も、しばしばそれと同じだった。だが同じ病院に何か月も通いつづけたクールと同じように、ジミーも、馴れからくるある種の親近感のようなものはもつようになった。彼がいるホームのなかがどうなっているかが徐々にわかるようになっていったのである。食堂や、彼の部屋や、エレベーターや階段の位置がわかるようになったし、スタッフのうちの何人かを覚えていられるようになった（もっとも、以前知っていた人々と混同することはつねにあったが）。そのうちに看護師が好きになった。彼女の声や足音ですぐわかるようになった。だが、高校時代の同級生だと思いこんでいて、私が彼女を「シスター」と呼ぶと非常におどろくのだった。「へーえ」と彼は叫んだ。「ひどいことになったもんだ。あんたが修道女《シスター》になるなんて思ってもみなかったよ」

ジミーは、われわれのホームに来てから――つまり一九七五年初めからというわけだが――人を見てそれが誰だかわかることは一度もなかった。わかるのは一人だけ、オレゴンからくる彼の兄だった。兄と会ったときは、はたで見ていてもじつに感動的だった。ジミーがうれしそうな気持をもっとも見せるのもこの時だった。彼は兄を愛していたし、会えばすぐ誰だかわかった。だがなぜ兄がふけてみえるのかは、理解できなかった。「まったく、年をとるのが早い人がいるんだなあ」と彼は言うのだった。実際には、兄は年よりずっと若々しく、顔も体つきも、若いころとほとんど変らない人だったのに。兄と会うことは、彼にとって真の意味での再会であり、過去と現在とをつなぐ唯一の接触点だったわけだが、その再会も、彼のなかに歴史あるいは継続の観念を呼びおこすことはできなかった。すくなくとも彼の兄や、二人が会うところを見ている者たちには、ジミーはいまもなお過去のなかに生きている、つまり化石同然であるということがかえっていっそう明らかになった。

われわれはみな、最初はジミーを救うことができると思っていた。彼は魅力的で、好感がもてたし、頭のはたらきも活発で知的だったから、救うことができないなどとは思えなかった。しかし、これほどひどい健忘があろうとは、われわれの誰も想像していなかったし、見たこともなかった。あらゆるもの、あらゆる経験、あらゆる出来事が完全に消えさった底なしの穴。いっさいの世界をのみこんで、何もあとに残さないような深淵。

最初彼に会ったとき、私は日記をつけるようにすすめた。毎日、その日にあったこと、感じたこと、考えたこと、思い出したことをしるしてみてはどうかと強くすすめた。これはすべて失敗におわった。まず第一に、彼がいつも日記帳を失くしてしまうからだった。そこで、日記帳を彼のからだにくっつける工夫が必要だった。だがそれでもやはり、うまくいかなかった。彼は言われたとおり忠実に、毎日みじかいメモをノートに書きつけたけれど、前に書いたことを見ても理解できないのだった。自分の筆跡と文体はわかる。だから、前の日に自分がなにか書いたことを知って、いつもおどろいてしまうのだった。おどろきはする、だが関心はしめさない。なぜならば、彼は「前日」というものをもたない人間だからだ。彼が日記に書くことはぜんぜん脈絡がなく、前の事項と関係ないことばかりで、時間の観念や連続の意識がまったくないのである。そればかりか彼は、じつにたわいのない、つまらないことしか書かなかった。たとえば、「朝食に卵」とか「テレビで球技を見た」といったたぐいで、けっして深みのある内容ではなかった。だがそもそも、この記憶のない人間に、深みなどというものが——感情においても思考においても——ありうるだろうか？　彼は、関連性のない印象や事柄をただ機械的にならべるだけの存在、ヒュームのいうたわいない存在に堕してしまったのではないだろうか？

この底なしの忘却、この痛ましい自己喪失を、ジミーは知っていたとも言えるし、知らなかったとも言える（もしわれわれが足とか眼を失ったとしたら、われわれは足や眼がなくなったことに気づく。だが自分自身を失ったとしたら、そのことを知ることができない。なぜならば、それに気づく自分というものがいないのだから）。それゆえ私は、こうした問題を彼に質問することができなかった。

もとから彼は、自分では病気だと思っていないのに、病人たちのあいだに身を置くことになったのをいぶかっていた。いったい彼はどういう気分でいるのだろう、とわれわれは知りたく思った。体格はよく、丈夫だし、一種の動物的な強さと精力をもっていた。それでいて妙に無気力・不活発なところがあり、その上さらに——誰もが気づいたことだが——「無頓着」だった。はたから見ると「なにか欠けたところがある」という感じがするのだが、本人は気づいているのかどうかわからない。たとえ気づいていたとしても、そんなことには「無頓着」なのだった。ある日私は、彼の記憶や過去のことにはふれず、ごくふつうの感情についてさぐってみた。

「気分はどうなの？」

「気分はどうなの、ですって？」彼は私のことばをそのままくり返し、頭をぼりぼりと掻いた。「気分が悪い、とは言えませんね。だけど、気分はいいとも言えません。どうなんだかわかりません」

「自分は不幸だと思っているの？」私は質問をつづけた。

「そんなこと言えない」

「人生楽しいと思う？」

「わからない」

やりすぎかな、と思って私は躊躇した。一人の男をひそかな、人知れぬ、耐えがたい絶望に追いやることになっているのではないか、と思った。

「楽しくはないんじゃないの？」私はためらいながらくり返した。「だとしたら、人生をどんなふうに感じているの？」

「なにも感じないなあ」

「でも、生きているという感じはあるでしょう？」

「生きているっていう感じ？　べつにないなあ。長いあいだそんなこと感じたことないな」彼の顔には、かぎりない悲しみとあきらめが浮かんで見えた。

その後しばらくたってから、私は彼に、ホームのレクリエーション・プログラムに加わってはどうかとすすめた。彼は短時間でやれるゲームやパズルに強く、また好きだということがわかったからである。すくなくともそれをしているあいだは、それが彼の「支え」になり、自分が孤独でなく、仲間や競う相手がいると感じていられるからだった（彼は自分から孤独を嘆くようなことはしなかったが、いかにもさびしそうな顔つきだった。悲しみを口に出して言うことはなかったが、様子はいかにも悲しげだった）。レクリエーション・プログラムに参加したことはよかった。日記をつけるのよりはよかった。彼はいろいろなゲームに顔を出し、長時間ではないが、熱中するようになった。だがそのうちに、挑戦意欲がおきなくなってしまった。彼はどんなパズルも解いてしまうし、それも、わけなく解いてしまうのだった。ゲームをやっても、誰よりもうまく、するどい。そうとわかってしまうと、彼はふたたび落ちつきをなくし、いらいらしてきた。廊下をふらふら歩くようになり、そわそわしたり、つまらなさそうな様子を見せはじめた。ゲームやパズルは子供の遊びさ、といわんばかりにむっとした態度を見せるようになった。明らかに、そして熱烈に、彼はなにかやることを欲していた。なにかしたい、なにかでありたい、感じたい、だが求めるものは得られないのだった。意味とか目的といったものを、彼は望んでいた。

フロイトのことばをかりて言うなら、「仕事と愛」を求めていた。はたして彼に「普通の仕事」ができるだろうか？　一九六五年に仕事をやめたとき、彼は「こなごなに」——これは兄のことばである——なってしまった。彼の特技といえるものは二つあった。モールス信号とタイプだった。モールス信号のほうは、われわれのホームでは使い道がなかった（それにたいする需要をなにかつくり出すのでないかぎり）。タイプのほうは使い道があった。もし彼が昔の技術をとりもどすことができるならば頼んでもいいし、そうなれば、ゲームとはちがってこれは本当の仕事になりうる。まもなくジミーは昔の技術をとりもどし、非常に速くタイプできるようになった（ゆっくり打つことはできないのだった）。そしてこの行為のなかに、仕事があたえる挑戦と満足感を見いだすにいたった。だがこれもまた、結局はうわっ面だけの行為にほかならなかった。キーたたきと印字というだけで、それ以上のものではなかった。ジミーはただ機械的にたたいているだけで、中身はすこしも把握できていなかった。短い文がつぎつぎと、意味もない順序で並ぶだけのことだった。

彼のこのありさまを見て、「失われた魂」とつい呟かざるをえなかった。だが病気によって実際に「魂が失われる」などということがありうるだろうか？　そこで私は、あるときシスターたちに聞いてみた、「彼に魂があると思いますか」と。シスターたちはこの質問に気色ばんだが、私がなぜそのような質問をするのかは理解した。「ジミーが礼拝堂《チャペル》にいるところを見てごらんなさい。そしてご自分で判断してみてください」と彼女たちは言った。

私は行って、見た。そして、ひどく心を動かされた。なぜならば、それまで見たこともなく、想像もしなかったような、力づよい、ひたむきな精神の集中をジミーのなかに見たからだった。彼はひざまずき、聖餅を舌の上にのせていた。聖体拝領のなんたるかをすこしも疑うことなく、いっさいをあるがままに受けいれていた。彼の心は、ミサの精神とぴったり一体になっていた。緊張と静穏。まさに一心不乱といった態度で彼は入ってきて、聖体拝領にあずかったのだった。あるひとつの感情だけで彼は支えられ、それにすべてを傾注していた。そこにはもはや、記憶喪失もなければ、コルサコフ症候群もなかった。そんなものの存在を思いつくことすらできないくらいだった。もはや彼は、うまく働かないメカニズムの犠牲者などではなかった。健忘や記憶の不連続がいったいどうだというのか？ いまや彼は、あるひとつの行為に全存在をかたむけ、それに没頭していた。ものに感情と意味をあたえるところの有機的な統一が、すき間ひとつ割れ目ひとつない連続が、そこに達成されていた。

明らかにジミーは、ひたむきな精神集中の行為のなかに自己を見いだし、連続性とリアリティ（実体）とをとりもどしたのである。シスターたちの言ったとおりで、ここにおいて彼は魂を得たのだった。ルリアもまた正しかった。彼のことばが思い出された――「でも人間は、記憶だけでできているわけではありません。人間は感情、意志、感受性をもっており、倫理的存在です。神経心理学は、それらについて語ることはできません。それだからこそ、心理学のおよばぬこの領域において、あなたは彼の心に達し、彼を変えることができるかもしれないのです」記憶や脳の働きや頭だけでは、彼を支えることはできなかった。だが倫理的な行為や注意力集中は、彼を完全につなぎとめることができたのである。

ところで、なにも「倫理的」とかぎることはないのであって、美的、劇的なものも含まれるとみていいのではないだろうか。チャペルのなかのジミーを見ているうちに私はさとった。魂にむかって呼びかけ、それを支え、それに平安をあたえるものはほかにもある、ということを。あのときジミーが見せたのとおなじような没頭と精神集中は、おそらく音楽や美術によってもおこりうる。あのときのジミーは、音楽であっても、劇であっても、おそらくそれに難なく「ついていった」にちがいない。音楽や美術にあっては、一瞬一瞬がそれ以外の瞬間と結びつき、前後に関連をもってつながっているからだ。ジミーは庭いじりが好きで、ホームの庭の手入れをまかされるようになった。はじめのうち彼はその庭を、はじめての新しいものと受けとっていたようだった。だがなぜかそのうちに、この庭は、彼にとって親しみのあるものになっていった。それがホームの囲いの内側にあるからというだけの理由ではなかったのである。いまや彼は、この庭のなかで迷うこともないし、見当ちがいをおかすこともなくなっている。彼はこの庭をすこしずつ変えている。コネチカットの幼年時代に愛した昔の庭が記憶にのこっていて、どうやらそれに合わせようとしているらしいのである。

時間には、外向きの、空間的にひろがるものと、内向きの時間との二つがあるといえよう。ジミーは、外向きの時間の世界ではまったくの迷子だが、ベルグソンのいう「内部時間」においては、完全にまとまりをもっている。外的なかたちや枠の上からいえばとりとめなく、あてにならないものも、芸術あるいは意志としてはそれなりに整合し、まったく安定が保たれているのである。そればかりでなくジミーのなかには、長いあいだ持続し、失われることなく生きつづけてきた何かがあった。仕事やパズルやゲームや計算によっていっとき支えられ、頭脳的な挑戦を受けてしゃんとすることはあっても、それらが終ってしまえば、たちまちふたたび無の世界、忘却の淵へと沈んでしまう。だが情緒的精神的に注意集中がおこなわれている場合、つまり自然や芸術に目をむけているときとか、音楽に耳を傾けたり、チャペルでミサにあずかっているときには、一様で平静な注意力がしばらくのあいだ持続し、ほかの時はめったに見ることができないほどの落ちつきと平和がジミーにおとずれるのだった。

ジミーを知るようになってもう九年になる。神経心理学の面から見れば、彼はすこしも変っていない。依然として重度のコルサコフ症候群で、ものごとは数秒とおぼえていることができず、記憶喪失は一九四五年までさかのぼる。しかし人間的また精神的には、しばしば彼はまったくちがった人間になっている。以前のように心みだれ、落ちつきなく、退屈し、とほうに暮れることなく、この世界の美しさとその奥底にあるものに深く心を傾け、かのキルケゴールにならって、芸術的、倫理的、宗教的、劇的なるものすべてを豊かに享受する身になっている。はじめてジミーに会ったとき私は思った、しょせん彼はヒュームのいう「泡」でしかないのではないか、人生の表面でぷかぷかする無意味なはかない存在にすぎないのではないか、と。ヒュームによって指摘された、一貫性もなにもない支離滅裂の状態からはたして脱する道があるのだろうか、と疑わしく思ったものだった。経験哲学からいえば、道はないはずだった。しかし経験哲学は、魂というものを考慮にいれていない。個人の人格をかたちづくったり、決定づけたりしているものには考慮をはらわない。おそらくジミーのこの話のなかには、診療上の教訓だけでなく、哲学上の教訓もあるのではないだろうか。すなわち、コルサコフ症候群や痴呆やその他の悲惨な状態において、たとえ器質的障害やヒュームのいう溶解がどんなにひどくても、芸術や聖体拝領や魂のふれ合いなどによって人間らしさは回復されうる、ということだ。神経学上は望みのない状態に見えようとも、この可能性は存在するのである。

後記

コルサコフ症候群の場合、ある程度の逆行性健忘は、常にではないにしても、非常にしばしば見られる。コルサコフ症候群とは、アルコールによって乳頭体がおかされ、そのために記憶が大きく、不可逆的に、「純粋に」失われることをいうのだが、このようなことは、極度の飲酒者のあいだでもめったにない。もちろん、記憶喪失が他の原因——たとえばルリアの患者に見られたように腫瘍——によっておこることもある。偏頭痛、頭部損傷、脳の血行障害などによっていわゆる一過性全健忘（TGA）がおこることもあり、そうした急性の（幸いなことに一時的な）健忘のとりわけ興味ぶかい症例が、ごく最近報告された。それは、数分間あるいは数時間だけ、奇妙なひどい記憶喪失がおこることもある、ということだ。だが当人は気づかずに自動車を運転しつづけたり、医療あるいは編集の仕事をつづけている。しかしこの機械的な行為のなかで、健忘はまさしくおこっている。文章を口にしながらいま言ったことばをたちまち忘れている。目にはいってきたものを、数分もしないうちに忘れてゆく。だが昔からある記憶はのこっており、習慣化した動作はちゃんとやれるのである（TGAがおこっている最中の患者を写した興味深いビデオが、一九八六年にオクスフォードのジョン・ホッジズ博士によってつくられている）。

さらに次のような症例もある。私の同僚であるレオン・プロタス博士が最近出会ったケースだが、非常に知性のすぐれたある男性が、数時間、妻や子供を思い出せなくなった。

自分に妻や子供がいるということさえ、思い出せなくなったのである。つまり彼は、人生の三十年をすっかり失ったことになるのだった――幸いなことに三、四時間のあいだだけだったけれども。まもなく回復し、しかも完全にもとどおりになったからよかったものの、考えてみれば恐ろしい話だ。豊かに生き、多くの仕事をし、かずかずの思い出にみちた三十年間が、ちょっとしたことでまったく無となり、抹殺されてしまうのだ。しかも、この恐ろしさは他人にしかわからない。当人はいっさい気がつかない。健忘にかかっていることを知らず、なんら不安も感じないで、やりかけの仕事をつづけている。一日どころではなく（通常のアルコールによる意識喪失はまず一日といったところだが）生涯の半分が失われ、それに気づくこともなかったということを、すべてあとになってから知るのである。人生の大半を失うことがあるということの事実は、なんとも異常で不気味な恐怖を感じさせる。

おとなになると、脳卒中や老衰や脳損傷などのため、それまでの生活（高度な精神生活）に思いがけず早く終止符が打たれることがあるかもしれない。しかしそんな時でも、自分は人生を生きた、うしろには過去があるという意識はのこっているもので、それが一種の埋めあわせになっている。「すくなくともわたしは、脳をやられるまでは、発作がおきるまでは、せいいっぱい生きた……」と。「人生を生きた」というこの意識は、人によっては慰めになるし、ときにはにがく辛い場合もあるだろうが、逆行性記憶喪失になると、もはやこうした意識さえもてないのである。ブニュエルがいうところの「いっさいの記憶喪失、全生涯を消し去るところの最後的な喪失」は、きっと末期的痴呆においておこるだろう。私の経験からいうと、発作が一度あったくらいで突然にやってくることはない。だがそれに似た種類の記憶喪失が突然おこることはある。ただちがう点は全面的《グローバル》なものでないということ、つまりこちらは様相（モダリティ）の上で特定されているのである。

私が診ていたある患者は、後頭葉への血管の塞栓のために、脳の視覚をつかさどる部分が死んでしまった。たちどころにこの患者は完全に盲目となったが、本人はそれを知らなかった。見たところ盲人なのに、彼はひとつも不平を言わない。質問や検査をしてみてわかったことだが、彼は盲目となった――脳の皮質の上でそうなってしまった――ばかりでなく、およそ視覚的な想像力も記憶もいっさい失ってしまったのである。それでいて、失ったという意識もないのだった。「見る」という観念そのものが存在しなくなり、なにひとつ視覚的に叙述することができないばかりでなく、私が「見る」とか「光」といったことばを口にすると、それが理解できずに当惑してしまう。すべての点で視覚と無縁な人間になってしまったのである。彼のこれまでの人生のなかで「見る」ことに関係あった部分いっさいが抜けおちてしまった。発作がおこった瞬間から消え、二度ともどらないのだった。このような視覚面健忘、盲目であることに盲目、喪失を感じる能力の喪失は、結局のところ「全面的《グローバル》な」コルサコフ症候群と同種であって、視覚に特定されている点だけがちがうにすぎない。

もっと小範囲に限定された記憶喪失もある。前章「妻を帽子とまちがえた男」がその例である。この場合は完全なプロソパグノシア、つまり顔貌失認だった。Pは人の顔を見て誰だかわからなかったばかりでなく、「顔」というものを想像したり思い出したりすることもできなかった。「見る」とか「光」という観念をもてなくなってしまった患者のように、Pは「顔」の観念そのものを失っていた。このようなコルサコフ症候群の例は、一八九〇年代にアントンによって記述されはじめた。コルサコフ症候群にせよアントンのそれにせよ、こうした症候群がそのあとどうなるのか――当人の世界、生活、人格にとって何を意味するのかについても――今日にいたるまで、ほとんど研究されていない。

　ジミーの場合、もし彼が生まれた町に――記憶が消えている時期より前の時代――に連れていかれたらどう反応するだろうか？　われわれはこの問題をときおり話し合ったものだった。だがコネチカット州のその小さな町は、めざましく発展して大きな市になってしまっていた。このような場合どうなるかについて、その後しばらくたってから私は知った。ジミーでなく別の（やはりコルサコフ症候群の）患者の例で教えられたのである。彼スティーヴン・Rは、一九八〇年に突如として健忘症になり、ほぼ二年前までの記憶が失われた。彼はひどい発作や痙攣やその他の問題があるので入院が必要だったが、たまに週末、自分の家に帰ることがあった。これからが痛々しい話になる。病院にいるときの彼は、誰に会っても何を見ても、ひとつもわからなかった。ほとんどつねに失見当識の状態だった。しかし彼の妻が家に連れて帰ると――そこはいわば、消えた記憶のむこう側にあるタイムカプセルなのだが――彼は即座にここぞわが家《アット・ホーム》の気分になった。むかし見慣れていたものは全部わかった。晴雨計をぽんとたたき、サーモスタットを点検し、愛用の肘掛椅子に以前すわっていたと同じようにすわった。近隣の人や店やパブや映画館のことをしゃべった。だがそれらは七〇年代なかばの姿そのままだった。家のなかにすこしでも変ったところがあるとそれが気になり、不服そうだった（「なんで今日カーテンをかえたんだ！」と彼はあるとき妻に言った。「どうして変ったんだろ、こんなに急に。今朝はグリーンだったのに」しかし一九七八年以来、カーテンの色は緑ではなくなっていたのである）。彼は近くにある家や店はほとんど全部わかった（一九七八年から八三年までのあいだはほとんど変化がなかったのだ）。しかし映画館が別のものに変っていたのを見て、理解に苦しんだ（「どうして一夜のうちにこわしてスーパーマーケットを建てることができたのかなあ」）。友人や隣人を見てすぐにそれとわかった。だが思っていたより年をとっているのをふしぎがった（「ふけたなあ。彼も年だな。この前はあんなじゃなかった。なんで今日はみんなふけて見えるんだろう」）。だがもっとも痛々しく恐ろしかったのは、妻が彼を病院に連れもどしたときだった（彼に言わせると、いともふしぎな説明がつかぬやり方で、見たこともない家、他人ばかりいる家に連れていかれて置きざりにされたのだった）。「きみたちは何してるんだ？」彼は慄然かつ呆然となって叫んだ。「いったいこの場所は何なんだ？ここで何がおこなわれているんだ？」目の前の光景は、まったく見るにたえない、それこそ狂気か悪夢のように映ったに相違なかった――幸いなことに、彼は二、三分したらもうそれも忘れてしまったが。

　これらの患者たちは過去のなかで化石化し、過去のなかでだけ見当識を保ち、アット・ホームな気分になれる。病院にもどったスティーヴン・Rが恐怖と当惑のさけび声をあげたのは、もはや存在しない過去を求めてさけんだのだった。しかしわれわれに何ができるだろうか？　タイムカプセルやありもしない物《フィクション》を創ることがわれわれにできようか？　私は、これほどアナクロニズムに陥り、そのことによってこれほど悩み苦しんだ患者をほかに――16章のローズ・Rをのぞいて――知らない。

　ジミーはある種の平安に達した。ウィリアムはたえず談笑している（12章参照）。だがスティーヴンにあっては、時が傷口のようにぱっくり口を開けていて、その苦痛はけっしていやされることはないのである。

注

(1) この話を書いて発表したあと、私はエルコーノン・ゴールドバーグ博士と共同で、この患者を神経学的にもっとくわしく系統立てて研究することにした(ゴールドバーグ博士はルリアの弟子であり、『記憶の神経心理学』のロシア版の編者である)。われわれの研究の一部は、すでに中間報告としてゴールドバーグ博士が学会で発表している。研究結果すべては、近い将来公刊する予定でいる。

(2) 『「よい戦争」』(一九八五、邦訳、晶文社)は、スタッズ・ターケルが多くの人とのインタビューを編集したものだが、このなかには、第二次大戦中は生の充実感を味わうことができたと語る男女(とりわけ男子戦闘員)の話が数多く収められている。彼らにとって戦争は、生涯のうちで最もなまなましく、充実した意味をもった時期であり、それにくらべたら、その後はまったく色あせた冴えない「時」だという。これらの人々は、いまでも戦争を思い出しては、当時の戦闘や同志愛や、かたく信じて疑いもしなかった倫理道徳などを追体験している。しかし、この過去への思い入れと現在の無気力、現在の感情や記憶にたいしての熱のなさは、ジミーの器質的健忘とはぜんぜんちがう。最近ターケルと話しあう機会があったが、彼は私にこう言った。「私が会った何千という人たちは、一九四五年からあとは、いわば足踏みしている状態だと感じています。だけどあなたのジミーのように、一九四五年で時がおわったというわけではありません。そういう人は一人もいません」

(3) A・R・ルリア著『記憶の神経心理学』、一九七六年版、二五〇―二五二頁参照。

3　からだのないクリスチーナ

ある物を前にしたとき、その最も重要なところは、それが単純で身近なものであるがゆえに目につかない（いつも目の前にあるから、それに気づかないのである）。いちばん探求しなければならないところは、まったく見過ごされている。

ウィトゲンシュタイン

ウィトゲンシュタインが認識論について書いたこのことばは、生理学および心理学についてもあてはまる。とりわけ、シェリントンが「人間にそなわるかくれた感覚」と呼んだ六番目の感覚にかんしては、ぴったりの表現である。六番目の感覚とは、からだの可動部（筋肉、腱、関節）から伝えられる、連続的ではあるが意識されない感覚の流れのことである。からだの位置、緊張、動きが、この六番目の感覚によってたえず感知され修正されるのである。しかし、それは無意識のうちに自動的におこなわれるので、われわれは気づかないでいる。

他の感覚（五感）の存在は誰の目にもはっきりとわかる。だが六番目のかくれた感覚については、誰かがそれを発見しなくてはならなかった。一八九〇年代にそれを発見したのがシェリントンである。彼はそれを、「外界感覚」と「内界感覚」から区別するために「固有感覚」と名づけた。この命名にはもうひとつ理由がある。自分が自分であるという感覚（自己のアイデンティティ）には欠かせないものだからである。「固有感覚」があるからこそ、からだが自分固有のもの、自分のものであると感じられるのだ（シェリントン、一九〇六、一九四〇）。

われわれにとって、からだをコントロールすること、自分のからだとしてそれを動かすことほど、基本的で大切なことはない。だがそれは、ひとりでにできる珍しくもないことなので、われわれはそれについて考えてみることなどしない。

ジョナサン・ミラーは、すばらしいテレビ番組『人体のふしぎ』を制作した。だが、普通一般には、人間のからだはふしぎに思われないできたのである。人間のからだは、疑う余地のないたしかなものであり、問題外なのだ。疑問に思われることもなく、ただそこにある。つまりからだは、疑問の余地がないほどたしかな存在なのだ。それこそ、あらゆる知識と確実性の出発点であり基礎であるとウィトゲンシュタインは考える。したがって、最後の著作『確実性について』は次のように始まっている。「ここにひとつの手があるということを君が知っているのであれば、それ以外のことについてはすべて君の主張を認めよう」しかしおなじ第一ページでこうも言っている。「これを疑うことが意味をなすかどうかは問われるべきである」すこし後のほうにはこんな記述もある。「私はこれを疑うことができるだろうか。私にはこれを疑う根拠がない」

彼の本は、主張を述べると同じくらい疑問をも提示しているので、『疑問について』という題にしてもいいくらいである。おそらく病院や戦場で患者をみた経験からであろうが、彼は、からだの確実性を奪ってしまうなんらかの条件や状況が存在するのではないかと考えている。からだに疑問を感じ、自分のからだがまったくわからなくなってしまう原因となる条件があるのではないか、と。この考えは、彼の最後の著作にも悪夢のようにとりついているようだ。

クリスチーナは、がっしりとしたからだつきの二十七歳の女性だった。心身ともに強健で、自信にみち、ホッケーと乗馬に熱中していた。小さな子供が二人いて、自宅でコンピューター・プログラマーの仕事をしていた。知性も教養もあり、バレエと湖畔詩人が好きだった(ウィトゲンシュタインは好きではなかったと思う)。活動的で充実した毎日を送っていたので、病気になろうなどとは思ってもみなかった。ところが腹痛におそわれて診てもらったところ、おどろいたことに、胆石があり、胆囊摘出術を受けるように言われたのである。

彼女は手術予定日の三日前に入院し、感染予防のための抗生物質を投与された。これはおきまりの予防措置で、なにも問題はないはずだった。彼女もこのことはよくわかっていたし、分別もあったので、べつに不安にも思わなかった。

いつもはあまり空想したり夢を見たりするたちではないのに、手術の前日、彼女はひどく気になるいやな夢を見た。からだがぐらぐらゆれていて、足もとはひどくおぼつかない。地面を踏みしめている感じがほとんどしない。手に持っている物の感触もなく、手はあちこちぶつかり、持ちあげるものはみな落としてしまうのだった。

彼女はいやな気分になった。「こんな夢は、今まで見たことがありません。夢のことが気になってしかたないのです」と彼女は言った。とても気にしているようなので、われわれは精神科医の意見を聞いてみた。「手術前の不安です」と彼は言った。「きわめてよくあることです。始終そういう患者をみてますよ」

しかしそのあと何時間かするうちに、夢がほんとうになったのである。気がつくと、足もとがおぼつかず、バタバタとぎこちない歩き方しかできない。手から物を落としてばかりいる。

もう一度精神科医が呼ばれた。彼は再度の呼び出しにいら立っていたが、不安そうな当惑した様子もちらりとうかがえた。「不安からくるヒステリーですね」今度はそっけない調子でぴしゃりと言った。「典型的な解離性感覚障害です。よくあることです」

しかし手術当日には、クリスチーナはさらに悪くなっていた。足もとを見つめていなければ立っていることもできなかった。手ではなにも持つことができない。見つめていなければ手はどこへ動くかわからなかった。何かを取ろうと手をのばしたり、食べものを口へ運ぼうとすると、ねらいがはずれてしまう。根源的なコントロールや調整ができなくなったように、ひどくそれてしまう。

彼女は、ベッドの上で起きあがることさえほとんどできなくなった。ガタンとくずれてしまうのだ。顔は奇妙に無表情になり、だらりとたるんだ感じである。顎が垂れさがり、口があいてしまっている。音声を発する構えもとれなくなっている。

「なにか恐ろしいことがおこったんです」彼女はおよそ無表情な声で言った。「からだの感覚がないんです。ふしぎなへんな気分です。からだがなくなったみたいです」

驚くべきことだった。どう考えていいかわからず戸惑うばかりだった。「からだがなくなった」とは。彼女は気がへんになったのだろうか。からだがどうなったというのだろう。頭からつま先まで、すべての緊張がぬけ、姿勢がきちんと保てなくなっている。手はあらぬ方向へ動いてしまう。ねらいがはずれっぱなし。末梢からの情報が伝わらないか、緊張と動きをコントロールする経路がめちゃめちゃにこわれてしまったようだ。

「からだがなくなったとは妙な表現だね」私は研修医《レジデント》たちにむかって言った。「どうしてそんな表現を使うのだろう?」

「でも先生、これはヒステリーですよ。精神科の先生もそう言ったじゃありませんか」

「そう。たしかに彼はそう言った。でもこんなヒステリーを見たことがあるかい？　症候学的に考えてみたまえ。いま見ていることが本物の症状だとしたらどうかね。彼女のからだの状態も精神状態もつくりごとなんかではなく、ひとつの精神生理学的なものと考えてみたまえ。いったい何がおきて、こんなふうに、からだにも精神にも障害がでてしまったのだろう？」

「君たちをテストしてるわけじゃない」私はつけ加えた。「私も君たちと同じように当惑しているんだ、こんなのを見るのははじめてだし、想像してみたこともないから」

私もレジデントたちも考えこんでしまった。

「両側性の頭頂葉症候群ではありませんか」と一人が言った。「そう、まるで頭頂葉が通常の感覚情報を得られないようだね。感覚テストをやってみよう。頭頂葉機能を調べるテストもだ」私は答えた。

テストの結果つぎのことが明らかになった。固有感覚について、とても根深く、ほとんどの領域にわたる障害があるらしい。それは足のつま先から頭のてっぺんにまでおよんでいる。頭頂葉自体は機能しているが、それと協調して働くものがない。クリスチーナはヒステリーをおこしていたのかもしれないが、もっと重大な障害がおきていたのだ。だれひとり見たことも考えたこともないようなものである。そこで今度は、精神科医ではなく、物理療法専門医が緊急に呼びだされることになった。

電話の調子からさし迫った空気を察し、彼はすぐにやってきた。クリスチーナを見ると彼は目をみはった。いそいで全般的に診察してから、神経機能と筋機能について電気的なテストをおこなった。「非常にめずらしい」彼は言った。「こんな症例ははじめてです。頭本で読んだこともありません。おっしゃるとおり、すべての固有感覚を失っています。頭からつま先までね。筋肉や腱の感覚、関節の感覚がないんです。そのほかの感覚の領域で軽度の障害があります。たとえば、軽い触覚や温度や痛みにたいする感覚がにぶくなっていて、それがさらに運動神経繊維にもすこしおよんでいます。しかしこのような障害がつづいているのは、おもに位置の感覚、固有感覚が失われたせいです」

「原因は何でしょう？」

「みなさんは神経科医でしょう。そちらにお願いしたいですね」

午後までに、クリスチーナはもっと悪くなった。身動きもせず、声もださず横たわっていた。呼吸も浅くなった。人工呼吸器をつけようと考えたくらい容態は悪く、しかも奇妙だった。

腰椎穿刺をしたところ、急性多発性神経炎の一種であることがわかった。しかも、きわめてまれな型である。運動障害が圧倒的にめだつギラン・バレー症候群のようなものではなく、純粋な（ほぼ純粋な）感覚神経の炎症である。脳脊髄の全体にわたって、脊髄神経と脳神経の感覚性の神経根がおかされていた(1)。

手術は延期された。このような時に手術するのは正気の沙汰じゃないだろう。それより、このままだとどうなるか、どういう処置をとるかがずっとさし迫った問題だった。

「結果はどうですか？」脳脊髄液の検査がすむと、クリスチーナは弱々しく笑みをうかべながら、かぼそい声で言った。

「炎症があるんです。神経炎です」私はこう切りだすと、わかったかぎりのことを彼女に話した。何か言い忘れたり手加減したりすると、するどい質問がとんできた。

「よくなるんでしょうか」と彼女はきいた。われわれは顔を見あわせ、そして彼女のほうを見てこういった。「わかりません」

彼女にはこう説明した。からだの感覚は三つのものから得られる。視覚、平衡器官（前庭系）、そして固有感覚の三つである。彼女の場合は固有感覚が失われたのである。通常は、三つすべてが協調して機能している。ひとつがだめになっても、他の二つがそれをある程度補うか、かわりをつとめることができる。私は具体例として、受持ちの患者のマグレガー氏のことを話した。彼は平衡感覚器官を使うことができなくなり、かわりに目を使ったのである（7章参照）。また神経梅毒（脊髄癆《せきずいろう》）の患者たちのことも話した。彼らにも、足だけだが同様の症状があり、やはり目を使って欠陥を補わねばならなかった（6章「位置のファントム」参照）。足を動かすようにいわれると、彼らは、言ったものだった。「もちろんやりますよ先生、足が見つかったらね」

クリスチーナは、真剣この上ない様子で話を聞いていた。

「それでは、私がやらなくてはならないのは」と彼女はゆっくり話しはじめた。「以前は、何でしたっけ、固有感覚ですか、それを使っていたところを、そのかわりに視覚、目を使うことなんですね。前から思っていたんです、じつを言いますとね」彼女は思いにふけるような様子で言った。「腕がもしかしてなくなるんじゃないかって。腕はここにあるはずなのに、気がつくと別の場所にあるんです。固有感覚というのはからだのなかの目みたいなもので、からだが自分を見つめる道具なんですね。私の場合のように、それがなくなってしまうのは、からだが盲目になってしまったようなものなんですね。からだのなかの目が見えなければ、からだは自分を見ることができないわけですから。そうでしょう？ だから私の場合は、顔についている目で見なくてはならないのですね、からだのなかの目のかわりに。そうなんですね」

「その通りです。まったくその通り。あなたは生理学者になれそうだ」私は言った。

「そう、生理学者にならなくてはいけないわけね」彼女は答えた。「だって、生理学的機能がおかしくなってしまったんだから。それに自然に治ることはないのでしょうから」

このような精神的な強さを、クリスチーナがはじめからもっていたことは幸いだった。というのは、急性の炎症はおさまり、脳脊髄液も正常にもどったが、それらが原因でおきた神経繊維の損傷は治ることなく、そのため、一週間一年と時がたっても、そしてその後も、固有感覚は失われたままだったのである。もう八年もたっているが回復していない。もっとも、神経学的な面で適応をはかることはいうまでもなく、情緒的、精神的にもあらゆるかたちで適応・調整をはかることで、それなりに暮らしていくことはできるのだ。

発病後の一週間、クリスチーナは何もしないでじっと寝ていた。ほとんど物も食べなかった。ひどくショックをうけ、恐怖と絶望におそわれていたのだ。自然に治る見込みがないなら、これからの人生はどうなるのだろう。動くたびに技巧をつかわねばならないとしたら、どういうことになるか。からだがなくなった感じのままだとしたら、人生はいったいどうなってしまうのだろう。

そのうちに、ふたたび生きる意欲がわいてきて、クリスチーナは動きはじめた。はじめは、目で見つめなければ何もできなかった。目を閉じるやいなや、くずれるように倒れてしまうのだった。からだを動かすときには、まずからだの各部分をしっかりと見つめて、どうなっているのか目でたしかめなければならなかった。それには痛々しいほどの用心と注意が必要だった。動きを意識的にたしかめコントロールしているので、最初はとてもぎこちなく、不自然だった。やがて、もっと微妙な動きの調節ができるようになったので、動作は前よりなめらかで自然に見えるようになった（もっとも、まだ目で見なければ何もできなかったのだが）。このように、日ごとに、意識しないで動作ができるようになっていくのを見て、彼女も私もうれしい驚きを感じたものである。
そして一週間たつごとに、通常の無意識的な固有感覚によるフィードバックのかわりに、視覚によるフィードバックがいっそう円滑に、意識しないでできるようになっていった。視覚を通しての自動的矯正や視覚反射が、いっそう協調してうまく働くようになり、固有感覚のかわりができるようになっていった。しかし、もっと根本的な変化がおこったということはないだろうか。固有感覚による身体イメージがなくなってしまったのだから、脳のなかに視覚的にえがかれる身体イメージが、補償や代用としてはたらいたのではないだろうか。視覚によるイメージが、高揚した異常な力をもつようになったのではないか。正常な場合、脳のなかに視覚的にえがかれる身体イメージはかなり弱い（もちろん、盲目の場合にはそれは存在しない）。それは固有感覚による身体イメージの補助的な存在なのである。視覚によるイメージのほかに、前庭によるイメージもある程度高まって、代用としてはたらいたのであろう。どちらも、われわれの予想や希望をはるかに越えるほど高まったのかもしれないのだ(2)。

前庭によるフィードバックがより多く使われたかどうかはわからないが、彼女が耳を使っていたことは確かである。聴覚によるフィードバックを使っていたのだ。通常これは補助的なもので、話すときもあまり重要ではない。風邪をひいて耳が聞こえなくても普通に話すことはできるし、先天的に耳の聞こえない人々のなかには、ほとんど完ぺきに話すことができる人もいるのだ。なぜなら、話すときにも、通常は固有感覚によって調節がおこなわれているからだ。音声器官すべてから発せられる刺激によって、話し方が調節される。ところがクリスチーナの場合は、正常な刺激伝達の流れ、求心的な（末端から中枢へむかう）流れが失われてしまい、正常な固有感覚によって調節された声の調子、話し方を失ってしまったのだ。そこで、聴覚によるフィードバックをかわりに使わねばならなかったのである。

これらの新しい補足的なフィードバックのほかに、クリスチーナは、「フィードフォワード」ともいうべき方法をいろいろと開発しはじめた。これも最初は慎重に意識してやらねばならなかったが、しだいに無意識のうちに自動的にできるようになった（これは、彼女をとてもよく理解してくれる、優秀なリハビリテーション療法士の助けがあってできたことである）。

この災難がおこってから約一か月というもの、クリスチーナは身を起こすことさえできず、ぬいぐるみのようにだらりと力なく横たわっていた。だが三か月後、彼女がベッドの上にしっかりと身を起こしているのを見て、私はびっくりした。じつにきちんとした姿勢で、彫像のようだった。まるでダンサーがポーズをとっている時のようだった。だがじきにわかったが、それはやっぱり本当にポーズだったのだ。意識的にせよ自動的にせよあるポーズをとろうときめて、それをつとめて維持しているのだった。本物の自然な姿勢がとれないために、むりにつくった不自然な姿勢なのである。自然にしていてはだめなので、「技巧」を使ったのである。だがそうした技巧は、おのずから必要に迫られたもので、やがては「第二の天性」のように身についたものになっていった。発声についても同様だった。最初はほとんど話せなかったのに、やはり同じ技巧をかさねることによって、話せるようになったのである。

声もまた、意識してつくられたものだった。舞台から観客にむかってせりふをしゃべるようなものである。劇のせりふ、役者の声なのである。いかにも芝居がかっているとか、下心が見えるというわけではないが、自然な声の調子ではない。これは顔の表情についてもおなじである。内面の感情は十分に正常な強さなのに、固有感覚による顔の姿勢調節ができないため、(3) 人為的に表情を大げさにしなければ、無表情で間がぬけて見えるのである（ちょうど失語症の患者が、ことさら語を強めたり抑揚をつけたりするのと同じである）。

しかしこれらの技巧は、いくらみごとではあっても、しょせん完全ではなかった。一応これで生活はできたが、正常とまではいかなかった。クリスチーナは歩くことを習得し、電車やバスに乗ったり、日常の仕事を片づけることをおぼえた。しかしそのためには、たいへんな注意を払わなくてはならなかった。しかもそれは、どうしてもおかしなやり方になってしまうのだ。注意がそれれば、もうそれまでだった。だから、食べながら話をするときとか、注意がほかにむいてしまいそうな場合には、彼女はナイフとフォークを、爪に血の気がなくなるほどきつく握りしめていた。痛いほど握りしめなければ、すぐにぽとりと落としてしまうからだ。ほどよい力加減というものができなかったのである。

神経学的には回復のきざしはなかったが——神経繊維の損傷が解剖学的に回復することはなかったが——集中的な治療法をいろいろおこなったところ、機能はかなり回復した（彼女は、ほぼ一年間リハビリ病棟に入院していた）。固有感覚にかわる、さまざまな代替機能や方法をつかって動くことができるようになった。そしてついに退院することができた。家へ帰って子供とともに過ごし、コンピューターの前にもどって仕事ができるようになったのだ。しかもその技術たるや、感覚がないためすべて視覚に頼ってやらねばならない人にしては驚異的なものだった。ところでコンピューターの操作はできるようになったが、気分のほうはどうだったのだろうか。どのように感じていたのだろうか。代替の機能を働かすことで、最初に言っていたような「からだをなくした感じ」はなくなったのだろうか？

なくなってなどいない。まったく前と変りなかった。固有感覚を失ったままなので、相変らず、からだは「死んでしまった」ように思えた。現実のものではない、自分のものではない感じがつづいていた。この状態をうまく表現することばが見つからないので、ほかの感覚をたとえに借りざるをえず、彼女はこんな言い方をした。「私のからだときたら、目や耳がだめになったようなものよ。自分のからだに気づくことができないんですもの」

この状態つまり「奪われた」感じをうまく言いあらわすことができないのだ。これはいわば感覚の暗闇、無音の状態であって、実際に目が見えなかったり耳が聞こえなかったりするのと似たようなものである。ともかく、彼女にもわれわれにも適切なことばは見つからない。今の社会には、そのような状態を適切に表現することばはないし、したがって「共感」もむずかしいのである。相手が盲目の人だったら、すくなくとも気づかいをしめすことができる。われわれは彼らの状態を想像することができるし、それなりの扱いをする。しかし、クリスチーナがつらそうに、ぎこちない動作でバスに乗ろうとすると、理解のない、腹立たしげな罵声があびせられるばかりである。「いったいどうしたんだ、目が見えないのか。それとも酔っぱらっているのかい?」彼女はどう答えたらいいのだろう。「固有感覚がないのです」とでも言えというのか? 同情も援助も得られないこと、これもまた辛い試練だった。障害をもっているのに、それが表にはっきり現れないからだ。彼女は盲目でもないし、身体が麻痺しているのでもない。表むきはなんともないのである。だから往々にして、嘘つきか馬鹿のように思われてしまう。われわれの社会では、外から見えないかくれた感覚に障害がある人たちにも、同じことがおきているのである(前庭に障害があったり、内耳迷路を手術で除去した患者の場合も同様である)。

クリスチーナは、ことばで言いあらわせない、想像もできないような世界に住まざるをえないのだ。いや、それは「非世界」、「無」の世界と言ったほうがいいかもしれない。

ふだんは気丈な彼女も、ときどき私の前で泣きくずれることがある。「感じることさえできればねえ」こう言って泣くのだ。「でも、感じることがどんなことなのかも忘れてしまいました……私だってもとは正常だった、そうでしょう。みんなと同じように動くことができたんでしょう？」

「もちろんです」

「もちろんだなんて言ってもだめ、私には信じられないんです。証明してください」

私は、彼女が子供たちといるところを撮ったビデオを見せた。彼女が多発性神経炎にかかる数週間前に撮ったものだ。

「そうだわ、たしかに私だわ」彼女は微笑んで、それから泣きだした。「ここに写っているすてきな女性がこの私だったなんて、とても思えません。彼女はどこかへ行ってしまったんです。思い出すこともできないし、想像することさえできません。からだの真ん中にある何かが、そっくり抜きとられてしまったみたいなのです。実験用のカエルにはそうするんでしょう？　中枢や脊髄や脊髄神経をとってしまうんでしょう？　私もそう、カエルみたいに脊髄をぬきとられたんです。さあ、このクリスをとくとごらん下さい。脊髄神経をぬかれた最初の人間ですよ。この女には固有感覚がありません。自分自身だという感覚もありません。からだがなくなったクリスですよ。脊髄をぬかれた女！」そう叫んで彼女は高笑いする。ヒステリー寸前である。「さあ、落ちついて」私はなだめながら考える、ほんとうに彼女の言うとおりなのだろうか？

ある意味では、彼女は「脊髄をぬかれた」状態であり、からだをなくした魂、生き霊のようなものである。固有感覚とともに、根本的なものも失っているのだ。アイデンティティを器質的につなぎとめておくものを失ってしまったのである。少なくとも、物質的で有形のからだによるアイデンティティ、「肉体的自我」を失ってしまったのだ。それはフロイトが自我の基盤と考えたものである。「自我とは、何よりもまず肉体的なものである」

クリスチーナのような「離人感」あるいは「非現実感」は、肉体についての知覚やイメージがひどく損なわれた場合には、常におこるにちがいないのである。ミッチェルはこれに気づき、みごとにこれを描写している。彼は南北戦争時に、肢切断した患者や神経を損傷した患者を多く診ていた。彼が書いたことは、なかばフィクションかと思えるような話であっても、実はきわめてすぐれた事実の叙述であり、症候学的にみても最も正確なものである。ミッチェルは、患者であるジョージ・デッドロウという医者の話をこう書きのこしている。


恐ろしいことに、自分自身についての意識が前より希薄になって、存在している気がしないことがたびたびあったのです。こんな気持はかつてないことでしたから、はじめはとても戸惑いました。「私は本当にジョージ・デッドロウか」と、しじゅう誰かにききたい気持でした。でも、そんなことをきけば、ばかげていると思われるにきまっていましたから、自分の症状を人に話すのはやめて、ひとりで、ひたすら自分の気持の分析につとめました。しばしば、どうみても自分自身とは言えない、という思いが強まってきて、とても辛い思いをしました。結局これは、個体として私が存在するということの否定に通じるわけですからね。

クリスチーナにも、これとおなじような感情——自分は個たる存在とは言えない、という思いがあった。だがそれは、適応がすすむにつれ、時とともに薄らいでいった。しかし彼女の場合には、そのほかに器質的な原因から、「からだがなくなった感じ」があり、それはおなじ強さのまま、気味悪くつづいているのだ。脳に近い部位で脊髄切断をうけた患者もこのような感じを経験するが、彼らの場合はからだも麻痺しているのである。しかしクリスチーナの場合は、からだのない生き霊のような気持だが、動くことはできるのである。

皮膚に刺激をうけると、一時、すこし良くなった気がする。だから彼女は、可能なかぎり戸外に出ることにしている。オープンカーが気にいっている。からだと顔に風を感じることができるからだ（からだの表面の感覚や触覚は、多少にぶくなっている程度なのである）。「すばらしいんです」彼女は言う。「腕にも顔にも風を感じて、自分には腕も顔もあるという気がするんです。少しだけですけど。本物ではない、幻覚のようなものでしょう。でも、ほんのしばらくでも、恐ろしい死の影を忘れることができるのです」

この状態はウィトゲンシュタインのそれと同じで、つまり彼女は「ここにひとつの手がある」ことがわからないのである。固有感覚をなくしてしまったため、つまり末端からの刺激が伝達されないため、彼女は、実存的認識的基盤を奪われてしまったのだ。彼女がなにをしようと、どう考えようと、この事実は変らない。これはたしかに自分のからだである、と言えないのだ。ウィトゲンシュタインがこのような状態になったら、いったいなんと言っただろうか。

彼女は成功者でもあるが同時に失敗者でもあったわけだ。どちらをとってみても、普通とはちがっておどろくべきことだった。からだを動かすことには成功したが、アイデンティティをもって「存在すること」には失敗している。そのほかの面では、ほとんど信じられない程度まで、あらゆる適応に成功している。それは、意思、勇気、粘り強さ、独立心、そして、感覚と神経系の柔軟性によって可能になったのである。彼女は、だれも経験したことのない状況に直面しつづけたのだ。想像を絶する困難と障害を相手に戦ってきた彼女は、不屈の魂をもった、すばらしい人間として今日まで生きてきた。武勲詩に歌われているような英雄でこそないが、彼女は、神経の病気と雄々しく戦ったヒロインといっていい。

しかし同時に、彼女は、これからもずっと欠陥をかかえた敗北者でもある。世界中の英知と創意をもってしても、考えうるあらゆる神経系の代替・補償機能をもってしても治ることのない固有感覚の喪失という事実を変えることはできないのだ。固有感覚こそ、大切な六番目の感覚なのである。それがなければ、からだは感じられる実体ではなくなり、本人にとっては「失われて」しまうのである。

あわれなクリスチーナは、一九八五年の今も、八年前とおなじに「脊髄をぬかれた」状態である。これからも一生このままだろう。このような人生を送った人はまだいない。私の知るかぎり、彼女は、「からだがない」ままで生きている最初の人間なのである。

後記

現在クリスチーナには仲間がいる。この症候群を最初に発表したH・H・ショーンバーグ博士によれば、いまでは、重度の感覚神経障害の患者は数多く見つかっているのである。障害がひどい場合には、クリスチーナのように、身体イメージをまったく失ってしまうのである。患者のほとんどが健康崇拝者かビタミン剤狂信者で、ビタミンB6（ピリドキシン）を多量に飲んでいる。したがって、現在、からだがなくて生き霊同然の男女が何百人もいるのだ。もっともクリスチーナとはちがって、彼らの場合は、ピリドキシンという

「毒」を飲むことをやめれば、よくなる見込みはある。

注

(1) このような感覚神経の多発性神経障害は、おこるとしてもまれである。当時(一九七七年)の最新の知識から判断すると、クリスチーナの症例の特異な点は、おかされている部位がきわめて限られているということである。固有感覚にかんする神経繊維だけに損傷がみられたのだ。スターマンの論文(一九七九)参照のこと。

(2) パードン・マーチン著『大脳基底核と姿勢』(一九六七)三二頁にでてくる興味ぶかい症例と対比してみるとよい。「物理療法と訓練を長年やったにもかかわらず、この患者は、どうしても正常な歩行ができるようにならなかった。一番むずかしいのは、見つめながら歩くこと、そしてからだを前にもっていくことである。彼は、椅子から立ち上がることもできない。四つんばいになって這うこともできない。立ったり、歩いたりする時にはまったく視覚にたよっていて、目を閉じれば倒れてしまうのである。最初は、目を閉じると普通の椅子にすわりつづけることができなかったが、しだいにそれができるようになった」

(3) 現代の神経科医のなかではおそらくパードン・マーチンだけだろうと思われるが、彼はしばしば、顔と声の姿勢(表情と構音)と、それをつかさどる固有感覚の統合について述べている。私がクリスチーナのことを話し、彼女を撮ったビデオやテープを見せると、彼はたいへん興味を示した。ここに述べた提案や系統的論述の多くは彼のものである。

4 ベッドから落ちた男

ずっと以前まだ私が医学生だったころ、看護師のひとりがかなり困惑した様子で電話をかけてきて、奇妙なことがおきたと訴えた。病棟に、入院したばかりの患者がいる。それは若い男で、その日の朝に入院したところだった。日中接してわかったことだが、彼はいい人間で、いたって正常だった。だがそう思えたのは、昼寝からさめた数分前までのことであって、今はひどく興奮し、ようすがおかしい――すくなくとも、それまでの彼とは別人のようになってしまった――というのである。どうしたことかベッドから落ち、そのまま床にすわりこんで、大きな声でわめき、ベッドにあがろうとしない。だから、私にすぐ来て、どうなったのか診てくれ、と看護師は言うのである。

行ってみると、その患者はベッドのかたわらの床に寝ていて、片方の足を見つめていた。彼の顔には、怒りと不安と当惑と面白がっているようすとがいりまじっていたが、当惑が大半を占め、それにちょっぴり驚愕がまじっていた。私は彼にむかって、ベッドにもどったらどうか、手を貸そうかと言った。だがそれを聞くと、彼はすっかりとり乱したようすで首を横にふった。私は彼のそばにしゃがみこみ、床の上で、一部始終を聞かせてもらった。彼はその日の朝、検査を受けるために入院した。自分ではどこも悪いところはないと思われるのに、神経科の医者たちは、左足の動きがすこし「にぶっている」ようだから――これは医者たちが言ったことばそのものだそうだが――入院すべきだと考えたそうである。その日一日彼はいたって快調で、夕方になって眠った。目がさめたときも、同じように気分はよかった。だがそのあと、ベッドのなかで体を動かしたところ、「誰かの足」――と、彼はそう言った――があるではないか。切断された人間の足。なんと恐ろしい！　最初彼は、おどろきと嫌悪で呆然となった。こんなことは経験したこともなければ、想像したこともなかった。彼はおそるおそるその足にさわってみた。まちがいなく足のかたちをしている、だが「じつに奇妙で」つめたい。この瞬間、彼ははっとさとった。どうしてこういうことになったか、はっきりわかったのである。これは悪ふざけ《ジョーク》なのだ。けしからぬ、たちの悪い、前代未聞の悪ふざけなのだ。大晦日で、誰もが新年を祝っている最中だった。病院の人間の半数はすでに酔っぱらっている。はしゃぎあい、クラッカーがポンポン鳴っている。さながら謝肉祭《カーニバル》みたいな騒ぎなのだ。あきらかに、たちの悪いユーモアから看護師の一人が、解剖室にしのび込んで足を一本くすね、彼が眠っているあいだに、それをベッドのなかにつっこんでおいたにちがいない。その説明でだいぶほっとしたけれど、それでも、悪ふざけにしては少々度が過ぎると感じ、彼はそのいまわしいものをベッドか調子はけし飛び、とつぜん彼は震えはじめ、顔面蒼白になった——彼がその足をベッドからほうり出したところ、彼までがそのあとにつづく破目となり、そして、なんとその足は、いま彼の体にくっついているではないか。

「これ見てください！」と彼は嫌悪感を顔いっぱいに浮かべて叫んだ。「こんな気味の悪い、恐ろしいもの見たことありますか？　これ、死体についてた足ですよ。気味が悪いったらありゃしない。こわい話です、いやらしいったらありゃしない。私にくっついちゃったみたいなんです」彼はそれを両手でしっかりつかまえると、がむしゃらな勢いで、それを自分のからだから引き離そうとした。それができないとわかると、今度は怒り狂ったようになぐりつけた。

「まあまあ、静かに。落ちつきなさい」と私は言った。「そんなふうに足をなぐるもんじゃありません」

「なぜです、なぜいけないんです？」と彼はいらいらと喧嘩腰で言った。

「だって、それはあなたの足だからですよ。自分の足だということがわかりませんか？」

彼は私をじっと見つめた。その顔には、呆れと不信感と恐怖と嘲笑と猜疑とがいりまじっていた。「ああ先生、私をばかにしているんですね、あの看護師とぐるになっているんですね。患者をばかにするなんてひどい！」

「ばかにしていませんよ。それはあなたの足ですよ」

私の顔つきから、彼は私が大まじめでいることを知った。まったくの恐怖が彼をおそった。「私の足ですって？　自分の足なら自分でわかるはずでしょう？」

「その通りです」私は答えた。「自分の足だということは当然わからなけりゃ。自分の足だということが分からない人がいるなんて考えられませんね。ふざけているのはあなたのほうだ、ということになりますよ」

「とんでもない。誓ってもいい、絶対ちがいます。誰だって自分自身のからだはわかりますよ、自分のか自分のでないかってことは。だけどこの足は、こいつときたら」――彼はそこでまた、嫌悪感をあらわに身ぶるいした――「へんなんです、おかしいんです、私の一部でないように思えるんです」

「ではどんなふうに思えるんですか？」私はどうしていいかわからず、たずねた。ここまでくると、私も、彼と同じようにとほうに暮れていた。

「どんなふうに思えるかですって？」彼は、私のことばをゆっくりとくり返した。「じゃ、どんなふうか言いましょうか。存在するはずないものみたいに思えるんです。だから、そんなものが、どうして私にくっついているんです？　どこにあったものなんでしょう」彼の声は、しだいに小さくなっていった。彼は、恐怖とショックでたまらないようすだった。

「いいですか」と私は言った。「あなたは具合がよくないようだ。どうかベッドへもどって下さい。最後にもうひとつだけ聞きますよ。もしこれが、もしこの物が、あなたの左足でないとしたら、あなたの左足は、いったいどこにいったのですか？」（彼はさっきからの話のなかで、これを「にせもの」と呼び、なんで人がこんなにせものをつくったのだろうと言いはるので、私はこのように聞きかえしたのである）

これを聞くなり、彼はふたたび青ざめた。「わかりません」と彼は言った。このまま気を失ってしまうのかと危ぶまれるほど青ざめた。「ぜんぜんわからないんです。消えうせたんです、なくなったんです、どこにも見あたらないんです」

後　記

この話を発表した（『左足をとりもどすまで』一九八四）あとで、著名な神経科医マイケル・クリーマー博士から手紙がとどいた。それには次のように書いてあった。

以前私は、心臓病棟のあるむずかしい患者を診るようにいわれたことがありました。その患者は心房細動で、大きな塞栓が飛んだために左半身不随になってしまいました。彼は夜いつもベッドから落ちる、だがなぜなのか心臓の専門医たちにはわからない、だから私に診てほしい、というのでした。

いったい夜どういうことになるのか、とたずねると、彼はさらさらと話してくれました。夜中に目をさますと、ベッドのなかには、彼と並んで、死んだ、つめたい、毛深い足が一本いつもある。なぜそれがそこにあるのかわからないが、とても我慢がならない。そこで、良いほうの右の腕と足をつかってそれをベッドの外に押し出す。すると、彼のからだ全体もいっしょにつられてベッドから落ちてしまう、というのでした。

この患者の場合は、不随になった部分はその存在さえも認識されないという、ひじょうに良い例でした。だが興味深いことに、悪いほうの足はそのときどこにあったのか、ベッドのなかにはなかったのかとたずねたのですが、これの答はひきだすことができませんでした。不愉快きわまりない足のことで頭がいっぱいだから、とてもそんなことには気がつかないというのでした。

5　マドレーヌの手

マドレーヌ・Jは、一九八〇年に、ニューヨーク市の近くにある聖ベネディクト病院に入院してきた。年は六十歳だが、脳性麻痺のために、はじめから盲目だった。生まれたときからずっと家で、家族の人たちの介護をうけてきた女性だった。このような経歴で、しかも痙攣性と無定位運動症《アテトーゼ》、すなわち両手が思い通りに動かない、それに加えて両眼の機能の発育停止という身体的に痛ましい条件を背負っていたから、私は、さぞかし彼女は正常な人間にくらべて劣るのだろうと思っていた。

だが会ってみるとちがっていた。まったく正反対だった。彼女は自由にしゃべれたし、ほんとに流暢だった。話すときには、痙攣性の影響がほとんど見られなかった。まれに見る知性と言語能力をもった、活発な女性だった。

「あなたの読書量は大したものですね」と私は言った。「点字《ブレーユ》は自由自在なんでしょうね」

「いいえ。すべて私の読書は自分でやったものではありません。録音書か他人に読んでもらうか、でした。点字はだめです。一語もできません。手をつかってすることは何もできないのです。両手はぜんぜん役に立たないのです」

彼女は自嘲的に両手をあげてみせた。「神に見はなされた、粘土のかたまりも同然です。私のからだの一部だという感じもありません」

これを聞いて、私はひじょうにおどろいた。通常手というものは、脳性麻痺によっても影響は受けない。多少の影響はあるにしても、本質的には影響しないはずだ。多少は痙攣したり、力が弱かったり、変形することはあるが、一般的にいって、かなり使えるはずである（この点、足はちがう。足は、いわゆるリットル病や脳性麻痺によって完全に麻痺してしまうことがある）。

ミス・Jの手を調べてみると、多少ながら痙攣と無定位運動症《アテトーゼ》が見られた。だが感覚能力となると、完全で、ぜんぜん損なわれていなかった。手を軽くさわられてもわかるのだ。痛さも、温度も、他人が彼女の指を持って動かしたとき、すぐにそれがどの指であるかも、正しくわかる。基本的な感覚は、まったく損なわれていなかった。だがそれと正反対に、知覚能力のほうは根本的にだめだった。何を与えられても認知できないのだ。私は、あらゆる種類のものを彼女の手の上にのせてみた。私自身の手ものせてみた。だが彼女はわからない。わかろうとする動きがぜんぜん見られないのだ。手というものは、「それは何か？」を知ろうとしてかならず動きを見せるものだが、そうした動きが、彼女の場合にはまったくなかった。だから、ほんとうに彼女の両手は無気力で、「粘土のかたまり」にひとしかった。

これは非常におかしい、と私は思った。これをどう理解したらよいのか？ 感覚機能の上では、なにも大きな欠陥はない。彼女の手は、まったく正常な働きができていいはずなのに、実際はそうでない。使わないできたからだめになったのだろうか。生まれたときからずっと保護され、介護を受け、大事に扱われてきたから、そのために、探索行動をしない手になってしまったのだろうか。通常人間の手は、生後数か月たったあたりから探索能力をつけはじめる。いつも他人に運んでもらい、すべてを他人にやってもらってきたために、彼女の手は正常な発達をしなかったのだろうか。もしそうだとしたら——これは考えすぎかもしれないが、でもそうとしか考えられなかった——彼女は、いま六十歳だが、ふつうの人間が生後数週間ないし数か月で身につける能力を、いまから獲得することができないものだろうか。

前例はないのだろうか。このようなことが報告されたり、試みられたことはなかったのだろうか。私は知らなかった。だがそれに近い例を、私はじきに思い出した。それは、レオンチェフとザポロゼッツが『手の機能のリハビリテーション』(英訳版は一九六〇年)のなかで書いていることだった。それは原因からしてちがうものだった。重傷を負って手術を受けたあと手がおかしくなって、自分の手だとは思えないようになってしまった兵隊が二百人もいた、という話なのだ。その手の神経も感覚もなんら損傷を受けていないにもかかわらず、「他人の手のようで」「生命がかよっていないみたいで」「まったく役に立たず」「ただそこにくっついているだけ」という感じだったという。レオンチェフとザポロゼッツによれば、これはおそらく、「覚知《ノーシス》」をつかさどって手を手らしく動かす「覚知系組織《ノスチック・システム》」が、傷を受け、手術のあと手を何週間も何か月もつかわないでいるうちに、支障をおこしたためであろう、ということだった。マドレーヌの場合は、現象的にはまったく同じ――「まったく役に立たず」「生命がかよっていないみたいで」「他人の手のよう」――であるけれども、その期間が長く、生まれたとき以来である。したがって彼女の場合は、これからその手をもとどおりにしようというのではなく、本来の機能をはじめて掘りおこそう、得させよう、ということになる。支障をおこしている覚知系組織《ノスチック・システム》を癒すのではなく、形成されることもなかった回路組織《システム》をあらたにつくることだった。はたしてこんなことは可能だろうか？

レオンチェフとザポロゼッツが書いている負傷兵たちは、傷をうける前は正常な手をもっていた。だから彼らの場合は、ひどい傷をうけたために忘れていたものを、あるいはこわれたものを、思い出すのでよかったことになる。だがマドレーヌはちがう。彼女は、思い出すものが何もなかった、手を一度も使ったことがなかったのだから。もともと彼女にとって手はなかった、腕もなかった、といってよいのだ。彼女は自分で食事をしたこともなければ、自分でトイレをつかったこともないし、自分のほうから手を出したことは一度もなかった。つねに他人のほうが彼女を助け、彼女はされるままになっていたのである。この六十年間、彼女は、両手などはじめからないかのごとくに暮らしてきたのである。

　これが、その時われわれの前に立ちはだかった問題だった。患者の手には、基本的な感覚はたしかにある。だがその感覚を一歩すすめて知覚のレベルまで引き上げる力は、どうやらぜんぜんない。知覚となると周囲の世界や自分自身が当然かかわるわけだが、そこまでは無理だった。手だけは存在するが、「そうだったのか、よしわかった、ではやってみよう、行動に移そう」という能力がまったくないのである。しかし、なんとかしてわれわれは、レオンチェフとザポロゼッツが兵士たちにやったと同じように、患者をその気にさせ、手を積極的に使うようにさせなければならなかった。そうすれば、欠落していた人格《インテグ》統整《レーション》が可能になるかもしれないのだ。ロイ・キャンベルが言ったように、「インテグレーションは行動のうちにある」のである。

　マドレーヌはこれを聞いてよろこび、のり気になったが、一方で不安も感じ、さして期待はもてないと考えているようだった。彼女は言った。「粘土《パテ》同然のこの手が、何かできるようになるんでしょうかねえ」

「行為こそすべてのはじまり」とゲーテは書いている。倫理的あるいは実存的ジレンマに置かれたときは、たしかにそうかもしれない。だが動作や知覚がジレンマの根源となっているときには、そうでないかもしれない。だがこの場合でも、とつぜん思いがけないことがおこることはありうるのだ。ひとつでいいからきっかけとして何かがありさえすれば——たったひとつの動作でもいい、知覚でもいい、衝動でもいい、最初の一語でもいい（ヘレン・ケラーにとって「水《ウォーター》」の一語がそうであったように）——それさえおきてくれたなら、「無」だった世界が突如として「全」となるのだ。「衝動こそすべてのはじまり」なのである。行為でもない、反射運動でもない、要は衝動なのだ。衝動こそは、行為や反射運動などよりもずっと存在があきらかで、かつ神秘的なものである……われわれはマドレーヌにむかって、「これをやりなさい」と言うことはできなかった。できることといえば、ただ衝動に期待することだけだった。衝動に希望を託し、衝動がおこってくれることを願い、衝動がおきるようにしむける……それしかなかった。

私は、赤ん坊がひとりでにおっぱいのほうへ手を出すのを思いうかべた。そこで看護師にこう言った、「マドレーヌに食事をもっていったら、そばに置くだけにしなさい。あとちょっとで手がとどくような位置に。たまたまそうなったような顔をして置いてくるように。飢え死にさせてはいけないし、彼女をいたぶるのもいけないけれど、こちらから食べさせてあげるような態度はちょっと控えてみてごらん」と。するとどうだろう、ある日のこと、ついにおこったのだ。それまでなかったことがおこったのだ。彼女は空腹を感じ、がまんできなくなり、他人が食べさせてくれるのを受身の姿勢で待つのではなく、自分から片方の腕をのばし、手さぐりし、ベーグル（ドーナッツのかたちをしたパンの一種）を探しあて、それをつかんで口へ持っていったのである！　はじめて彼女は、自分の手を使ったのだ。六十年を生きてきて今はじめて彼女は、自分の手を動かす行為に出たのだった。そしてこの時、彼女は「運動性を備えた個体《モーター・インディビデュアル》」として誕生したのだった（これはシェリントンがつくった語で、行為する人間のことをいう）。この瞬間彼女は、手に知覚があることをはじめて示したわけで、ここにはじめて「知覚をもった個人」が生まれたことになるのだ。彼女が最初に知覚したもの、すなわち認識第一号の対象は、ベーグルであった。ヘレン・ケラーの場合、ことばを介しての最初の認識が「水」であったのとおなじように。

このことがあってからあとは、事態はおどろくべき速さで進展していった。手をのばしてベーグルにさわってからあと、彼女のなかにはあらたな渇望がきざし、彼女はいまや全世界にむかって手をのばし、さわり、さぐろうとしはじめた。やはりはじめは、食べることに関係していた。まずいろいろな食べもの、ついで入れもの、食べるための道具などを、さわって、知っていくようになった。「認識」に達するまでには、じつに多くの臆測やあて推量のまわり道が必要だった。無理もないことだった。生まれたときから目が見えず、手だってないも同然だったのだから、ごく基本的なものの心象《イメージ》さえ少なかったのである（その点ヘレン・ケラーは手が使えたし、具体的にさわることができたから、手でさわれるものについては、多少はイメージをつかんでいた）。幸いマドレーヌは、まれに見る知性と豊富な読書経験があったから、ことばによって伝達できる種類のイメージはたくさんもっており、これらは役に立った。もしそういうことがなかったら、彼女は乳児とおなじ程度のままで終ったかもしれない。

ベーグルとは真ん中に穴のあいた丸いパンである、ということが認識された。フォークとは先がとがったものが何本かある、細長い平たい道具である、という認識が生じた。こうして分析的にわかっていったことが、やがて直感的把握にすすみ、これらのものが瞬時にそれとわかるようになっていった。たとえていえば、「顔つき」を十分おぼえこんだら、つぎに出会ったときたちどころに「昔の友だち」として認識できるのとおなじだった。そしてこの種の認識は、分析的なものでなく、総合的・直接的なものであって、それができたときは彼女にとって大きな喜びだった。世界はなんと魅力と神秘と美にみちていることか、そしてその世界にいまや自分はつぎつぎと踏みこんでゆく――そういう意識を彼女はもつようになっていった。

ごくありふれた普通のものでさえ、彼女には喜びだった。それを自分でつくってみたいという気持がおこった。彼女は粘土がほしいと言いだして、いろいろなかたちのものをつくりはじめた。最初につくったのは靴べらだった。一種独特の力とユーモアが見られる作品で、流れるような、力づよい、ずんぐりした曲線をもち、若いころのヘンリー・ムアを思わせるところがあった。

そのあと——はじめて認識ということがおこってから一か月もしないうちに、彼女の関心と理解の対象は、物から人間へとうつった。物がもたらす興味や、物にそなわる表情は、しょせん限界がある。無邪気で率直な喜劇的精神にかかると物も姿を変えることはあるが、それでもやはり限界はある。いまやマドレーヌは人間の顔と体を——じっとしているところも、動いているところも——探査せずにはいられなくなった。ところで、マドレーヌに「さわられる」ことはすばらしい経験だった。彼女の手は、つい先ごろまでは不活発で生気もなかったのに、いまやふしぎなまでの活力と感受性をもつようになっていた。撫でるようにさわるだけで対象を深くするどく把握していく、その手の能力たるや、まったくおどろくべきもので、人間の眼をもってしても、これほどまでにはいかなかったろう。そればかりではなかった。彼女にさわられたとき、あたかもそれは、瞑想的で、想像力ゆたかで、美的感覚のすぐれた、生まれながらの芸術家——正しくは、生まれたばかりの、だろうが——によって撫でられている感じがしたものだった。彼女の手は、目が見えないで手さぐりしている女のそれではなくて、盲目の芸術家の手、この世の感覚的・精神的な真実に深くわけ入った創造的な魂の持ち主の手だったのである。こうした探査を重ねていった彼女は、当然のことながら次に、外部現実の表現・再現を望むようになっていった。

彼女は粘土で人の頭や身体を造りはじめた。そして一年とたたないうちに、聖ベネディクト病院の盲目彫刻家として、その地域一帯で有名になった。彼女が造るものは実際の人間の半分あるいは四分の三くらいの大きさで、顔の目鼻立ちは単純だがいかにもそれらしくつくられ、おどろくほど表情に富み、エネルギーが横溢していた。私にとっても、彼女にとっても、病院にいたわれわれすべての者にとっても、これはひどく感動的な、おどろくべき、奇跡的と思えるほどの経験だった。通常生後数か月で形成されるごく基本的な知覚能力が、まったくなきに等しかったのに、それが六十歳になってはじめて身につくなどということを、いったい誰が想像しえただろうか？ どんなに遅くにはじまった習得でも、たとえそれが身体障害者であっても、おどろくべき可能性がひらかれていることを、彼女の例は証明するものだった。この盲目の、麻痺で萎えきっていた女性、人の世から遠く隔絶され、行為のすべも知らず、半生他人の介護でのみ暮らしてきたこの女性のなかに、おどろくべき芸術的天分の種がかくされ、六十年という長いあいだ眠りつづけた末に突如として芽をふき、世にもまれな美しい花をひらくなどということを、いったい誰が想像しえたであろうか？

後　記

あとになってわかったことだが、マドレーヌのような例は、けっしてこれひとつだけではなかった。一年たたないうちに、私はもうひとつの症例に出会った。その患者はサイモン・Kといい、脳性麻痺で、視力までがひどく損なわれていた。その手には人なみの力と感覚があったけれども、Kは手をそれまでほとんど使ったことがなかった。したがって手を動かし、何かにさわってみて、手による探査をとおして認識するということが異常に劣っていた。だがわれわれはマドレーヌの例をみてきていたから、Kの「失認症」も治るかもしれないし、おなじやり方で治療にあたってみてはどうかと考えた。やってみたところ、事実、マドレーヌとおなじ結果がサイモンの上にまもなく現れた。一年とたたぬうちに、彼はあらゆることに手が動くようになったのである。とりわけ、簡単な大工仕事を面白がるようになり、ベニヤ板や木片に細工を加え、それらでごく単純なものではあったが玩具をつくるまでになった。彫塑への志向や再現行為への欲求はなかった。彼は、マドレーヌのような芸術家ではなかった。だがそれにしても、両手がないにひとしい状態で半世紀をおくってきたのち、彼は、手をどのようにでも動かすことができるようになったのである。

これは、マドレーヌのとき以上に瞠目すべきことだった。なぜならば彼は、意欲的で天分豊かなマドレーヌにくらべてずっと発達がおくれており、知能が足りないお人好しといっていいくらいだったから。マドレーヌのほうはなみはずれた才能があり、ヘレン・ケラーのようで、百万人に一人の例外的な存在だった。それとおなじことを単純幼稚なサイモンから期待するほうが無理というものだ。だが最も基本的なこと——それは手に本来の機能をとりもどさせることだが――について言うならば、サイモンもマドレーヌとおなじことを達成したのである。この問題について、知性の有無はまったく関係ないらしく、唯一必須なものは「使い慣れること《ユース》」であるように思われる。

このような発育期からの失認症はまれなケースだろうが、後天的な失認症はよくあることで、この場合もやはり治療法の基本はその部分を「使うこと」とされている。しばしば私は、糖尿病が原因でいわゆるグローブ・アンド・ストッキング型神経障害がおきている患者に出会うが、神経障害がひどくなると、手先や足先が麻痺しているとさえ感じられなくなり（すなわちグローブ・アンド・ストッキング型でなくなって）、そこにはなにもないという感じ（非実体感《デリアライゼーション》）にまでいたる。ときにはまた、手も足もまったくなくなって胴体だけになった――ある患者の表現を借りると「だるまのようになった」――という感じになる。あるいはまた、腕の先と脚の先がばっさり切り落とされて木の切株のようになり、その先に、練り粉か石膏でつくった塊がくっついているように感じている患者もいる。いずれにしても特徴的なのは、存在が消えたように思えるこの感情（デリアライゼーション）は、突発的におきるということである。そして、ふたたび現実にもどって実体の存在が認識されるようになるのも、また同じように、とつぜん瞬間的におきるのである。どうやら、ある臨界領域――機能的かつ存在論的な――が存在するかのようだ。このような患者にたいしてその手や足を使うようにさせることは、彼らをうまく騙してそうしむけることができたとしても、危険であり、注意を要する。これをやると、突然急に再現実化《リリアライゼーション》がおこりやすい。すなわち、主観的な現実と「人生」に突然もどってしまうのである。ただしこのことは、生理学的能力《ポテンシャル》が十分ある場合にかぎられている。もしも神経障害が全体におよんでいて、神経の末端部がまったく死んでいるような場合は、このような再現実化はおこらない。

神経障害がひどいけれど全身におよんではいない患者の場合には、患部をすこし使ってみることは、たしかに必要なことである。これをするかしないかで、だるまのままでいるか、かなりのところまで機能がもどるかの差がでてくる。しかし使いすぎると、十全とはいえない神経機能が疲労してしまい、ふたたび突然デリアライゼーションへと逆もどりしてしまう。

さらに次のことをつけ加えておきたい。これまで述べてきたような主観的な感情は、実際には、ある客観的な事実と正確に対応している。手や脚の筋肉のある部位に、電気的反応を生じない点があることが判明している。そして感覚の面からいうと、皮質の感覚野にいたるまでのどの相をとってみても、「誘発電位」がけっして得られないのである。

死んだも同然で存在するとは思えない、といったこれと同じような感覚については、3章「からだのないクリスチーナ」を参照されたい。

6 幻の足

神経学者がいうファントム（幻影肢）とは、からだの一部分――通常四肢のひとつ――がなくなったのにそのあと何か月も何年ものあいだ、それがたえず見えている（あるいは記憶されている）ことをいう。ファントムは古代のころから知られていたが、これを詳細に研究し叙述したのは、偉大なアメリカの神経学者サイラス・ウィア・ミッチェルであり、それは南北戦争の最中および戦後のことだった。

ミッチェルは、ファントムにいくつもの種類があることを書いている。たとえば、幽霊のように怪しげで現実ばなれしているもの（彼はこれを「感覚的ゴースト」と名づけた）、なまなましく、危険なくらい現実そっくりのもの、激痛をともなうもの、まったくといっていいほど痛みをともなわないもの、写真のように正確で、もとの複製か模造品のようなもの、不気味なくらい寸づまりだったり形が歪曲したもの……等々。まだこのほかに、ネガティヴ・ファントムだの、不在のファントムだのと名づけられたものもある。ミッチェルはまた、次のようなことも書いている。このような「身体イメージ」の障害は――この語は、五十年後にヘンリー・ヘッドによってはじめて用いられるようになったが――原因が二つ考えられる。ひとつは中枢性要因によるもの、もうひとつは末梢性要因によるものである。中枢性要因とは、感覚皮質、とくに頭頂葉の感覚皮質が刺激されたり損なわれたりすることをさす。いっぽう末梢性要因とは、神経断端、断端神経腫、神経損傷、神経ブロック、神経の異常刺激、脊髄の感覚路や神経根の障害などをさす。ところで私自身についていえば、とりわけ興味があるのは末梢性要因のほうである。

以下の話は、ごくみじかい逸話ふうのものばかりだが、『ブリティッシュ・メディカル・ジャーナル』のなかの診療奇談の欄にのったものである。

消えた幻影指

ある水夫が、ふとしたことから右手の人さし指を切り落してしまった。そのあと四十年間、彼はその指のファントムに悩まされた。むかし切り落した瞬間にそうであったように、いつまでも硬直してぴんと伸びたままである。右手を顔のほうに近づける時はいつも――たとえば、ものを食べる時とか鼻がかゆい時とか――この指が目にずぶりと刺さらないかと心配だった（ありえないことだとわかっていても、そういう感じはどうしようもないのだった）。そのうちに彼は糖尿病性末梢神経障害にかかり、指があるという感覚さえも失われてしまった。すると例の指のファントムもまた消えてしまった。

感覚発作などはその一例だが、中枢に病源をもつ疾患がファントムを「治す」ことがあるのはよく知られている。末梢的疾患がおなじ効果をもたらすこともあるのだろうか？

よみがえるファントム

肢切断患者や、そのそばで仕事している人々はみなよく知っていることだが、義肢の使用にあたっては、幻影肢の有無はひじょうに重要である。マイケル・クリーマー博士はつぎのように書いている。「肢切断患者にとって、ファントムの価値はきわめて大きい。たとえば下肢が義足の場合、安心して歩けるためには、そこにファントムがあることが必要である。いわゆる身体イメージというものがその義足の部分にぴたりとおさまって、一体化したように感じられなければ、満足に歩くことはできないのである」

そういうわけだから、ファントムが消えるとかえって不幸な場合がある。そこで、ファントムを呼びもどしたりよみがえらせることが緊急肝要な課題となる。これにはいろいろな方法がある。ミッチェルが記すところによると、腕神経叢に感応電流療法を試みたところ、二十五年間消えてなくなっていたファントムの手がとつぜん「復活」したという。私の経験でもつぎのような例がある。その患者は、毎朝ファントムを「起こす」のである。朝起きるとまず、切断したあと残っている大腿基部を手前にむかって屈曲させ、次にそこをはげしくたたく。赤ん坊のおしりをたたくように、数回ピシャピシャとやる。五回か六回たたいたところで、とつぜん幻影肢が、この末梢性刺激によってにゅっと生えてくる。生える速さときたら電光石火、一瞬のうちである。そうなってはじめて彼は義足をつけ、歩くことができるようになる。義足をつけている人たちのあいだでは、このほかにもまだまだいろいろと変った方法がおこなわれているにちがいない。

位置のファントム

チャールズ・Dという患者を診るようにいわれた。よろける、倒れる、めまいがする、というのだ。それまでは、内耳障害ではないかと漠然と考えられていた。いろいろ質問してみて、つぎのことが明らかになった。彼が経験したのはめまいではなくて、物の位置がたえず変化するというイリュージョンだったのである。とつぜん床が向こうへむかって遠ざかる、とつぜん手前へ近づいてくる、足もとの床がゆれる、ぐいっと動く、横に傾いていく……彼自身のことばを借りれば、「大波をうけた船のよう」に。その結果足はふらつき、からだは前後にゆれてきて、とまらない。視線を下に落として足もとを見ると、そこで治る。足と床との位置関係がどうなっているか知るためには、からだの感じはもはや頼りにならず、視覚が必要だったのである。だがときにはその視覚さえも、感じのほうに圧倒されてしまうことがあった。そうなると、床も足も、恐ろしいほどゆれて見えてくるのだった。

まもなく、脊髄癆《せきずいろう》の急性発症だということがはっきりした。そして癆の病巣が後根におよんでいたために、固有感覚が障害をおこし、ゆれる感覚が生じるようになっていたのだった。典型的な脊髄癆の末期にどうなるかは誰もが知るところで、足が自分のものだという感覚がなくなることがある。だが末期でなく中間期なのに、しかも急性発症で、治りうる脊髄癆なのにこのような感覚的譫妄《せんもう》（すなわち位置のファントム）がおきた例となるとあまりないのでなかろうか。

この患者の話から思い出すのは、私自身のいとも奇妙な体験である。『左足をとりもどすまで』のなかで書いたことだがそれを引用する。

私はこの上なく不安定な感じで、じっと下を見つめていなければならなかった。そのときだった、原因がわかったのは。問題は私の足だった。いや、足というよりは、白いチョークでできた細い円柱形の名状しがたいもので、それが足のかわりについていたのである。長さは三百メートルぐらい。だが次の瞬間は二ミリにも満たない。太い、と思ったらまた細くなった。こっちへかしいだと思ったら、次の瞬間あちらへかしぐ。たえず大きさが変る、位置も変る、角度も変る。わずか一秒間のうちに四回も五回も変るのだ。変り方ときたらおどろくほどで、まさに一八〇度の変りようといってよかった。

幻影肢――生きているのか死んでいるのか

ファントムはしばしばやっかいで、複雑である。たとえば、それが実際におこるのかおこらないのか、病理的なものなのかそうでないのか、本当にあるものなのかそうでないのか……といった具合に。文献を読んでいるかぎりまぎらわしい。だが患者が語るところはいたって明快だ。彼らはいろいろな種類の幻影肢を体験しているので、彼らの話を直接聞いたほうが事態がはっきりする。

頭は明晰だが、膝上切断のため脚がない、ある人の話。

こいつがねえ、この幽霊みたいな脚がですね、ひどく痛むことがあるんです。足の先がまくれあがってきたり、ひきつることがあるんです。一番悪いのは夜です。義足をとりはずしたときとか、なにもしていないときです。義足をつけて歩いているときは、痛みはなくなります。だがそのときでも、脚がそこにあるという感じはちゃんとしています。この場合は、良いファントムというわけです。種類がちがうのです。それがあるおかげで義足が生きてくるんです。だから歩けるというわけです。

この患者の場合、いやどんな患者の場合もそうなのだが、「悪い」ファントム――つまり否定的、病的、あるいはマイナスに作用するファントムがもしあった場合、それを追い出すのに一番大事なことは、「使う」ことではないかと思う。そして「使う」ことによって、「良い」ファントム――当人自身の脚の記憶、脚のイメージを生き生きと活動させ、健全に働かせることができるのである。

後　記

ファントムをもっている患者の多くは（すべてがというわけではないが）「幻肢痛」に悩まされている。幻影肢が痛むのである。その痛みは、ときにはまったく奇妙な性質のものであることもあるが、たいていの場合は、ふつうの痛みである。切断以前にその部分にあった痛みが、切断後もそこに残っているのである。あるいは、もしその部分が残っていたとしたらそこに生じておかしくないような痛みである。本書の初版が出て以来、私は多くの患者から、ファントムに関しておもしろい手紙をたくさんもらった。ある患者はつぎのように書いてきた。足の爪が肉にくい込んで不愉快である、と。この爪は、足を切断する以前手入れを怠っていたため、切断後痛みはじめ、それが何年もつづいている、というのである。またこんな話もある。あるとき椎間板がずれた。すると幻影肢の部分に神経痛がおきた。そのあと脊椎固定術をしたら神経痛も消えた、というのである。こうした問題はけっしてめずらしいものではなく、このような痛みはけっして気のせいではない。神経生理学の立場からもっと研究されていい問題だと思う。

以前私の学生でいまは脊髄神経生理学者となっているジョナサン・コール博士は、つぎのような報告を私あてに手紙で書いてきた。ある女性が、いまはない脚の部分に幻肢痛を感じていた。リグノカインを用いて棘状靱帯に麻酔をかけたところ、じきに幻肢痛も麻酔状態になった。脊髄根に電気刺激をあたえたところ、幻影肢の内部に、するどい、ひりひりする痛みが生じた。前にあったのは鈍痛だったのに、今度は別種の痛みに変ったのだ。また、脊髄上部に刺激をあたえたときには、幻肢痛がやわらいだとのことだった。コール博士はまた、十四年間多発性神経障害に悩まされているある患者について——この患者は多くの点で3章のクリスチーナにとてもよく似ているのだが——電気生理学の立場から詳細な研究をおこない、その結果を発表している（『プロシーディングズ・オブ・ザ・フィジオロジカル・ソサイエティ』一九八六年二月、五一頁参照）。

7　水準器

マグレガー氏に会ったのは九年前のことだったが、彼のことは、つい昨日会ったばかりのようによくおぼえている。当時私は聖ダンスタン老人ホームの神経科診療所に勤務していた。

彼は横に倒れそうにして入ってきた。

「どうしました？」私はたずねた。

「どうしたって言われてもね。なんでもないんだ。どこも悪くなんかない。でもからだが傾いているって言われるんでね。まるでピサの斜塔みたいだって。もう少しで倒れそうだって」

「でも、自分では傾いている気はしないのですね」

「ちっとも。みんなどうしてそんなことを言うのかね。自分で気がつかないのに、傾いてるなんてことがあるのかね」

「それは妙ですね。ちょっと見てみましょう。立って歩いてみて下さい。ここから向こうの壁まで行ってもどってきて下さい。私だけでなくあなたにも見てもらいたいので、歩くところをビデオにとります。あとでいっしょに見ましょう」

「いいですよ、先生」彼はそう言うと、前に二、三歩つんのめるようにして立ちあがった。敏捷なんとりっぱな老人だろう。九十三歳だが、どう見ても七十過ぎにはみえなかった。敏捷で快活だった。百歳までも元気だろう。パーキンソン病だったが、炭坑夫のようにたくましかった。彼は自信たっぷりにすばやく歩いてみせた。だが信じがたいことに、身体が中心から二十度も左に傾いていた。ぎりぎりのところでバランスを保ち、倒れずにいるのだった。

「ほら、なんでもないさ。物さしみたいにまっすぐ歩けた」彼はうれしそうに笑いながら言った。

「本当にまっすぐでしたか、マグレガーさん。自分でたしかめて下さい」

私はビデオを再生した。画面に出てきた自分の姿を見て、彼はひどくショックをうけた。目を大きく見ひらき、口をあんぐり開け、そのあとこうつぶやいた。「なんてこった！　みんなが正しかったんだ。からだが傾いてるんだ。この目ではっきり見たんだからまちがいない。でも自分では気がつかなかった。傾いている感じがしないんだからね」

「そこですよ、問題は」私は答えた。

人間はすばらしい五感をもっている。五感があるから感じることができる。しかしこのほかに、五感と同じように重要であるにもかかわらず、まだよくわからないために、そのすばらしさが十分認められていない感覚、六番目の感覚が存在する。無意識のうちに自動的に発揮されるこの六番目の感覚は、当然いつかは発見されるべきものであった。しかし歴史的にみると、それが知られるようになったのは遅かった。ヴィクトリア時代の人々のあいだで「筋肉感覚」と呼ばれていた感覚がある。これは、関節や腱の受容体から伝えられる、体幹と手足との相対的位置の認識のことなのだが、この感覚がどういうものか明らかにされ、「固有感覚」と名づけられたのは一八九〇年代になってからのことである。空間のなかで身体をまっすぐおこしてバランスを保つための複雑なメカニズムや制御が明らかにされたのは、ようやく二十世紀になってからのことである。それもまだ全容が解明されたわけではない。身体の位置関係を知るのに役だっている内耳、前庭、その他のめだたない受容体や反射機構のありがたさがわかるのは、宇宙時代になって、無重力のきまぐれに悩まされるようになってからだろう。なぜなら、普通の状態にある健康な人間にとっては、そのような受容体や反射機構は意識されないものだからである。

しかし、機能しなくなるとその存在はきわめてはっきりしてくる。見すごされてきた隠れた感覚にひとたび欠陥が生じると、おかしなことがおこるのだ。何かが伝わらないということでは、目が見えなかったり耳が聞こえないのとおなじである。固有感覚がまったくだめになってしまうと、身体はそれ自体の発する信号を「見る」ことも「聞く」こともできず、文字どおり、自分を「所有」すること、感じることをやめてしまうのである（ちなみに「固有感覚《プロプリオセプション》」とは「所有」を意味するラテン語 proprius からきている）。（3章参照）

マグレガー老人は、眉間にしわをよせ、くちびるをぎゅっと結び、にわかに深く考えこんでしまった。身じろぎもせずに立っていた。私はそんな患者を見るのが好きである。「発見」がおこったのだ。びっくりしながらも、このときはじめて、何が悪いのか、どうすればいいのかをさとるのである。これこそ治療のはじまりなのだ。

「ちょっと、考えさせてもらえんかね」彼はなかばひとりごとのようにつぶやき、がっしりした節くれだった手でもじゃもじゃの白いまゆげをひっぱった。「先生もいっしょに考えてくださらんか。きっと答があるはずだ。からだは一方に傾いている。でも自分では気づかない、そうだね。傾いているなら感じでそれがわからなくちゃいけないはずだが、それが感じられないってわけだ、そうだね？」彼はことばをついだ。表情が明るくなってきた。「大工をやってたんでね。いつも、水平かどうか、垂直線からぶれてないかどうか見るために水準器を使ったもんだ。脳の中にも水準器みたいなものがあるんですかい」

私はうなずいた。

「そいつがパーキンソン病でだめになってしまうんですかい」

ふたたび私はうなずいた。

「私のはそのためかね」

もう一度うなずきながら私は言った。「そう、そう、そのとおりです」

水準器とはうまいことを言ったものだ。彼は、脳のなかの根源的な制御システムが水準器にたとえられることに気づいたのである。物理的には、内耳はまさしく水準器のようなものである。内耳迷路は液にみちた半円型の管からなり、その液の動きはたえず感知されている。しかし、欠陥が生じているのはそれらの器管ではない。むしろ彼の場合は、バランスをとるための器官を、身体自体の感覚(固有感覚)や目に見える外界の姿(視覚)と関連させて使うことができない点に問題がある。マグレガー氏の使った卑近なたとえは、たんに内耳迷路ばかりでなく、三つの隠れた感覚(内耳感覚、固有感覚、視覚)の複雑な統合にもあてはまる。パーキンソン病で損なわれるのはこれらの統合なのである。

これらの感覚の「統合」について、そして、パーキンソン病における個々の感覚の「分裂」について、もっとも実際的で奥深い研究をしたのは偉大な故パードン・マーチン博士であった。その研究は、名著『大脳基底核と姿勢』に収められている(初版は一九六七年。以後加筆改訂がつづき、最新版は彼の亡くなった一九八四年に完成される予定だった)。マーチン博士は、脳のなかでの統合および統合をつかさどるものについて次のように述べている。「脳のなかには、コントローラーのような中枢つまり司令部が存在するにちがいない。このコントローラーに、身体が安定しているか否かが伝えられるにちがいない」

「傾斜反応」についての項で、博士は、身体の安定と姿勢の維持をつかさどる三重の感覚制御システムに重点をおいて述べている。パーキンソン病においては、それらの微妙なバランスが崩れてしまうことがしばしばおこり、ことに、固有感覚や視覚より先に内耳感覚が失われることが多いというのだ。彼によれば、この三重の感覚制御システムでは、三つの感覚制御のひとつひとつが他のものの欠陥をうめ合わせることができるというのである。もちろん、それぞれの機能は別なので、完全に他のかわりをするのは無理だが、すくなくともある程度までは部分的に代行できるという。ふつうは、視覚反射と視覚制御の重要性がもっとも低い。だから前庭システムと固有感覚システムが損なわれないかぎり、目をとじていても完全に安定している。目をとじたとたんに横に傾いたり、前に傾いたり、倒れたりはしない。しかし、バランスの不安定なパーキンソン病の患者は、目をとじたとたんに傾いたり倒れたりすることがある（パーキンソン病の患者が、それと気づかずに、ひどく斜めに身体を傾けてすわっているのをよく見かける。しかし鏡がおかれると自分の姿勢に気づき、すぐに姿勢をただす）。

固有感覚はかなりの程度まで、内耳感覚の欠如を補うことができる。したがって内耳迷路を外科的に除去した患者は、最初はまっすぐに立つことも歩くこともできないが、しだいに固有感覚をたかめて、内耳感覚のかわりにうまく使うことができるようになる（この外科的処置は、重度のメニエール症候群でみられるひどいめまいを解消するためにおこなわれることがある）。このような場合には、とりわけ広背筋にあるセンサーが使われる。この筋肉は身体のなかで最大で、もっとも可動性のある筋肉である。これをあらたに補助的なバランス器官、つまり一対の広い翼のような固有感覚器官として使うのである。練習をつんでそれが使いこなせるようになると、患者は、完全ではないが、安全にしっかりと立ったり歩いたりできるようになる。

パードン・マーチン博士はきわめて思慮ぶかく独創的で、いろいろな機械装置や方法を考えだした。おかげで重度のパーキンソン病患者も、人為的にではあるが、正常に歩き、姿勢を保つことができるようになった。歩行のリズムをとるために、たとえば床に線を引いたり、ベルトに平衡重りをつけたり、あるいは音をたてて時をきざむペースメーカーをつけたりしたのである。このような発明はいつも患者の思いつきから生まれた。だから博士の偉大な本は、彼らに捧げられている。彼はほんとうに人間味のある先駆者であった。理解と協力が彼の医療の原点だった。患者と医者とは協力者として平等であり、相互に学びあい助けあうもので、患者と医者のそのような関係から新しいことがわかり、あらたな治療ができるようになると彼は言う。だが私の知るかぎりでは、博士は、マグレガー氏を悩ませたひどい傾斜や前庭反射を修正するための補助用具は発明していない。

「なるほど、頭のなかにある水準器を使うことができないってわけだ。耳を使うことはできないが、目は使えるぞ」いぶかしげに、試すような様子で、彼は頭を一方に傾けた。

「こうやったっておんなじだ。傾いてなんか見えないがなあ」彼が鏡を見たいと言ったので、私は姿見を彼の前に引いてきた。「今度は傾いてるのがわかる。ほら、今度はからだをおこしてまっすぐにしていられる。でもいつも鏡にかこまれて暮らすわけにも、持ちあるくってわけにもいかんしなあ」

彼は、額にしわをよせ、こわい顔つきになってじっと考えにふけっていた。とつぜん表情が明るくなり、彼はほほえんだ。「そうだ、わかったぞ。先生、鏡なんていりませんや。水準器さえあればいいんだ。頭のなかの水準器は使えないけど、頭のそとにあるのなら使える。目で見えるやつならばね」大きな声でそう言うと、彼は眼鏡をはずし、それを考えぶかげにいじりはじめた。表情がゆっくりとほころんできた。

「たとえばこの眼鏡の縁のここですよ……ここを見れば傾いているかどうかわかるってわけだ。最初はここばっかり見つめることにするんだ。はじめのうちはつらいだろうが、だんだんに慣れて自然にできるようになるだろう。先生どう思います?」

「それはすごい思いつきだ、マグレガーさん。試してみましょう」

原理ははっきりしていたが、実用化するには少々手がかかった。最初は振子のようなものを試してみた。眼鏡の縁から重りのついた糸をさげたのである。これは、あまり目に近すぎて、ほとんど見えなかった。それで、検眼士と工房のお世話になって次のような物をつくった。眼鏡のブリッジから、前にむかって鼻の高さの二倍くらいホルダーをつきだし、そこから左右にひとつずつ小型の水準器をつけるのである。さまざまなデザインが試された。いずれも、マグレガー氏が手をくわえたものである。数週間して第一号ができあがった。ヒース・ロビンソンふうの水準器つき眼鏡である。「世界初の眼鏡だ」とマグレガー氏は得意になって言った。かけてみると、少しばかり不格好に見えたが、当時出まわりはじめていた、かさばる補聴器つき眼鏡よりはましだった。そしてホームでは、奇妙な光景が見られるようになった。自分で発明した水準器つき眼鏡をかけたマグレガー氏が、船の羅針盤に目をこらす操舵手のように、一心に目をこらしている。これは効果をあらわし、すくなくとも身体の傾きはなおった。だが緊張の連続でひどく疲れることだった。数週間たつうちにそれはどんどん楽になった。ちょうど、考えごとやおしゃべりなどをしながら車のメーターから目を離さずにいられるように、ことさら意識せずに装置から目を離さないでいられるようになったのである。

マグレガー氏の眼鏡は、聖ダンスタン老人ホームで流行した。ホームには、重度の体傾斜と姿勢障害のある、パーキンソン病患者がほかにも数人いた。これらの症状は、危険であるばかりでなく、治療のいちじるしい障害となっていた。まもなく一人、二人とマグレガー氏考案の水準器つき眼鏡をかけはじめ、いまでは彼のように、まっすぐに身体をおこして歩けるようになっている。

8　右向け、右！

Ｓ夫人は六十代の教養ある婦人である。重い脳卒中のため右脳の深奥部がおかされたが、知能はまったく損なわれず、あいかわらずユーモアもあった。彼女はときどき看護師たちに、コーヒーやデザートが自分のお盆にはくばられてないと文句を言う。「でもＳさん、ちゃんとそこにありますよ、左側に」と言われても、ふに落ちないようすで、左を見ようとしない。看護師が彼女の頭をそっと動かし、デザートが右半分の視野に入ってくると、彼女はこう言う。「あら、そこにあるわね、前はなかったのに」

自分のからだについても、まわりのことについても、「左」という概念をまったく失ってしまっているのだ。ときどき、自分の分が少なすぎると文句を言うが、それは、皿の右半分しか食べないせいである。左半分もあることに気づかないのだ。口紅をつけたり化粧をするとなると、顔の左半分をまったく忘れている。左のほうには注意がむかないから、これはどうしようもないのである（「半側無視」についてはバタ－ズビーによる一九五六年の論文参照)。

彼女には、自分がおかしなことをしているという認識がない。そのような行為はおかしいことだと頭ではわかるし、笑うこともできる。しかし自分自身については、人に言われるまではまったく気がつかない。

多分おかしなことをしているのではないかと考えて、彼女は自分の無感覚に対処する方法を考えだした。直接左を見ることはできないし、左へむくこともできないから、できることといえば、まず右をむいて、それをくり返してくるりと一周することである。そこで彼女は回転する車椅子を用意してもらった。そこにあるはずの物が見つけられないと、彼女は右まわりに一周する。するとそれが視野に入ってくる。コーヒーやデザートが見つからないときには、この方法が大変よいことがわかった。自分の分が少なすぎると思ったら、右に目をこらしながら右にまわっていくと、前には見えなかったものが見えてくる。そこでそれを(正確にはその半分を)食べる。だがまだ食べたりない気がしたり、食べのこしの半分しか食べていないことに思いあたると、彼女は残りの四分の一が視野にはいるまでもう一度回転する。そしてまたその半分をたべる。普通はこれで十分である。結局、彼女は八分の七の分量を食べたことになる。だがとくに空腹だったり、気になって仕方がないときには、三回目をまわって、あと十六分の一を手にいれる——もちろん、皿の左側にある十六分の一は残ることになるが。「ばかばかしいわ」「ゼノンの矢になったみたい。けっして目的地にはつかないんだから。滑稽にみえるだろうけれど、他にはどうしようもないんですものね」

　彼女自身がまわるより皿をまわす方がずっと簡単に思われるだろう。彼女もそう考えて試してみた。少なくとも試そうとした。しかし、おかしなことだが、それはむずかしいのである。自然というわけにはいかない。椅子ごとまわった方が自然である。いまの彼女は本能的に右を見てしまうし、右に注意がむいてしまう。自然な動きにしろ衝動的動作にしろ、本能的に右向きになってしまうのだ。

　顔の半分にしか化粧をせず、口紅も頬紅も左側にはつけないのを笑われたことで、彼女はひどく傷ついていた。「鏡で見えるところは全部お化粧したのに」と彼女は言った。われわれは彼女のために、顔の左半分が右側にうつる「鏡」がつくれないものかと考えた。つまり、向かいあっている人が彼女を見るようにうつる鏡である。そこで、彼女の前にカメラとモニターをすえてビデオで試してみたのだが、びっくりするような奇妙な結果になってしまった。ビデオ画面を鏡として、彼女は画面の右側に、顔の左半分を見ることになった。ビデオ画面を見て髭を剃ったことのある人ならわかるが、それは正常な人にとってもまぎらわしいことである。彼女にとっては二倍もぞっとする経験で、不気味なことこの上なかった。彼女が見ている顔やからだの左半分は脳卒中のため無感覚、無表情で、存在しないも同然だったからだ。「これを片づけて！」と、悲しそうに当惑したようすで彼女は叫んだ。それで、この試みもそれまでとなった。なんとも残念な次第だった。というのは、R・L・グレゴリーもおなじことを考えたのだったが、半側無視と左視野欠損の患者には、ビデオがさぞかし有効だろうと思われていたからだ。しかし実際にやってみると、これは物理的にも心理的にもたいへんな問題をはらんでいることがわかったのである。

9　大統領の演説

いったい何がおこっていたのだろう？　失語症病棟からどっと笑い声がした。ちょうど、患者たちがとても聞きたがっていた大統領の演説がおこなわれているところだった。テレビでは、例の魅力的な元俳優の大統領が、たくみな言いまわしと芝居がかった調子で、思い入れたっぷりに演説していた。そして患者たちはといえば、みな大笑いしていた。もっとも、全員というわけではなかった。当惑の表情をうかべている者もいたし、むっとしている者もいた。けげんそうな顔をしている者も一人二人いたが、ほとんどの患者は面白がっているようだった。大統領はいつものように感動的に話していた。そう、患者たちにとってはふきだすほど感動的だったのだ。彼らはいったい何を考えていたのだろう。大統領の言うことがわからなかったのだろうか。それともよくわかっていたのだろうか。

知能は高いが、ひどい感覚失語または全失語で言葉を理解できなくなっている患者については、よく次のように言われる。失語症にもかかわらず、彼らは話しかけられることをほとんど理解している、と。だから、友人や親戚、看護師など彼らをよく知っている人たちは、彼らが失語症であることをほとんど信じられなくなるときがあるという。

なぜなら、彼らは自然に話しかけられれば、言われたことの一部あるいはほとんどを理解するからである。それに当然のことながら、ふつうの人間は自然なしゃべり方をする。したがって失語症と見きわめるために、神経科医はきわめて不自然に話したりふるまったりしなければならない。視覚的な手がかりだけでなく、言葉に付随する手がかりすべてを取りのぞくためである。視覚的な手がかりとは、表情、ジェスチャー、ほとんど無意識のうちに出てしまうくせや態度をいう。言葉に付随する手がかりとは、声の調子、イントネーション、示唆的な強調や、抑揚などをさす。これらの手がかりをすべて取りのぞかねばならないのは、発話を純粋な単語の集合体にするためで、フレーゲのいう「声の色あい」(あるいは「エヴォケーション」)をまったく排除するためである。そのためには、話し手の素性をかくし、声を非人格化し、コンピューターによる人工音をつかうことさえある。とりわけ感受性のすぐれた患者の場合は、『スター・トレック』に出てくるコンピューターのような人工的機械音を用いて、はじめて失語症が確認できるのである。

なぜこのようなことをするのか。それは、自然な発話とは単語のみで成り立っているのではなく、ヒューリングズ・ジャクソンが考えたように、主題(話そうとする内容)のみで成り立っているのでもないからである。発話は口から発せられた音にはちがいないが、それは、その人の存在と意味すべてを発露する音なのだ。それを理解するためには、単語がわかるだけではだめなのだ。だからこそ、失語症患者が、まったく単語を理解できなくても相手が言っていることがわかることがあるわけで、べつに不思議とするにはあたらない。単語や文法構造そのものは何も伝えないとしても、話されるときにはかならず調子がつき、言葉をしのぐ力をもった表情がつく。非常に奥ふかく多様で、複雑かつ微妙な表情こそ、単語が理解できなくなった失語症患者にも理解できるものなのだ。しばしば、発話の表情を理解する力は、失われるどころではなく並はずれて高まっていることさえある。

このことは、家族、友人、医者、看護師など失語症患者の身近にいる人々すべてが気づくことである。ときにはひどく衝撃的に、あるいは滑稽に、それは明らかになる。最初はなにも問題はないように思われていたのに、やがて彼らの言語理解に大きな変化、ほとんど逆転ともいえる変化がおこっていることがわかる。彼らのなかで何かが失われてしまったのは確かだ。かわりに何かが現れ、それがぐんぐん力を増したことも事実である。だから、すくなくとも感情のこもった発話については、すべての単語が理解できないときでさえ十分意味がつうじるのだ。言葉を話す種《ホモ・ロークエンス》である人間としては、これでは順序が逆のようである。逆転というより逆行、より原始的で根源的なものへの逆行、といったほうがいいかもしれない。だからヒューリングズ・ジャクソンは、失語症患者を犬にたとえたのだろう（犬にとっても患者にとってもひどく失礼な話だが）。このたとえを思いついたとき、彼の頭にあったのは、失語症患者の、声の調子や情感にたいするきわ立ってすぐれた感受性のことではなく、むしろ言語理解の無力さのほうだったろう。ヘンリー・ヘッドはもっと鋭い感覚をもっていた。彼は失語症について一九二六年に書いた論文のなかで、「情感《フィーリ》的調子《ング・トーン》」について述べている。失語症患者は「フィーリング・トーン」を感じとる力を失っておらず、ときにはより敏感になっていることさえあるというのだ[1]。

だから私をふくめ失語症患者に接している者がしばしば感じることは、彼らには嘘をついても見やぶられてしまうということだ。失語症患者は言葉を理解できないから、言葉によって欺かれることもない。しかし理解できることは確実に把握する。彼らは言葉のもつ表情をつかむのである。総合的な表情、言葉におのずからそなわる表情を感じとるのだ。言葉だけならば見せかけやごまかしがきくが、表情となると簡単にそうはいかない。その表情を彼らは感じとるのである。

同じことは犬についても言える。そこでわれわれは、言葉に気をとられて直感による判断がおぼつかないときには、しばしば犬をつかう。本当かどうか、悪意があるのではないか、だまそうとしているのではないかを確かめたり、誰が信用できるか、誰が重要か、まともなのは誰かを知るために犬を使うのである。

犬にできることは失語症患者にもできる。しかもはるかに高度なことができるのだ。「口では嘘がつけても表情には真実があらわれる」とニーチェは書いているが、表情、しぐさ、態度にあらわれる嘘や不自然さにたいして、失語症患者はとても敏感である。たとえ相手が見えなくても——盲目の失語症患者の場合まぎれもない事実なのだが——彼らは、人間の声のあらゆる表情すなわち調子、リズム、拍子、音楽性、微妙な抑揚、音調の変化、イントネーションなどを聞きわけることができる。本当らしく聞こえるか否かを左右するのが声の表情なのである。

失語症の患者はそれを聞きわける。言葉がわからなくても本物か否かを理解する力をもっている。言葉を失ってはいるが感受性がきわめてすぐれた患者には、しかめ面、芝居がかった仕草、オーバーなジェスチャー、とりわけ、調子や拍子の不自然さから、その話が偽りであることがわかる。だから私の患者たちは、言葉に欺かれることなく、けばけばしくグロテスクな——と彼らには映った——饒舌やいかさまや不誠実にちゃんと反応していたのだ。

だから大統領の演説を笑っていたのである。

声の表情や調子にたいして特別な感受性をもっている失語症患者には嘘がつけないとすると、次の場合はどうだろう。単語を理解する力はあるが、声の表情や調子にたいする感覚がなくなってしまった者の場合だ。これまで述べてきた患者とはまったく逆の場合である。われわれの病棟にもそのような患者が数人いる。専門的にいえば、彼らは失語症ではなく一種の失認症、いわゆる音感失認症である。語の意味は（さらに文法構造も）完全に理解できるのに、声の表情——調子、音色、感じ、声全体の性質——が把握できないのだ。失語症が左側頭葉の障害によっておきるのにたいし、このような音感失認症は右側頭葉の障害によっておこる。

失語症病棟にいる音感失認症患者たちも大統領の演説を聞いていた。そのなかに右側頭葉に神経膠腫のあるエミリー・Dがいた。以前英語教師をしていた彼女は、すこしは名の知れた詩人でもあった。言葉にたいする感覚はなみはずれていて、すぐれた分析力、表現力をもっていた。失語症の患者とは反対の状態にある音感失認症患者にとって大統領の演説はどう映ったのか、彼女はそれを表現することができる立場にあった。エミリーは、もはや声の喜怒哀楽を判別できなくなっていた。声の表情が読みとれないので、話を聞くときには、話し手の顔や態度や動きを見なければならなかった。それで、以前にもまして熱心に注意深くそうしていたのだが、これにも限界がきた。悪性の緑内障で急速に視力が落ちてきたのである。

そんなわけで、いまや言葉とその使いかたに極度の注意を払わなければならないことになったので、彼女は、まわりの人にも厳密であることを要求するようになった。くだけた言葉づかいの会話や俗語、それとない言いまわしや感情的な話がだんだん理解できなくなっていった。そこで彼女は、きちんと整った文を話すこと、正確な言葉づかいで話すことを要求するようになった。文法的に整った文ならば、調子や情感がわからなくてもある程度まで理解できると気づいたからである。

このようにして彼女は、叙述的な話をする能力は失うことなく、それを高めることすらできたのである。叙述的な話なら、適切な語をえらべば意味がとおるからだ。しかし感情のこもった話となると、調子のつけかたで意味がきまってくるので、ますます理解できなくなっていった。

エミリー・Dもまた、石のように固い表情で大統領の演説を聞いていた。よくわかっているようでもあり、わからないようでもあった。だが厳密にいえば、それは失語症患者の困惑したようすとは反対の状態だったのである。彼女は演説に感動していなかった。どんな演説にも心が動かされることはない。感情に訴えることをねらったものは、それが真正のものであろうと偽りのものであろうと、彼女にはまったく無縁だった。感情的な反応を見せることはできないけれど、彼女もわれわれとおなじく、内心では聞きほれ、それに魅せられていたということはなかったのだろうか？　なかった。彼女はこう言った。「説得力がないわね。文章がだめだわ。言葉づかいも不適当だし、頭がおかしくなったか、なにか隠しごとがあるんだわ」と。こうして大統領の演説は、失語症患者ばかりでなく、音感失認症の彼女も感動させることができなかったのだ。彼女の場合は、正式な文章や語法の妥当性についてすぐれた感覚をもっていたせいであり、失語症患者のほうは、話の調子《トーン》は聞きわけられても単語が理解できなかったせいである。

これこそ大統領演説のパラドックスであった。われわれ健康な者は、心のなかのどこかにだまされたい気持があるために、みごとにだまされてしまったのである（「人間は、だまそうと欲するがゆえにだまされる」）。巧妙な言葉づかいにも調子にもだまされなかったのは、脳に障害をもった人たちだけだったのである。

注

（1） ヘッドは「情感的調子《フィーリング・トーン》」という言葉を好んでもちいている。彼はこれを、失語症にかんしてだけでなく感覚の情緒的資質にかんしてももちいている。視床や辺縁部に障害がおきると、この情緒的資質が変ることがある。彼はつねに、なかば無意識のうちに、この「情感的調子」の研究にひきつけられているようだ。主題と過程中心の古典的神経学とは対照的な、あるいはそれを補足するような神経学、「情感的調子」に注目した神経学に彼はひかれているらしい。偶然にもこれは、アメリカ、すくなくとも南部の黒人のあいだではよく使われる言葉である。ありふれた粗野な言葉だが、なくてはならない言葉なのだ。「ほら、フィーリング・トーンってのがあるのさ。いまはなくしてしまったかもしれないが、昔はあんたももってたはずだ」これは、スタッズ・ターケルが一九六七年に著したインタビュー記録『アメリカ――ディヴィジョン・ストリート』の冒頭にエピグラフとしてのせた一文である。

第二部　過剰

「欠損」ということばが神経学では好んでつかわれるが、これはどのような機能障害にもつかえる唯一の神経学用語である。ちょうどコンデンサーかヒューズのように、機能は正常か駄目かのどちらかなのだ。本質的には機能と接続の体系である唯物論的神経学には、この二つの可能性しかない。

では、欠損の反対の状態である機能の過剰や余剰の場合はどうだろうか。神経学にはこれを表現することばがない。そのような概念がないからである。機能や機能体系は、働いているかいないかのどちらかである。神経学的にはこの二つの可能性しかない。したがって、機能の過剰あるいは働きすぎであるような疾患は、神経学の基本概念にたいする挑戦なのである。よく見かけるが興味深く重要なこの種の疾患に、当然向けられていい注意がはらわれないできたのはそのためでもある。だがこうした疾患も、精神医学の分野では注目されている。そこでは、興奮性の障害だの生産的な疾患――想像力過剰、衝動過剰、躁病など――が問題にされている。解剖学や病理学においても、肥大とか奇形、奇形腫ということばがつかわれ、それらに注意がはらわれている。しかし、生理学にはそのようなことばがない。奇形腫とか躁病にあたる過剰を表すことばがないのである。このことだけ考えても、神経系にかんするわれわれの基礎的な概念やヴィジョンはきわめて不適当であり、もっと柔軟で、現実に即した概念をおぎなう必要があるといえよう。

第一部でとりあげた「喪失」すなわち機能的欠陥だけに注目しているかぎり、それがきわめて不適当であることに気づかない。しかし機能の過剰もありうるとすれば、欠損のみに注目するのは正しくないことはすぐに明らかになる。健忘症ばかりでなく記憶亢進症もある。失認症にたいして認識亢進もある。ほかにも「亢進現象」はいくらでもあるではないか。

古典的な「ジャクソン派神経学」においては、過剰による疾患はまったく考慮の対象にならない。いわゆる「解放」に対立するものとして機能の過剰あるいは膨張があるはずだが、そういうものは考慮しないのである。ジャクソン自身「超陽性の」精神状態について言及していることはたしかである。しかし、そのようなことを言うのは、彼にしては意外なことだった。ふざけているのか、あるいは、臨床経験に忠実であったためかのどちらかだろう（機能について機械的な考えかたをする彼としては、これは認めたくなかったかもしれない。だがこのような矛盾は、彼の才能の特徴でもある。彼流の自然主義と厳格な形式主義とのあいだには、深い溝があった）。

過剰を考慮にいれる神経学者が現れたのは、ごく最近になってからである。ルリアの二巻の臨床記録は、その点でうまくバランスがとれている。『こなごなになった世界の男』は喪失について、『偉大な記憶力の物語』は過剰について書かれている。私は、二冊のうちでは、後者のほうがはるかにおもしろく独創的であると思う。そこでは、古典的な神経学では不可能だった想像力と記憶についての研究がなされているからだ。

私の『レナードの朝』のなかでは、Lドーパ投与前のおそるべき欠乏状態（無動症、無為、無力症、無感作など）と、Lドーパ投与後の、同様におそるべき過剰状態（多動症、意欲増進、機能亢進など）との両方が、バランスよくあつかわれているといえよう。『レナードの朝』では、機能をしめす用語や概念とは別の、新しい用語と概念がもちいられている。たとえば衝動、意思、ダイナミズム、エネルギーなどである。従来の神経学の用語が基本的には静的であるのにたいし、これらの用語は、根本的に動的でダイナミックである。そして、ルリアが書いている記憶亢進者の心のなかには、もっと迫力ある現象がみとめられる。膨張しつづけ、ほとんど抑制不可能な連想、あるいは心象の突出、思考のおそるべき増大（誇大妄想）、一種の精神的奇形等である。それらを記憶亢進者当人はItと呼んでいる。

しかしItあるいは「自動症」ということばもまた機械論的なものである。「膨張する」ということばは、どこまでいくかわからないという不安な状態を表現するのにぴったりのことばである。ルリアの記憶亢進患者や、Lドーパによって過度に高揚し活気づいた私の患者に認められたのは、不気味なまでに、狂気にちかいほどに増大した快活さである。ここまでくると、たんなる過剰ではすまされない。増殖というか器質的多産性の問題なのである。この状態はたんなる機能の不均衡や失調ではなく、生産力の変調なのである。

記憶喪失や失認症の症例に接したとき、われわれはおそらくある機能や能力が損なわれただけなのだろうと想像する。だが記憶増進や認識力亢進患者の場合は、記憶力や認識能力が、生まれつきいつも活発で生産的だったのである。生得的で、内在的で、かつ程度が異常なのである。こうしてわれわれは、機能を考える神経学から、行動や生活そのものを考える神経学へと移行せざるをえないのである。過剰の症例に出会うことによって、われわれは、新しい重要な世界へむかってあらたに踏みこまざるをえなかった。そうしないかぎり、「人間の精神生活」について研究をはじめることはできない。伝統的な神経学は、機械的に分析をおこない、欠陥に重点をおくあまり、実際の生活を考慮にいれないできた。実際の生活こそ、あらゆる大脳機能のあらわれなのである。すくなくとも、想像機能、記憶機能、知覚機能といった高度な機能がそこにはあらわれる。従来の神経学は、欠陥を強調するあまり、精神生活そのものを見ていない。実際の脳や精神の状態はきわめて個人的なものである。しかし、今われわれは、それらの状態にこそ関心をもたねばならない。とりわけ脳や精神の高揚した状態、ひどく活発な状態に関心をはらわなければならない。高揚状態にあるということは、たんに健康的で充実して満ちたりた気分になるばかりではない。かえってそのために、ひどく不穏な、度をこした状態になったり、『レナードの朝』にたえず出てくるような奇行や醜悪な行為をまねくこともある。興奮しすぎた患者は、統合や抑制を欠いた状態、ある種の「過剰」の状態におちいる。それは衝動やイメージや意思に圧倒された状態で、生理的な狂暴性にとり憑かれた(あるいは追い立てられた)状態なのである。

これは、成長や生命そのものがはらんでいる危険である。成長は成長しすぎになることがあるし、生命は「生命過多《パラ》」にもなりうるのだ。あらゆる亢進状態は、ゆがんで妙な方向へすすんで、奇怪な異常状態になる可能性がある。たとえば、多動症は異常運動症《パラキネシア》(アブノーマルな動作や舞踏病やチック)になる可能性がある。認知力の亢進は、異常認知と呼ばれる、病的に亢進した感覚の倒錯になる可能性がある。そして亢進状態の激情は、暴力的激情になる可能性をもっているのである。

見たところ健康だがじつは病気であるということは、ひとつのパラドックスである。これは、健康で幸福だというすばらしい気分に、病気の芽がひそんでいることがあとからわかるのと同じで、架空の怪物や、自然が見せてくれるトリックや皮肉のもつパラドックスのひとつである。これこそ、多くの芸術家を魅了してきたものである。とくに、芸術を病気だと考える人々はそれに魅せられてきた。これはバッカス的、ヴィーナス的、ファウスト的なテーマである。トーマス・マンの小説にもくり返しでてくるテーマである。たとえば『魔の山』における発熱性の肺病のような高揚状態から、『ファウストゥス博士』における スピロヘータ的インスピレーション、そして最後の作品『ブラック・スワン』における催淫的な陰険さにいたるまで、くり返し出てくるテーマなのである。

以前から私は、このような皮肉にとても興味を感じてきた。このことは前にも書いた。『サックス博士の片頭痛大全』において、私は発作の前ぶれ、あるいは発作の開始となる亢進状態について述べた。そしてジョージ・エリオットを例にひいて、「危険なほど調子がいい」のは、しばしば彼女にとっては発作の兆しだった、と書いた。「危険なほど調子がいい」とはなんという皮肉な表現だろう。これこそまさしく「元気すぎる」ことのなかにひそむ二面性・逆説をあらわしている。

「調子がいい」というのは、あたりまえのことだが、不満の種になりようがない。人々はそれを享受する。不満からいちばん遠いところにいるわけだ。気分が悪いとか調子がよくないときに、不平をもらすのである。しかし場合によっては、ジョージ・エリオットのように、なにか「おかしい」ということを、これまでの知識や連想や、あるいは度をすぎた状態から漠然と察知することがある。このようにして患者は、「調子がいい」ことには不平を言わないが、「調子がよすぎる」ことにたいしては疑いの気持をいだくことがあるかもしれない。

これが、『レナードの朝』の核心的な、そして残酷なといってもいい主題だった。わからないくらい奥ふかいところに欠陥があって、何十年ものあいだひどく苦しんでいた患者が、奇跡のように突然よくなる。しかし実際には、気まぐれで厄介な「過剰」というものへ移行しただけなのだ。機能は、許容しうる限界をはるかにこえて刺激をうける状態になる。患者のなかにはこのことをさとり、警戒心をいだいた者もいたが、そうでない者もいた。たとえば、ローズ・Rは、健康が回復した興奮と喜びで、最初はこう言った。「信じられないわ、なんてすばらしいんでしょう！」しかし事態が抑制できなくなるほど進むと、「きりがないわ、何かひどいことがおこるんだわ」と言った。多少なりとも注意してみると、他の人々にもほぼおなじことがおきている。レオナルド・Lの場合もそうだった。彼も、充実した状態を通りこし、「過剰」な状態になったのである。

「彼ははじめのうちその状態を神の恵みと呼んでいたが、健康でエネルギーにみちた状態は、潤沢を通りこして行きすぎの状態を示しはじめたのである。調和と安楽を感じ、難なく自由がきくと思いこんでいたのに、やがてそうでなくなり、あまりにも多すぎる、行きすぎている、かえって負担である、という意識にかわっていった」そのために彼は、ばらばらに分解し、爆発してこなごなになってしまうのではないかという恐れを感じたのだった。

これが、過剰がもたらした恩恵と苦悩、喜びと苦痛だった。洞察力のある患者は、ここに疑問とパラドックスを感じていた。あるトゥレット症患者はこう語っている。「エネルギーが余りすぎているみたいです。何もかもがすばらしく、たくましく、度をこしている感じです。熱にうかされたような状態で、病的なすばらしさなのです」

「恐ろしいほどの快調」「病的なすばらしさ」とは偽瞞的な幸福感で、その下には深淵が口をあけている。これこそ過剰のおそるべき罠なのである。この罠をしかけたのは自然であり、あるいはわれわれ自身でもある。自然の罠にはまれば陶酔のうちに不調におちいり、みずからの罠にはまれば、興奮への惑溺というかたちをとる。

このように見てくると、われわれ人間は、異常な窮地《ジレンマ》に立たされていることになる。伝統的な考えかたでは、病気は「苦しみ」であり「つらいもの」だった。だが今や、それとはぜんぜんちがう考えかたがでてきたことで、はるかに曖昧なものとなった。患者にとって、目の前にある病気は誘惑者だからである。われわれはみな、このような奇妙な状態、このような屈辱を免れるわけにはいかない。「過剰」がもとでおこる病気の場合は、一種の「なれあい」が生じかねない。人間のほうが病気に歩調をあわせ、病気と一体化し、ついには独立した存在でなくなり、病気の産物にすぎなくなってしまうのだ。この恐ろしさを、10章でレイはこう表現している。「私はチック症でできているのです。それがなかったら、こうしてはいられないでしょう」彼の場合、精神の変形・肥大がおこっているのである。「トゥレットーマ」である。それが彼をのみこんでしまうかもしれないのだ。さいわい彼は自我がつよく、トゥレット症も比較的おだやかだったから、そこまでの危険はなかったけれど、自我が弱くて十分発達していない患者なら、圧倒的に病気がつよい場合は、病気によって「とり憑かれた」状態あるいは「追いたてられた」状態になることはありうる。14章の「とり憑かれた女」では、ごくわずかだがこれに触れている。

10　機知あふれるチック症のレイ

一八八五年、シャルコーの弟子であるジル・ド・ラ・トゥレットは、現在も彼の名でよばれている、おどろくべき症候群について発表した。発表後すぐに、それはトゥレット症候群とよばれるようになった。この症候群の特徴は、神経エネルギーが過剰になること、奇妙な動作や気まぐれが度をこしてひんぱんにおきることである。たとえば、チック、痙縮（びくつき）、衒奇的症状、しかめ面、うなり声、悪態、無意識的な模倣、さまざまな強迫などがあらわれる。同時に、奇妙な妖精的ユーモアや、気まぐれで風変りな動きもみられる。重症の場合には、情緒、本能、想像にかかわるあらゆる面で症状があらわれる。軽いものは——このほうは数多く見られる——せいぜい異常な動作や衝動的な行為といった程度であるが、それでも奇妙なことに変りはない。この症候群は十九世紀末にはよく知られるようになり、広範囲にわたり症例が報告されている。それというのも、当時は、器質的なものと精神的なものをすぐに結びつけて考える包括的神経学が隆盛だったからである。トゥレットと仲間の医者たちには、この症候群が一種の原始的な衝動にとり憑かれた状態だということがわかっていた。そして、それは器質的な原因によるもので、はっきり特定できないが明らかに神経系の障害からくるものであることもわかっていた。

トゥレットが最初の論文を発表してからあと、多くの症例が報告されたが、二つとおなじものはなかった。トゥレット症候群には、症状がおだやかで良性のものと、きわめてグロテスクで凶暴性を示すものがあることが明らかになった。また、病気にうまく順応し、症状のひとつである思考、想像力、発想のすばやい動きを活用している人々もいれば、つきまとう症状の圧力に屈し、衝動におしつぶされ、ひどい混沌状態におちいり、真のアイデンティティを見いだすことができない人もいることが明らかになった。記憶亢進患者について述べたルリアのことばをかりれば、この症候群の患者にはつねにIt（本能的自我）とI（理性的自我）との戦いが見られたのである。

シャルコーとその弟子たちは、そのなかには、トゥレットのほかフロイトやバビンスキーがいたのだが――ItとI、肉体と精神、神経学と精神医学とをむすびつけて考える最後の世代であった。だが今世紀にはいると、それらは分けて考えられるようになり、精神ぬきの神経学と肉体ぬきの精神医学とにわかれてしまった。そのためトゥレット症候群は忘れさられ、まるで病気そのものが消えてしまったかのように、今世紀半ばまでその症例はほとんど報告されることはなかった。医者のなかには、これは「架空の」ものでトゥレットの旺盛な想像力の産物、とみなす者もいた。病名を聞いたことさえない医者がほとんどだった。一九二〇年代にさわがれた、かの嗜眠性脳炎が忘れさられたように、忘れられてしまったのである。

嗜眠性脳炎が忘れられたことと、トゥレット症候群が忘れられたことには共通点がある。どちらも特異で、信じがたいほど奇妙な病気なのである。すくなくとも、狭い医学常識では信じられないものなのだ。どちらも従来の医学の枠にあてはまらないために忘れられ、ふしぎなことに「消えて」しまったのだ。ともかく両者は、多動（運動亢進）と極度の興奮状態という点でひどく類似している。このことは、一九二〇年代に早くも指摘されていた。患者は病気の初期に、精神的にも肉体的にもひどく興奮し、乱暴な動作やチック、さまざまな衝動的動作をしめす。その後しばらくして、彼らは正反対の状態になる。まったく人事不省になり、「眠る」のである。四十年たってからそうなった例を私は知っている。

一九六九年のこと、私は嗜眠性脳炎患者や脳炎後の患者にLドーパを投与した。Lドーパとは、神経伝達物質であるドーパミンの前駆物質である。患者の脳内ではこれが著しく減少している。Lドーパにより患者には変化がおきた。混迷状態から覚醒して正常になり、つぎに混迷とは正反対の状態に追いこまれたのである。チックと極度の興奮状態である。私がトゥレット症候群らしきものに出あったのはこれが最初だった。彼らは荒々しく興奮し凶暴な衝動をしめすが、同時に、しばしば奇妙なユーモアも見せた。私はトゥレット症候群の患者をそれまで見たことがなかったのだが、そのことがあって以来、この症候群について書いたり話すようになっていった。

一九七一年初めに、私の受けもちの脳炎後の患者が覚醒したことに興味をもった『ワシントン・ポスト』紙が、患者たちの様子を聞いてきた。「チック症状がでている」と答えると、同紙はチックについての記事をのせることにした。それが公表されると、数えきれないほどの手紙がきた。私は手紙のほとんどを同僚の精神科医にまわしたのだが、一人の患者だけは自分で診ることにした。それがレイだった。

レイを診察した翌日、ニューヨークの繁華街の路上で、私は三人のトゥレット症患者を見つけたように思った。私の頭は混乱した。トゥレット症はきわめてまれなものだと言われていたからだ。発症率は百万人に一人と本には出ていたのに、一時間のうちに三例も見たのだ。私はひどくおどろき、戸惑ってしまった。これをずっと見すごしてきたなんてことがあるだろうか。本当に見なかったのか、あるいは、トゥレット症患者を見ても「神経質」とか「気がふれた」とか「痙攣している」とかいって片づけてしまっていたのではないか。みんなが見すごしてしまうなんてことがありうるだろうか。それとも、トゥレット症候群はまれなものではなく、むしろありふれたものだということなのか。考えられていたより千倍も確率の高いものではないのか。次の日も、特別にさがしたわけでもないのに、町で二人の患者を見つけた。ここにいたって、私はおかしなことを思いついた。トゥレット症はごくありふれたものなのに、皆が気がつかないだけで、一度気がつくと簡単に見つけられるものなのではないか。[1] たとえば、患者の一人がもう一人の患者に気づき、彼らが三人目、四人目と患者を見つけ、ついには、トゥレット症患者が何人も見つかるとしたらどうだろう。病理学的には兄弟姉妹といえる「新種族」が、同病の友に気づき、おたがいを気づかうことで結束できるのではないか。彼らが自然に集まって、ニューヨークにトゥレット症患者の連合ができるのではないかと思ったのだ。

三年後の一九七四年に、私はその空想が現実のものとなったことを知った。トゥレット症候群連盟（TSA）ができたのである。当初会員は五十人だったが、七年後の現在では数千になっている。このおどろくべき会員数の増加は、ひとえにTSAの努力の成果である（その会員は、患者とその両親、親戚、それに医者だけなのに）。連盟は、患者の窮状を知らせるべく、じつによく活動した。おかげで、しばしば嫌われたり相手にされなかったりしていたトゥレット症患者に、まじめな関心や配慮がむけられるようになった。さらにTSAは、生理学的なものから社会学的なものまで、あらゆる種類の研究を奨励し推進してきた。たとえば、患者の脳の生化学的研究、遺伝学その他の研究、トゥレット症の特徴である異常に迅速で気まぐれな想像力や反応についての研究、などである。患者の本能や行動の体系的構造もあきらかにされた。それらは個体発生的にみても、系統発生的にみても、原始的なものである。チック症を身体言語《ボディ・ランゲージ》と考え、その文法や言語的な構造についての研究もおこなわれてきた。悪態や冗談の性質について、思いがけないことまでわかるようになった(悪態や冗談は、ほかの神経系疾患においても特徴的に見られる)。そして見すごしてはならないのが、患者と家族その他との交流についての研究、患者との関係でよくおきる妙な誤解や事例の研究である。TSAの努力はあきらかに成功し、トゥレット症の歴史において、同連盟のはたした役割は前例のないほど大きかった。それまでは、患者たちが先頭に立って病気の理解と治療のために積極的に働くことなど、けっしてなかったのである。

ここ十年間に、TSAの奨励および後援を得て明らかになったことは、ジル・ド・ラ・トゥレットの直感が正しかったということである。彼はこの症候群が神経系の器質的原因によっておこると考えたが、それがまさしく確認されたのである。トゥレット症におけるItは、パーキンソン病や舞踏病におけるItとおなじく、パブロフのいう「皮質下部の盲目的な力」を反映している。つまり、「行け《ゴー》」とか「やれ《ドライヴ》」といった命令をつかさどる脳の原始的部分の乱れがあらわれているのである。障害が行為でなく動作にあらわれるパーキンソン病の場合は、中脳とその接続部に障害の原因がある。不随意運動がひんぱんにおこる舞踏病の場合、大脳基底核の高次元の部位に障害がある。トゥレット症では、行動のうちでも原始的かつ本能的なものに異常が生じ、感情や欲情の興奮がおきる。この場合、大脳髄質の最も高次元の部位、すなわち視床、視床下部、辺縁系および偏桃核に障害がある。ここは、感情や本能をつかさどる場所である。したがって、トゥレット症は、臨床的にみても生理学的にみても、肉体と精神をつなぐ「失われた環」のようなものであり、いわば、舞踏病と躁病の中間に位置するものといえよう。嗜眠性脳炎で（ごくまれに）運動亢進がおこっている患者や、Ｌドーパにより過度の興奮状態におちいった脳炎後の患者の場合と同様に、トゥレット症患者、あるいは脳卒中、脳腫瘍、飲酒や感染などほかの原因でトゥレット症のような症状をもつ患者においては、脳内で、興奮性伝達物質、とくにドーパミンが過剰になっていると思われる。嗜眠性パーキンソン病患者は、覚醒のためにより多くのドーパミンを必要とするし、私が診た脳炎後の患者が、ドーパミンの前駆物質であるＬドーパによって覚醒したところからすると、興奮状態にあってトゥレット症のように思われる患者の場合は、ハロペリドール（ハルドール）のような拮抗剤によってドーパミン値を低下させることができたにちがいない。

そうはいっても、トゥレット症患者の脳内では、ただドーパミンが過剰となっているだけではない。パーキンソン病患者の脳内でおきていることが、ドーパミンの低下だけではないのとおなじである。人格を変えてしまうような疾患であるからには、もっととらえがたい広範な変化もおこっている。異常がおきる経路は微妙なうえに無数にあり、個々の患者で異なるし、一人の患者についても日によってちがってくる。Ｌドーパがパーキンソン病患者にとって決定的な治療薬ではないのと同様に、トゥレット症患者にとってハルドールは、ひとつの治療薬ではあるが、ほかの薬とおなじく決定的な治療薬とはいえない。純粋に薬学的あるいは医学的な治療法にくわえて、「実存的な」治療法もあるにちがいない。行為・芸術・演劇は本質的には健康的なものであり、自由の側に立つものである。したがってそれらは、患者を苦しめている苛酷な強迫、「皮質下部の盲目的衝動」に対抗するものと考えてよいだろう。動きの不自由なパーキンソン病患者でも、歌ったり踊ったりすることはできる。そのとき彼は、完全にパーキンソン病から解放されている。トゥレット症患者も歌ったり演じたりしているときには、病気から完全に解放されている。そこでは、I（理性的自我）がIt（本能的自我）をうち負かし、支配しているのである。

幸いなことに私は、偉大な神経心理学者A・R・ルリアと、一九七三年から彼が亡くなる一九七七年まで、文通を重ねることができた。私はよく、トゥレット症患者についての観察記録やテープを彼に送ったものだった。晩年の手紙で彼はこう書いてきた。「これは非常に重要なことです。この症候群を理解することは、人間の本質にたいする理解を深めてくれるのです。これほど興味ぶかい症候群はほかにはありません」

私が最初にレイを診たのは、彼が二十四歳のときだった。彼には数秒間隔でおそってくる、きわめて激しく多様なチック症状があり、そのためにほとんど何もできないでいた。四歳のときからこの症状があり、それが人目にたつのでひどくいやな思いをしてきた。だがすぐれた知能、機知、強靭《きょうじん》な性格、現実的感覚などのおかげで学校は無事に終え、大学まで卒業できた。何人かの友達と妻は、彼を愛し尊敬してくれた。しかし大学を出てから、彼は多くの仕事をことごとくクビになり、たえず危機にさらされていた。能力がないためではなく、いつもチックのせいだった。短気ですぐ喰ってかかり、粗野で鉄面皮なことがいつもわざわいした。結婚生活も崩壊寸前だった。はげしく興奮した瞬間「ファック！」とか「くそ！」とか無意識に叫んでしまうからだ。トゥレット症患者の例にもれず、彼はおどろくほど音楽性豊かだった。週末の彼は、すばらしいジャズドラマーとなった。これがなかったら、感情的にも経済的にもまず生きのびることはできなかっただろう。彼の演奏はまったくの名人芸で、唐突に荒々しい即興演奏をするので有名だった。もとはといえばチックである。チックゆえにドラムを衝動的にたたく。それがたちどころにすばらしい即興演奏になるのだった。「唐突な闖入者」がうまく利用されて、すばらしい特技となったのである。トゥレット病のおかげで、彼はいろいろなゲームで有利だった。とくに卓球がうまかった。反応と反射が異常に早いためでもあったが、彼自身のことばによれば「即興性」と「唐突で神経質でふまじめな」ショットのおかげであった。ショットがあまりにすばやいので、相手は返球できないのだった。彼がチックから自由になれたのは、性交後おとなしくなったときか眠っているとき、あるいは、泳いだり、歌ったり、仕事をしたり、なんでもいいが規則的に調子よくやっているとき、動的で活発な旋律や遊びを発見したときだった。そのようなときだけ緊張がとけ、チックもおこらず、自由になれたのである。

表面は元気旺盛で爆発的でおどけて見えるけれど、彼は本当はまじめな男だった。絶望に沈んでいたとさえ言ってもよい。彼は、そのころできかかっていたTSAのことも、ハルドールのことも聞いたことがなかった。『ワシントン・ポスト』紙でチックのことを書いた記事を読み、彼は自分がトゥレット症候群であると自己診断をくだした。そのとおりだと私は告げ、ハルドールの使用について説明すると、彼はおおいに乗り気になったが、それでもなかなか用心深かった。ためしにハルドールを注射してみたところ、彼はこの薬にたいして異常に敏感であることがわかった。わずか八分の一ミリグラムの注射で、二時間チックがおこらなかったのである。テストの結果が良好だったので、私はハルドールの投与を開始した。一日三回、一回につき0・25ミリグラムずつである。

次の週、彼は目のまわりを黒くし、鼻をつぶしてやって来て、こう言った。「先生が処方したいまいましいハルドールのおかげですよ」ごく少量のハルドールによっても彼はバランスを失い、スピードやタイミングを失し、なみはずれて迅速だった反射をなくしてしまったのだ。多くのトゥレット症患者とおなじく、彼もまた、回転するものにひかれていた。とくに回転ドアが好きだった。回るドアのすきまを稲妻のごとくさっと通りぬけるのである。ところが、ハルドールを投与されたために、すばやく回転ドアを通りぬけるこつを忘れ、タイミングをはずして鼻をぺしゃんとやったのだ。そのうえチックにおそわれる回数が減るどころか、ただ速度がおそくなり、時間的に長くなるだけだったではないか。

彼に言わせると、「チック症に釘づけ」の状態になったのである。ほとんど緊張病患者のような身のこなしになってしまったのだ（かつてフェレンジーは、チック症状の反対のものを緊張病と呼んだ）。このようにごく少量のハルドール投与でも、彼の上には顕著なパーキンソン症状、筋緊張異常、緊張症、随意運動障害がでてしまったのだ。まったく不幸なことに、薬が効かなかったためでなく、薬に敏感すぎたために、彼は極端からもう一方の極端へと投げだされ、トゥレット症という加速状態から、中間の幸福な状態を通りこして、緊張症とパーキンソン病へとおちいってしまったのだ。

このため彼は、無理もないことだが、かなり落ちこんでいた。彼は心境をこう表現した。「チック症を治すことができたとしても、あとに何が残るっていうんです？　ぼくはチックでできているんだから、なんにも残らなくなってしまうでしょう」おどけたふうに言ってはみたものの、彼には、チック症であるという以外に自分のアイデンティティが見つからないようだった。彼は自分を「ブロードウェイのチック男」と呼び、自分についてしゃべるときには、三人称で「機知あふれるチック症のレイ」と言った。さらに、チックの機知であれ機知のチックであれ、こうなるともう、天賦の才能なのか呪われた欠点なのかわからなくなってくる、とも言った。トゥレット症が好きだと断言はできないが、それなしの人生など想像できないとも言った。

ここにいたって私は、かつて受けもった脳炎後の患者たちのことを思い出していた。彼らはLドーパにたいして極端に敏感だった。しかし、もし患者が豊かで満ち足りた生活を送ることとさえできるなら、そうした生理学的過敏や不安定さは乗り越えられることを私は見てきていた。生活にいわば「実存的」バランスがとれて、安定しさえすれば、つらい生理学的不均衡はしのげるのだった。レイにもそれは可能だと私は思った。そして、口ではなんと言おうと、実際の彼はそれほど自分の病気にとらわれているわけではないと思えたので、私は、三か月のあいだ毎週彼を診ようと提案した。その三か月のあいだに、いったいトゥレット症が除かれたらどんな人生になるか、二人で想像してみるつもりだったのだ。つむじ曲がりの魅力や引力をもったトゥレット症が治ってしまったら、彼の人生はどうなるのか考えてみようとしたのだ。トゥレット症が彼の人生ではたしている役割や経済的な意味を検討し、それなしでどうやって暮らしていけるかを考えるつもりだった。これらのことを三か月かけてとくと検討し、そのあとでもう一度ハルドールを試してみるつもりだったのである。

三か月のあいだ、熱のこもった検討が辛抱づよくつづけられた。彼はしばしば抵抗し、恨んだり、自分に、また人生にたいして自信をなくしたりした。だがそのうちに、彼には健康的で人間的な潜在能力がいろいろとあることもわかってきた。トゥレット症患者としての二十年のつらい生活のなかでも失われずに残っていた潜在能力、人格の奥深くにかくされていた潜在能力があらわれてきたのだ。このように検討するのはとても興味ぶかく、はげみにもなった。少なくともそれは、わずかながらも希望をあたえてくれた。実際におこったことといえば、われわれの予想をはるかに越えるものだった。たんなる一時的変化ではなく、持続的で恒久的な変化がおこったのである。もう一度レイに以前とおなじだけの少量のハルドールを投与したところ、チック症が治ったのだ。しかも、大きな副作用はおきなかった。以後今日にいたるまで九年間、その状態がつづいている。

このときのハルドールの効果は奇跡的だったが、それは、奇跡が可能になる状態だったからである。最初の投与は彼にとってとんだ災難だった。まさしく、生理学的にみて大きな失敗といえる。だがあのときは、トゥレット症を治そうとするにはまだ時期尚早で、経済的にも不可能であった。四歳のときからトゥレット症だったレイは、ふつうの健康な生活を経験したことがなかった。彼はこの特異な病気にもっぱら依存し、無理もないことだが、この病気をいろいろなかたちで役立て、利用してきたのだった。彼は自分の病気を放棄する気になっていなかった。だから、徹底した分析と考察を試みたあの三か月の集中的な準備期間がなければ、彼はけっして病気と決別する覚悟はできなかっただろう。

それから今日にいたる九年間は、レイにとって、おおむね幸福な期間だった。予想外の解放感がえられた九年間だった。二十年間トゥレット症のなかに閉じこめられ、荒々しい病気によってあれこれ強いられてきた末に、いま彼は、かつては思いもよらなかった――もっとも、三か月間の検討にはいってからは可能性として多少信じられるようになっていたが——ゆったりとした自由を味わっている。結婚生活はおだやかで安定し、子供も生まれた。彼には良い友人が大ぜいいて、ただたんに芸のうまいトゥレット症の道化師としてでなく、人間として彼を評価している。彼は地区のコミュニティで重要な役割をはたし、仕事の上でも責任ある地位についている。しかし問題は残っている。「おそらくこの病気とは切りはなせない問題」と、もうひとつはハルドールのことである。

仕事をしている時間帯、仕事のある週は、ハルドールを使って「まじめで、分別のある、堅苦しい人間」でいる（いわば「ハルドール・レイ」になるのだ）。動きや判断は、ゆっくりと慎重になる。ハルドールを知る以前の短気さや性急な行動は見られないかわりに、野性的な即興性やインスピレーションもなくなってしまう。見る夢の質さえも変ってしまう。トゥレット症特有の、微細で手のこんだ突拍子もない筋の夢ではなく、わかりやすいハッピーエンドの夢になる。頭の切れの良さがにぶり、受け答えもゆっくりになる。機知のチックとか、チックの機知とかを武器として当意即妙にまくしたてることもなくなった。卓球その他のゲームを楽しむこともないし、それらが人よりうまいということもない。あの性急な殺人者《キラー》本能、勝とう、他人をやっつけねばならぬという本能的欲求を、彼はもはや感じることはない。競争心はうすれ、あまりはしゃがなくなった。みんなを驚かせた唐突で軽薄な動きへの衝動も消えている。かつての猥褻さも、粗野な図々しさもなくなり、癇癪もおこさなくなった。彼は、自分のなかで何かがだんだん失われていくと感じるようになった。

もっとも大きな由々しい痛手は、音楽こそ彼にとって生計の手段であり自己表現の手段でもあるのに、ハルドールをつかうと音楽的な敏感さがにぶることであった。つまらないふつうの音楽になってしまうのだ。上手だが、エネルギーや熱狂性、奇抜さや楽しさがなくなってしまった。もはやチックもおこらないかわりに、ドラムを衝動的にたたくこともなくなってしまった。荒々しく創造的な大波がおしよせることがなくなってしまったのだ。

これに気づいたレイは、私と話しあって重大な決心をした。働いている週日はおとなしくハルドールを使用するが、週末はそれをやめて自由に「翔ぶ」のである。三年前から彼はそうしている。そんなわけで、現在はレイが二人いる。ハルドールを使っているレイと使っていないレイである。月曜から金曜までは、まじめで、冷静慎重な人間で、週末には「機知あふれるチック症のレイ」、軽薄で、熱狂的で、インスピレーションに満ちた人物になるのだ。こういうことをやったのはレイが最初で、この不思議な状況を彼はこう述べている。


トゥレット症のときは、いつも酔っぱらっているような、激しい状態です。ハルドールを使うと、にぶくなり、まじめで杓子定規な人間になってしまいます。どちらもほんとうに自由な状態とは言えません……健康な人間では、脳のなかにタイミングよく正常な神経伝達物質があらわれます。どんな感情も態度も、その時々にタイミングよくあらわれるのです。まじめさであろうと気まぐれであろうと、いとも自然に出てくるのです。しかしトゥレット症患者はそうはいきません。ハルドールを使うと否応なく慎重になり、トゥレット症のときはついつい軽薄になってしまうのです。健康な人間であるあなたがたは自由で、自然のバランスをもっていますが、われわれは人工的なバランスを、できる限りうまくやりくりしなくてはならないのです。

レイはトゥレット症にもかかわらず、また、ハルドールによって人工的なものを強いられ、よって「不自由」であるにもかかわらず、それをうまくやりくりして満ち足りた生活をしている。われわれの大半が享受している自然のままの自由という生得権をうばわれているにもかかわらず、満ち足りた生活をしている。彼は自分の病気に教えられて、ある意味では、それを乗り越えたのだ。ニーチェとおなじく、彼もこう言うだろう。「私はさまざまな種類の健康のあいだを行きつもどりつしてきて、いまもそれを続けている。病気についていえば、病気なしの人生など考えられないとさえ言えるのではないだろうか。大きな苦痛を乗り越えてこそ、精神は最終的に解放されるのだ」逆説的ではあるが、生き物として本来もっているはずの生理学的健康をうばわれていたからこそ、レイはあらたな健康、あらたな自由を見いだしたのである。病気によりさまざまな浮沈を経験したがゆえに発見したのだ。彼は、ニーチェが好んで「偉大なる健康」と呼んだ状態に到達した。まれにみるユーモア、雄々しさ、したたかな精神を得たのである。トゥレット症に苦しめられていたにもかかわらず、いや、トゥレット症だからこそ、そこに到達できたのである。

注

（1）　おなじことは筋ジストロフィーについても言える。一八五〇年代にデュシェンヌが筋ジストロフィーについて書くまでは、誰ひとりそれに気づくものはいなかった。ひとたび彼が報告してからというもの、一八六〇年には、すでに何百という症例が認められ、次から次へと報告された。あまりのことにシャルコーはこう言った。「これほど一般的で、どこにでもあり、一目見ただけでわかる病気、まちがいなく昔からずっとあった病気が、今になってその存在を知られるようになるとは、いったいどういうことなのか？　どうしてデュシェンヌ氏が報告するまで、われわれはそれに気づかなかったのだろう？」

11　キューピッド病

九十歳になる快活なナターシャ・Kがわれわれの病院にやってきたのは、わりに最近のことだった。八十八歳の誕生日をすぎてまもなく、ある「変化」に気づいたというのである。どんな変化なのかと聞いてみた。

「すばらしいんです」彼女は大きな声で言った。「こうなって本当に喜んでるんです。前よりずっと元気で生き生きした気分なんですから。もう一度若返ったみたいにね。若い男性が気になって、そう、うきうきした気分になってきたんですよ」

「それでいけませんか？」

「最初はよかったんです。とっても気分がよくて、おかしいとは思いませんでした」

「それで？」

「友だちが心配しはじめたんです。明るくなって生まれ変ったみたいだって、友だちは言いました。最初はね。でもそのうちにみんなは、これは普通じゃないと思いはじめたんです。友だちはこう言うんです。昔は恥ずかしがり屋だったのに今はおてんば娘みたいだって。いい年して、げらげら笑って、冗談を言うなんて、どうかしたんじゃないかって言うんです」

「いったいどんな感じだったんですか」

「びっくりしましたよ。感激してしまって、何がおきているのか自分では考えてもみませんでした。でも少したってからおかしいと思いはじめたんです。ナターシャよ、おまえは八十九歳なのだ。もう一年もこんな状態がつづいているではないか。控えめな性質だったのに、このはしゃぎようはどうしたというのだ。もう死にそうなおばあさんなのに、こんなに突然、うきうきした気分になるとはただごとではないぞ、と。幸せすぎるって思ったとたん、はっと気づいたんです、病気じゃないかって。気分がよすぎるってのは、病気にちがいないって」

「病気？　では精神的に？　心の病気ということですか」

「いいえ、心の病気じゃなくてからだが悪いんです。からだのなか、頭のなかで何かがおこったんです。それで気分が浮かれてしまうんです。そのうちに思いあたったんですよ。いまいましい！　キューピッド病です」

「キューピッド病？」なんのことかわからずに、私は聞きかえした。そんなことばは聞いたことがなかったからである。

「そう、キューピッド病。梅毒のことです。もう七十年ちかく前ですが、サロニカの売春宿にいたことがあって、そのとき梅毒にかかったんです。おなじ病気の娘たちが大ぜいいて、キューピッド病って呼んでたんですよ。私は主人に救われたんです。彼は私をそこから連れだし、病気も治してくれました。もちろん、ペニシリンもない時代でした。こんなに時がたっていても再発することがあるんでしょうか」

もし初期感染が完治せずに、症状が抑制されていただけなら、初期感染後、ひじょうに長い潜伏期をへて、神経梅毒が発症することがあるかもしれない。私が以前診た患者の一人は、エールリッヒ自身によるサルバルサン治療をうけたが、五十年以上たってから、神経梅毒のひとつである脊髄癆《せきずいろう》を発症した。

しかし、七十年もの潜伏期など聞いたことがなかったし、患者本人が、ひどく冷静にはっきりと、脳梅毒ではないかなどと言うのは聞いたこともなかった。

「驚きましたねえ」すこし考えてから私は答えた。「それは思いつきませんでした。でも、あなたのおっしゃるとおりかもしれません」

彼女は正しかった。髄液反応は陽性で、彼女は神経梅毒にかかっていた。彼女の老いた大脳皮質を刺激していたのは、まさしくスピロヘータだったのである。問題は治療法だった。だがここで、ひとつのジレンマが生じた。K夫人が、いかにも彼女らしい頭の冴えを見せてこう言ったのである。「病気を治療してほしいのかどうか、自分でもわからないんです。病気だってことはわかるんですが、おかげで気分がいいんですからねえ。うれしいことでした。いまでもうれしく思っています。病気のおかげで、二十年来感じたことがないほど元気で、うきうきしているんですよ。楽しいんです。でも、良いことがいつかは度をこしてひどいことになるってこともわかるんです。あれこれ考えたり、いろんな思いにかられたことでした。お話ししたくありませんが、へんな、ばかげたことを考えたもんです。最初はすこし酔っぱらったような気分でしたけど、これが、度をこすとねえ」彼女は、気がふれたかのように、体をひくつかせながらしゃべりまくった。「キューピッド病にかかっているらしい、そう思ったから来たんです。これ以上悪くはなりたくないんです。ひどいことになりますからね。でも治りたくもないんです。それも同じようにいやなんですよ。だって、こんなにうきうきした気持を経験するまでは、ほんとうに生きてたなんて言えませんもの。いまのままの状態がつづくようにしていただけませんか」

われわれはしばらく考えたが、彼女のためを思うならどうすべきかは明らかだった。彼女にはペニシリンを投与することにした。ペニシリンは、スピロヘータを殺すことはできるが、いったん生じた脳の変化や脱抑制をもとにもどしはしないのである。

こうして、K夫人の希望は両方ともかなえられた。自己抑制が失われるおそれも、これ以上大脳皮質の損傷がすすむ心配もなく、思考と衝動はのびのびと解放され、おだやかな「脱抑制」状態を楽しんでいる。このようにもう一度元気に若返った彼女は、百歳まで生きたいと思っている。

「おかしいことね。これがキューピッドのおかげだなんて」と彼女は言っている。

後　記

つい最近診た——というのは一九八五年一月のことだが——患者の一人も、おなじようなジレンマをかかえていた。ミゲル・Oは、「躁病」という診断で州立病院に入院したが、まもなく、神経梅毒による興奮状態にあることがわかった。プエルトリコの農場で働いていた無学な男だった。話すことと聴くことに少し障害があり、ことばで自分の気持を表すことはうまくできないが、自分の状態を、単純ではあるがはっきりと、絵に描いて表すことができた。

最初に会ったとき、彼はとても興奮していた。私がある単純なかたちを描いてみせ（図A）、これを写すように言うと、彼はえらい勢いで立体図をひとつ描き——すくなくとも私の目には立体とうつった——それをふたのあいた箱だと説明した（図B）、そして、そのなかに果物を描こうとした。想像力が興奮状態にあったためだろうが、彼はもとの図にあったマルとバツは見すごした。しかし「囲まれている」感じはつかみ取っていて、それを具体的に描いたのである。オレンジのいっぱい詰まった、ふたのあいた箱。私が描いた

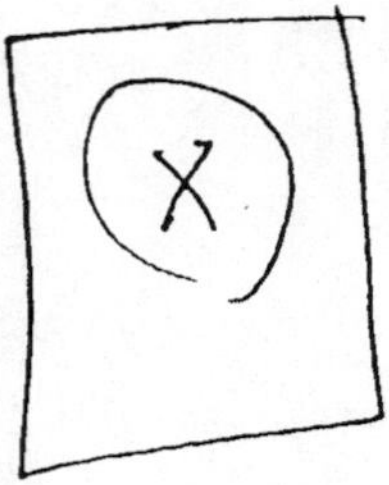

図A

図B
興奮状態のとき（ふたのあいた箱）

平凡なかたちよりずっと面白く、もっと生き生きとしてリアルではないか。

数日後ふたたび会ったとき、彼はとてもエネルギッシュで活動的だった。突拍子もない考えや思いがけない感情の動きを見せて、まるで舞いあがった凧のようだった。私は、もう一度おなじ図形を描くようにたのんだ。すると彼は、一瞬もためらうことなく、たちどころにもとのかたちを菱形に変え、それにひもを一本つけるとその先に男の子を描いた（図C）。「男の子が凧をあげているんだ。凧が空に舞っている」と彼は興奮して叫んだ。

数日後、三度目に会ったときには彼はかなりふさいでいて、パーキンソン病患者のようだった（髄液検査を最後にもう一度うけるため、鎮静用のハルドールを投与され

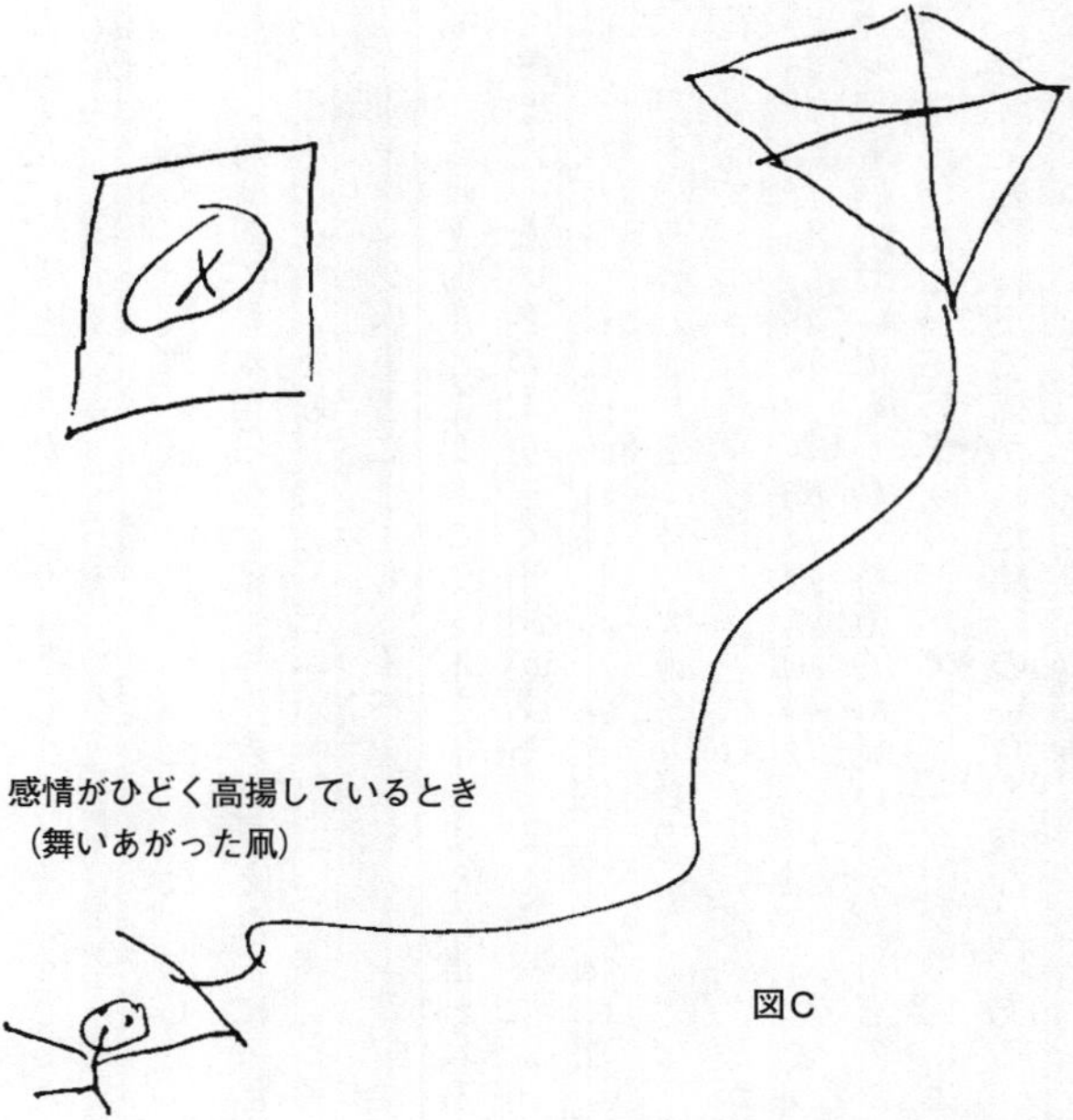

図C

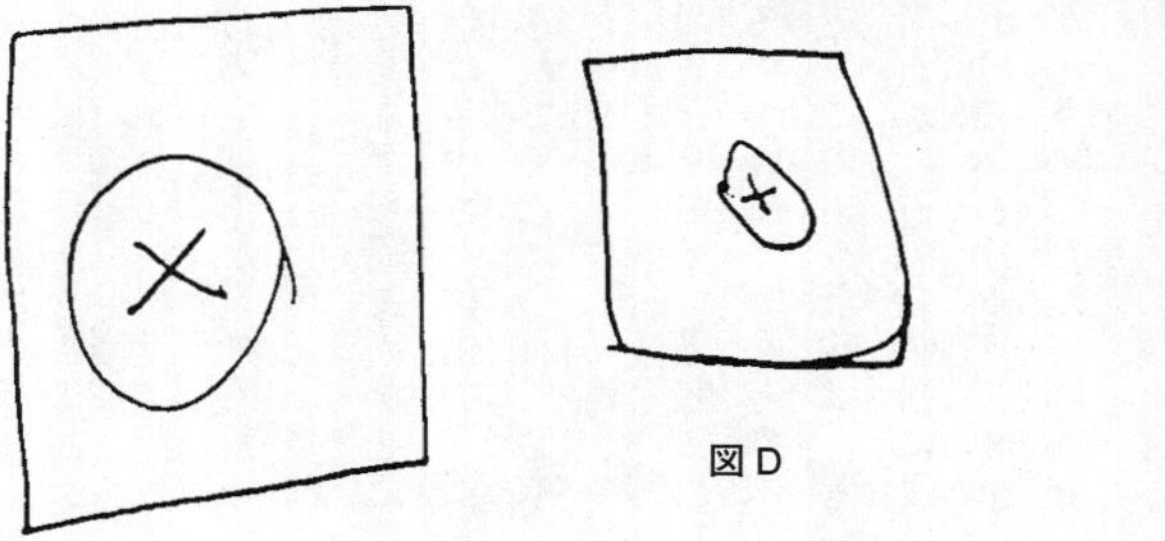
ハルドールを投与され……
想像力も活動力も失ったとき

図D

ていたのである）。私はもう一度あの図形を描くように言った。彼は、今度は正確ではあるが平凡に、もとのかたちよりすこし小さくそれを写した（ハルドールのために小書症の徴候がでてきている）。その絵（図D）には、前の二つにあったような面白さも動的なところもなく、想像力も感じられなかった。「なんにも見えなくなっちまった」と彼は言った。「前はとても本当らしく、生き生きと見えたのに。治療をうけると何もかも死んだみたいに見えるのかなあ」

パーキンソン病患者には、Lドーパをもちいて「覚醒」をおこさせながら絵を描かせた場合、これと似たことがおこる。木を描くように言われると、彼らは、小さく貧相で、葉のまったくない冬の木を描く傾向がある。Lドーパによって覚醒されてくるにつれて、木は豊かなイメージで描かれはじめ、生き生きと元気になり、葉も茂ってくる。Lドーパによる興奮状態がひどいと、木は幻想的に飾り立てられて、豊かに葉を茂らせる。若枝には花が満開で、小さな唐草模様や渦巻模様で生い茂った葉が描かれる。ついには、もとの木がおびただしいバロック的な細密画のなかに隠れてしまうのである。このような絵は、トゥレット病においてもかなり特徴的に見られる。もとのかたちや考えが、過剰な装飾によって見えなくなってしまうのだ。アンフェタミン中毒による、いわゆるスピード・アート（覚醒剤の影響下で描かれた絵）の場合もおなじである。想像力がめざめ、しだいに活発になり、ついには狂気じみてくるのである。

なんという逆説！　なんという残酷さ！　なんという皮肉！　中毒や病気によって解放と覚醒がおこらないかぎり精神や想像力は、にぶく、眠ったままなのである。

まさにこうした逆説が『レナードの朝』の主題だったといえよう。トゥレット病患者もまた、この逆説的な「覚醒状態」に誘惑を感じるのである（10章・14章参照）。そして、コカインのような麻薬につきものの特殊な不安定さもこれで説明がつく（コカインは、Lドーパやトゥレット病のように、脳のドーパミンを増加させる）。こうしてフロイトは、コカインについて、あの驚くべきことばを書いたのだった――「コカインによってもたらされる充足感や幸福感は、健康な人が幸せだと感じるのとなんら変らない。つまり、その状態がきわめて普通なこととして感じられるので、やがてそれが薬のせいだとは信じられなくなる」

脳にたいする電気刺激についても、同様に逆説的な評価ができよう。てんかんには興奮性で中毒性のものがある。この種のてんかんをおこしやすい患者の場合には、くり返し自己誘発的に症状があらわれることもあるだろう。ちょうど、脳に電極を埋めこまれたネズミが、衝動強迫によって脳の「快感中枢」を刺激するのとおなじである。しかし、心のやすらぎや純粋な幸福感をもたらすてんかんもある。たとえ病気によってひきおこされたとしても、やはり幸福感にはちがいないのである。そのような逆説的な幸福感であっても、益するところは大きいといえよう。ちょうど、C夫人の奇妙な発作的追想もこれに類するものである（15章参照）。

このように考えると、われわれは、通常とは逆向きの流れのなかに立つことになりかねない。病気は幸福な状態で、正常な状態に復することは病気になることなのかもしれないのだ。興奮状態はつらい束縛であると同時に、うれしい解放でもあるのだ。しらふの状態でなく酩酊状態にこそ、真実が存在するのかもしれないのである。これはまさしく、愛の神キューピッドと酒神バッカスの世界である。

12　アイデンティティの問題

「今日は何にしますか？」彼は両手をもみながら言った。「バージニアハム半ポンドですか、それともノバハムのスライスにしますか？」（明らかに、彼は私をお客だと思っていた。それまでも、たびたび病棟の電話にでては、「はい、トンプソン・デリカテッセンです」などと答えていた）。

「おやトンプソンさん、私を誰だと思ってるんです？」私は大きな声をだして言った。

「なんてことだ。光の具合が悪いんでね。お客さんかと思ってしまった。昔なじみのトム・ピトキンズじゃないか」（そばにいた看護師にむかって小声で）「トムとはいつも競馬に行ってたんだ」

「またちがいましたよ、トンプソンさん」

「そうだった」なんのためらいも見せずに彼は答えた。「トムだったら白衣なんか着てるはずがないものね。君はハイミーだね、隣の肉屋の。上着にぜんぜん血がついてないところを見ると、今日は店はだめなのかい。だいじょうぶ、週末はお客が大ぜい押しかけるよ」

いろいろな人物にまちがえられたので私は少々あっけにとられ、よしそれならばと、首からさげた聴診器をゆびさした。

「聴診器！」彼は笑いだした。「なんだ、君はハイミーのふりをしてたんだね。きみたち整備工ってのは、みんな、医者のまねがしたいのかい。白衣を着て聴診器なんかさげて。車でも診察するつもりなのかい。もうわかったぞ、きみは通りひとつむこうにある、モービルのガソリンスタンドのマナーズだよね。さあ、いつものボローニャソーセージとライ麦パン……」

ウィリアム・トンプソンは、いかにも食料品店の主人といったふうに、ふたたびもみ手をしながら、カウンターはどこかと見まわした。見つからないので、もう一度ふしぎそうに私を見た。

「ここはどこなんだろう？」とたんに彼は、おびえた顔つきになって言った。「店にいると思ってたんです、先生。ぼんやりしていたもんで。シャツを脱ぐのを待ってらしたんですね。いつものように聴診なさるんですか」

「いや、いつものようにじゃないですよ。いつも診ているのは、別の先生でしょう？」

「あ、そうでした。そうですとも。いつもの先生じゃないですね。おや、先生は髭をはやしてますね。ジグムント・フロイトみたいだ。わたしは頭がおかしくなったんでしょうか？」

「いいえ。頭がおかしくなったわけじゃありません。少し記憶障害があってね。人のことを思いだしたり識別したりするのが困難になっているんです」

「記憶のいたずらで、ときどきへんになるんです」彼は認めた。「ときどき人まちがいをやらかすんです……何にしましょう。ノバハム？　それともバージニアですか？」

いつもこの調子だった。中身はそのつどちがうが、つねに打てば響くような素早さ、往々にして滑稽、ときには秀逸、いつも即座に話をつくりあげるのだ。だが結局は悲劇的だった。トンプソン氏は、たった五分間のうちに、私のことを一ダースもの別人とまちがえるのだった（誤認、あるいは疑似識別）。あれこれ推測して、よどみなくしゃべる。どんなときにも、いささかの迷いも見せない。しかし、以前食料品店を経営し、いまは重度のコルサコフ症候群におかされて神経病院にいる彼には、私が誰なのか、自分が誰なのか、けっしてわかっていなかった。

彼は、どんなことも、数秒間しか覚えていられなかった。ひっきりなしにまちがっていた。記憶喪失という深淵が、ぽっかりと口をあけて、彼を飲みこもうとしていた。しかし彼は、あらゆる種類の話を次から次へとつくりあげることで、その深淵にすばやく橋をかけようとしていたのである。彼にとっては、それはつくり話ではなく、一瞬のうちに彼の頭にひらめいた世界、彼の目にうつった世界なのだ。話がくるくる変り、つじつまが合わないので、聞いたとたん信じることも認めることもできなかった。しかしトンプソン氏が、無意識のうちにしゃべりまくってひとつの世界をこしらえあげると、それにはそれなりに、ある種のふしぎな調和があることも事実だった。それは、まるでアラビアンナイトの世界だった。まぼろしの世界、夢の世界である。いつもちがう人物があらわれ、場面はさながら万華鏡のように千変万化した。しかしトンプソン氏にとっては、それは、変転きわまりないつかのまの幻想や幻影ではなく、ごく正常な、確固たる現実の世界だった。彼にとってはなんの問題もなかったのである。

あるときトンプソン氏は旅行に出かけた。ホテルのフロントではウィリアム・トンプソン牧師と名のり、タクシーを呼んで出かけた。あとで聞いたことだが、タクシーの運転手は、彼ほどおもしろいお客を乗せたことはなかったという。トンプソン氏が次から次へと、すばらしい冒険に満ちた、おどろくべき身の上話をしてくれたからだ。「あらゆる所を旅行し、あらゆる経験をして、会ってない人なんかないみたいでした。一生のうちに、あんなにたくさんの経験ができるなんて、信じられない」と運転手は言った。「とても一人じゃできるわけないですよ」われわれは答えた。「ひじょうに奇妙なんですが、要するにアイデンティティの問題なのです」(1)

もう一人のコルサコフ症候群の患者ジミー・Gについては、2章でくわしく述べた。彼は、急性のコルサコフ症候群にかかり、症状が鎮静してから長いことたっていたが、以来ずっと、治る見こみのない自我喪失の状態にある（おそらく、一見現実のように思われる夢の世界、過去の思い出の世界にいるのだろう）。いっぽうトンプソン氏は、退院したばかりだった。発病したのは三週間前で、高熱をだし、うわごとを言って、家族の顔もわからなくなったのだ。しかし退院したばかりのそのときも、まだ病状は重く、錯乱していて、作話がつづく混迷状態にあった（いわゆるコルサコフ精神病と呼ばれるものであるが、これは真性の精神病ではない）。忘れられ、失われていくものを埋めあわせるために、彼は、たえずまわりのことや自分のことについてつくり話を続けていた。話をつくったり空想したりするみごとな力は、まさしく才能と言うべきであろうが、それは右のような錯乱した状態によって誘発されたのだろう。なぜならば、患者は、たえずつねに自分自身とまわりの世界をつくり上げていなければならないからである。われわれは、めいめい今日までの歴史、語るべき過去というものをもっていて、連続するそれらがその人の人生だということになる。われわれは「物語」をつくっては、それを生きているのだ。物語こそわれわれであり、そこからわれわれ自身のアイデンティティが生じると言ってもよいだろう。

ある人間のことを知りたければ、その人の「物語」、ほんとうの内面の物語はどんなものなのか聞けばよい。一人一人が一個の伝記であり、物語だからである。二つと同じものはない。それは、われわれのなかで、自分自身の手で、生きることを通して、つまり知覚、感覚、思考を通じて、たえず無意識のうちにつくられている。口で語られる物語はいうまでもない。生物学的あるいは生理学的には、人間は誰しもたいして変らない。しかし物語としてとらえると、一人一人は文字どおりユニークなのである。われわれは「自分」であるためには、「自分」をしっかりもっていなければならない。つまり、自分自身の物語というものをもっていなければならないのである。必要とあらば、あとから所有するのでもいい。これまでの自分についての物語、内面のドラマというものを、回想してでももつ必要がある。それがないことには、自己のアイデンティティはない。「自分」は見失われてしまうのである。

トンプソン氏が、なぜあのようにむきになって作話し、おしゃべりするかといえば、物語、ドラマが必要だからである。静かで、連続的な内面の物語をうばわれた彼は、一種の物語マニアの状態に追いこまれたのだ。だから際限なく話をし、妄想を語り、虚言症になってしまったのである。真実の物語や連続性をもちつづけることができないので、別の言い方をすれば、自己の内的世界を維持できないので、彼は疑似物語を次から次へと語らざるをえなかったのだ。本物らしい疑似人間が登場する、見たところ一貫性のある疑似世界を語るのだ。

トンプソン氏にとってそれはどんな状態なのだろう。表面的には、彼は威勢のいい道化師のようである。「愉快な人[2]だ」と言われている。そのような状況では、喜劇小説に使われそうな滑稽なことも多い。しかし、おかしいばかりでなく恐ろしくもある。ここにいるのは、ある意味では、絶望し精神に異常をきたした男なのだから。まわりの世界は刻々と意味をうしない、消えさっていく。彼は、意味を捜すか、あるいは、必死で意味をつくりだされねばならない。たえず話をつくり、ぽっかりと口を開けている無意味さの深淵に、混沌の上に、意味という橋をかけなくてはならないのだ。

トンプソン氏自身はこのことに気づいているのだろうか。「愉快な人」「おかしな人」「滑稽そのもの」に見えても、彼のもつ何かに人々はことばを失い、恐怖をすら感じる。「彼はけっしてやめないんです。レースに出て、逃げていくなにかをつかまえようとしているみたいなんです」と彼らは言う。まったくそのとおりで、彼は走ることをやめられないのだ。記憶、存在、意義などの断絶は、けっして癒されることはない。だから、たえず橋をかけ、つぎを当てていなければならないのだ。断絶をうめるための「橋」や「つぎ」はいくら見事なものであっても、役には立たない。それらはつくり話、フィクションで、現実そのものにはなれないからだ。トンプソン氏はこのことに気づいているのだろうか。「現実」をどうとらえているのだろうか。ずっと苦しんでいるのだろうか。彼は非現実のなかで迷っている。まったく非現実的なつくり話や幻想を際限なくつくりだすことによって、自分自身を救おうとしながら、結局、アイデンティティや現実をえられず深みに沈んでいく苦悶を味わっているのだろうか。彼が楽な気持でないことだけはたしかだ。たえず内面的圧迫をうけている人にみられる、緊張の表情がいつもうかがえる。ときには、明らかに痛ましい当惑の表情さえうかがえる。もっとも、そうたびたびではなく、表面的にはとりつくろわれていてわからないが。身を守るために彼が話さざるをえない実体のない話が、彼の救いでもあり、同時に彼を破滅に導くものでもあるのだ。そのため、表面は輝かしい虹のように変化しつづけているが、その下には幻想や妄想の底なし沼がひろがっているのだ。

しかも、彼には自己を見失ってしまったという感覚、内面世界を失ったという感覚がない(はかり知れないほど奥深いところにある神秘的な内面世界こそ、アイデンティティや現実性の獲得に必須であろうに)。彼と接した人はみな、そのことにおどろく。彼がいくらよどみなく熱狂的に話そうと、そこには奇妙にも感情が欠けているのである。現実と非現実、真実と非真実(ここでは「嘘」とはいわず「非真実」という)、重要なことと取るにたりないこと、適切なものと見当はずれのもの、それらを区別する感覚や判断力がまったく見られないのである。ひっきりなしに語られる話のなかで目立つのは、ふしぎな独特の無関心さである。まるで、自分の言うことであろうと人の言うことであろうと、たいして重要ではないといった調子だ。もはや何ひとつ重要なことなどないかのようである。

ある午後、これを証明するびっくりするようなことがおきた。ウィリアム・トンプソンは、例によって手あたりしだいにいろいろな人のことを早口でしゃべっていたが、その最中に「ほら、弟のボブが窓のそとを通っていった」と口にした。いつものひとりごととおなじで、興奮はしているが、無関心で均一な調子だった。ところがその一分後に、びっくりすることがおきた。一人の男がドアごしにそっとのぞきこんで、こう言ったのだ。「私はウィリアムの弟のボブです。兄は、私が窓のそとを通るのを見たと思うんですが」と。ウィリアムの口調や態度からは、まさか本当に弟があらわれるとは予想もできなかった。威勢はいいが一様に無関心な彼のひとりごとからは、思いもよらないことだった。ウィリアムは、ほんとうに自分の弟のことを言っていたのである。弟は実在していたのだ。実在する弟のことを、実在しないものをしゃべるのとまったくおなじ口調で彼は語っていたのだ。そして、亡霊が、とつぜん生身の人間となってあらわれたというわけである。だがまだある。あらわれたその弟を、彼は生身の人間として認めようとしなかった。感情を生々しくあらわすこともなく、非現実の混迷状態から目ざめることもなかった。反対に、弟を、ただちに非現実の存在として扱ったのである。彼を無視し、知らないと言いはり、いっそうひどい混迷状態におちいった。それは、ジミー・Gが兄に会ったときの様子とはまったくちがっていた（2章参照）。哀れな弟のボブは、ひどく狼狽して言った。「ぼくだよ、ボブだよ。ロブでもドブでもない、弟のボブだよ」だが言っても無駄だった。そのあとウィリアムは、相変らずしゃべり続けるうちに、記憶の糸が少しつながって肉親のことを思いだしたのか、長兄のジョージのことを口にした。依然として直接法現在形でだった。

「でも、ジョージは十九年前に死んだんだよ！」ボブはあっけにとられて言った。

「そう。ジョージはいつも冗談ばかり言うんだよな」明らかにボブのことばを無視したのか、あるいは無関心なのか、ウィリアムはからかうように言った。そして、勢いはいいがなんの感情もあらわさず、真実や現実や適切さなど一切おかまいなしといった調子で、ジョージについてべらべらしゃべりはじめた。目の前にいる弟の心痛などおかまいなしだった。

このことがあって、私が何にもまして確信したことは、ウィリアムのなかで、ある重大な決定的喪失がおこっているということだ。それは現実感の喪失、感情と意味の喪失、魂の喪失である。そこで私は、ジミー・Gの場合のように、シスターたちにこう聞いてみた。「ウィリアムには魂があるのだろうか。それとも、病気のせいで、魂の抜けがらのようになってしまったのだろうか」

シスターたちもおなじように考えていたらしく、どう答えたらいいか困っているようだった。今度はジミーのときのように、「ご自分で判断なさってください。チャペルにいるときのウィリーをご覧ください」とは言えなかった。なぜならば、チャペルにいるときでも、彼の軽妙なおしゃべりとつくり話は続いていたからである。ジミーにはこの上ない哀感、喪失の悲愴感があったが、陽気なトンプソンからは、それが直接感じられない。ジミーからは、物思いに沈んでいる（すくなくとも悩んでいる）という感じが伝わってきて、内面の深さ、魂の存在が感じられた。トンプソンにはそれがない。シスターたちが言ったように、神学的な意味では、疑いもなくトンプソンにだって不滅の魂があり、全能なる神はそれを認め、慈しまれるにちがいない。だが一般的な人間的次元からいうと、非常に不穏な何かが彼の精神と人格におこってしまったのだ。これにはシスターたちも同感だった。ジミーは、いわば「迷子《ロースト》」になっていただけだった。だからこそ、情緒の世界への没頭あるいはそれとの純粋な交わりによって、しばしの間とはいえ救われるのである。「迷子」だったものは「見つけだされる」ことができるのである。キルケゴールのことばをかりれば、彼は静かな絶望の状態にある。だから救われる可能性があるのだ。現実という地面に足をつけ、感情や意味をとりもどす可能性がある。それらは、いまは失ってはいるが忘れきってはいないものであり、もちたいと切望しているものなのだ。

一方、ウィリアムはといえば、現実の世界の喪失をうめ合わせるために表面上はとてもにぎやかに、際限なく冗談を言っている。それは絶望をおおいかくしはするが、それこそ絶望そのものなのだ。彼はそれに気がついていない。際限ない饒舌のなかにうかがえる、関係や現実にたいする無関心さのため、彼にはまったく救いがないかもしれないのである。勝手に話をつくり、亡霊たちを登場させ「意味」をえようとしてもがくこと自体が、かえって「意味」をえられなくしてしまう決定的な障害なのだ。

彼はおそろしい口をあけている記憶喪失という深淵をとび越えようとして、たえずつくり話をする。それはたいした才能ではあるが、逆説的にいえば、その才能こそが呪いでもあるのだ。もし彼がおとなしく黙っていることさえできたなら、もし彼が絶えまないおしゃべりをやめることさえできたなら、もし彼が偽りの幻想と手を切ることさえできたなら、そのとき——ああ、そのときこそ！——彼のなかに現実がはいってくるかもしれないのだ。本物の、真実の、深みのある、真に感得された何かが、彼の魂のなかに入ってくるかもしれないのだ。

彼の場合、最大の「実存的」な惨禍は記憶にあるのではなかった。彼の記憶がまったく荒廃していたことは事実だったが。変りはてたのは記憶だけではない。感じるという基本的な能力がなくなってしまったのである。「失われた魂」というのは、このことを言うのである。

ルリアはこのような無関心を「均一化」と呼び、時にはこれを、世界や自己を最終的に破壊してしまう究極の病変と考えているようだ。ルリアにとって、それは恐ろしく魅力的なものであり、同時に、治療者側にたいするこの上ない挑戦とも映ったようだ。彼はこのテーマに再三もどっている。たとえば『記憶の神経心理学』のなかでは、コルサコフ症候群と記憶に関連して「均一化」のことを書いているし、とりわけ『脳と心理作用』においては、前頭葉症候群に関連してこの問題を論じている。『脳と心理作用』のなかには、そのような患者たちの症例がくわしく書かれている。彼らは、おなじくルリアの『こなごなになった世界の男』のなかの患者と似てはいるが、もっと恐ろしい。なぜなら、彼らは何がおこっても理解できないし、知らぬまに自我を失っているからだ。苦しみの自覚はないけれど、実はもっとも神に見はなされた患者なのである。『こなごなになった世界の男』のザゼツキーのほうは、戦う人間としていつも描かれている。彼は自分の状態に気づいており、そのことではむきになり過ぎているくらいだが、損傷をうけた脳を回復しようと、融通のきかぬ頑固さで戦っている。だがわれわれのウィリアムは、それ以上にひどい状態であって、ルリアの前頭葉患者（13章参照）とおなじく自分が呪われた状態にあることにさえ気がついていない。おかされているのはあるひとつの機能ではなく（複数の機能でもなく）、いちばん肝心な自我、魂そのものなのだ。そう考えると、ウィリアムは、陽気さを見せているけれど、ジミーよりずっとひどく自我を喪失していることになる。ウィリアムには人格が残っているとは感じられない。感じられたとしても、ごくまれにである。ジミーは、ほとんど常に、脈絡も一貫性もなくずたずたの状態だが、心底では倫理的存在である。少なくとも彼の場合は、ふたたびつなぎ合わせが可能である。めざすべき治療はつぎの一言につきるといえよう——「ただ結びあわせよ《オンリー・コネクト》」

ウィリアムをふたたびつなぎ合わせようとしたわれわれの努力は、すべて失敗した。ますます作話へ駆り立てるだけの結果となった。しかし、われわれがあきらめて彼のそばからはなれると、ときおり彼は、病院の静かでおだやかな庭へとはいってゆく。そして静寂のなかで、自分自身の平静をとりもどすのである。他人がいると、彼は興奮してしゃべることになる。アイデンティティを見つけようとして際限なくしゃべり、陽気な非現実の混迷状態にみずからを追いこんでしまう。植物、静かな庭、人間のいない世界では、対人関係に気をつかう必要はない。だから彼は、アイデンティティの混迷状態から脱し、興奮状態から解放され、くつろいで平静になれるのだ。静寂と、十全にして満ち足りた雰囲気、しかもまわりはすべて人間以外のものばかりとあって、はじめて彼は静穏と充足感を味わうのである。人間のアイデンティティだの人間関係だのはもはや問題ではなくなり、あるものはただ、自然との、ことばによらない深い一体感である。そしてこの一体感を通じて彼は、この世に生きていること、偽りのない真正な存在であることを感じとるのだ。

注

(1) これにきわめてよく似た話が、ルリアの『記憶の神経心理学』のなかにある。あるタクシーの運転手が客の話にすっかり魅せられてしまった。おりるときその客は、料金だと言ってもっていた体温表を渡した。それではじめて運転手は、彼が病気であることを知った。『千夜一夜物語』のシェヘラザードのようなその客が、神経病院の奇妙な患者の一人であることに気がついたのである。

（2） そのような小説が実際に書かれている。2章「ただよう船乗り」が発表されてまもなく、デヴィッド・ジルマンという若い作家が、自作の『クロッピー・ボーイ』の原稿を私に送ってきた。それはトンプソン氏のような記憶喪失症の物語だった。主人公は次から次へと、はなばなしく、幾通りにも変身し、アイデンティティをいくつもこしらえて楽しんでいる。それは気まぐれでやっていたことも事実だが、やらざるをえないことでもあったのだ。そこには、記憶喪失者特有の天才的な驚くべきイマジネーションが、ジェイムズ・ジョイスばりの筆致で描かれていた。その本が実際に出版されたかどうかは知らないが、私は出版するに値する本だと確信する。ボルヘスの「フネス」が、ふしぎにルリアの『偉大な記憶力の物語』の患者と似ているので、私は、しばしば、ボルヘスは実際に記憶亢進患者に会ったことをもとにして書いたのではないかと思ったものだが、『クロッピー・ボーイ』の場合も、ジルマンが実際にトンプソンのような患者に会った（そして研究した）のではないかと考えざるをえなかった。

13　冗談病

化学研究員だったB夫人は、人柄が急に変った。冗談やしゃれを言ったりして、ひょうきんで衝動的になった。何よりも「軽薄」になった。「彼女はまるで相手のことなど気にしないのです。誰のことも、どんなことも気にならない様子なのです」友だちの一人はこう言った。最初は軽い躁病だと思われたが、脳腫瘍にかかっていることがわかった。直線的砕頭術をおこなったところ、髄膜腫ならよかったのだが、両前頭葉から眼窩前頭部にかけて大きくひろがった癌が見つかった。

彼女に会ってみると、たいへん元気がよく気まぐれで、「ひょうきん者」——看護師たちはそう呼んでいた——という印象だった。辛らつなことや冗談ばかり言う、頭の切れるひょうきん者である。私に答えるときも、「はい、神父さま」と言ったかと思うと「はい、シスター」、「はい、先生」などと言ったりした。それらの言葉を交互に使っているらしかった。

「私を何だと思っているのですか？」しばらくして腹立たしくなってきた私はたずねた。

「顔、とくにひげを見るとギリシャ正教の大修院長かと思い、白衣を見るとシスター、聴診器を見るとお医者さまだと思うんです」

「全身を見ないのですか？」

「ええ、見ません」

「神父、シスター、医師の区別はつくんですね」

「ええ、でも私にとってはどうでもいいことなんです。神父さまでもシスターでもお医者さまでも、大したちがいはないでしょう？」

それ以来彼女は、いたずらっぽく、いろいろな組みあわせで「はい、シスター神父さま。はい、シスター・ドクター」などと言うようになった。

奇妙なことに、左右の識別をテストするのはむずかしいことだった。右とか左とか、無頓着に答えるからである（もっとも、知覚や注意に左右判断の欠陥がある場合とはちがい、反応において左右の混乱はみられなかった）。そのことを指摘すると、彼女はこう答えた。

「左右でも右左でもどうでもいいでしょう？　どこがちがうっていうの？」

「ちがいはあるでしょう？」私は聞いてみた。

「もちろんちがいはありますよ」彼女は、化学者らしくきっぱりと言った。「左右は、それぞれの対称体ですから。でも私にとってはなんの意味もありません。手でもお医者さまでもシスターでもかまわないのです」当惑顔の私を見て、彼女はこうつけ加えた。「おわかりになりませんか？　それらはなんの意味ももたないのです、私には。みんなどうでもいいことなのです……少なくとも私にはね」

「そうですか……どうでもいいことですか」それ以上追求しないほうがいいと思い、私は口ごもった。「意味がないということ……それは気になりますか？　それもどうでもいいことなのですか？」

「まったく気になりません」彼女は、明るく微笑みながら即座に答えた。まるで冗談を言うか、相手をやりこめているか、ポーカーで勝ったときのような口調だった。

これは否定なのか？　それとも強がってみせたのか？　耐えられないほどの感情の動きをかくすためなのか？　いずれにせよ、彼女が本心ではどう思っているのか、表情からうかがうことはできなかった。感情も意味も、彼女の世界から消えていた。どんなものも、もはや「現実の物」として（「非現実」のものとしても）感じられないのだ。すべてが均一化し、同等の価値しかもたなくなっていた。すべてが、たわけた無意味なものになってしまっていたのである。

これは私にとって、ショッキングなことだった。彼女の友だちや家族にとってもそうだった。しかし彼女自身は、明敏なはずなのに、気にかけるようすもなく無関心だった。あまりに無頓着で気まぐれなので、おもしろいと同時に恐ろしくもあった。

知的で頭も切れるのに、どういうわけかB夫人はどこかふつうではなく、「魂がぬけた」ような感じだった。私はウィリアム・トンプソンと音楽家Pのことを思い出した。これは、ルリアのいう「均一化」の一例である。これについては前章でも述べたが、次章でまたあつかうことにする。

後　記

この患者に見られるような、人をくったような無関心さや「均一化」は、珍しいものではない。ドイツの神経学者たちは、これを「諧謔症《ヴィッツェルズフト》」と呼んでいる。一世紀前にヒューリングズ・ジャクソンは、これを神経系の「解体」のひとつの基本的形態であると考えた。この病気が自覚されることはまれだが、病気としてはめずらしいものではない。これが自覚されないのは、おそらく、洞察力自体が、「解体」につれて失われていくからであろう。私はおなじような症例を一年にいくつも診るが、その原因はさまざまである。ときどき、患者がただ滑稽でひょうきんなだけなのか、それとも分裂病なのか、初めのうちはよくわからないことがある。そんなわけで私がつけていたノートのなかに、一九八一年に診た多発性硬化症患者について、自分で次のように書いているのを発見したのも偶然のことだった（この患者については経過観察ができなかった）。

彼女はとても早口で衝動的に話す。そのうえ無関心なようすである。重要なこともとるに足りないことも、真実も嘘も、真面目なことも冗談も、手あたりしだいに、つくり話になってほとばしり出る。ほんの一瞬のうちに、まったく相反することを言う。音楽が好きだと言ったかと思えば嫌いだと言ってみたり、腰を骨折していると言ったあとで、していないと言ったりする。

私はこの観察を疑問でしめくくっている。

潜在記憶の障害によるつくり話がどれくらいまじっているのか。前頭葉性の無関心、均一化は、どの程度の割合をしめているのか。奇妙な分裂病的な不統合は、どれほど認められるのか、どの程度、人格がこわれて、感情が平板化してしまっているのか？

精神分裂症のうち、児戯的爽快といわれるもの——破瓜型と呼ばれることもあるが——の症状は、器質的健忘症および前頭葉症候群にきわめてよく似ている。しかし、それらは非常にたちが悪く、とうてい想像もつかない。誰一人として、その状態から回復し、それがどんなものだったか説明できる者はいないのである。

ひょうきんで、しばしば才気があるようにみえるが、彼らの世界は分解し、侵食され、無秩序と混沌の状態にある。もはや、いかなる心のよりどころも存在しないのである。もっとも、外側から見るかぎりでは、知能はまったく損なわれていない。行きつくところは、「ばかばかしさ」の底なし沼、軽薄さの深淵である。そこではすべてが根なし草のように浮かんでいて、ばらばらなのである。ルリアはかつて、そのような状態でたんなる「ブラウン運動」しかしなくなった——無秩序・無用な運動をただくり返すだけの——人間について述べている。そのような患者を見てルリアがはっきりと感じた恐怖を、私も感じている（もっともルリアは、恐怖にたじろぐことなく、それに刺激されてするどい叙述をおこなっている）。それを読んでまず思いうかぶのは、ボルヘスのフネスであり、「私の記憶ときたらごみためみたいなものです」という彼のことばである。そして最後にくるのは、ポープの『ダンシアッド——愚者列伝』である。「ダンシアッド」——それは、愚昧が世界を完全に支配する図である。愚かさこそ世界の終焉の姿なのだ。

偉大なる反逆の首魁よ、汝がその手で幕を垂らせば
世界のすべてを暗黒が包みこむ

14　とり憑かれた女

10章の「機知あふれるチック症のレイ」で、私は比較的おだやかな症状のトゥレット症候群について書いた。その時ちょっとふれたが、トゥレット症には、グロテスクで狂暴な症状をしめすひどいものもある。トゥレット症を自分に合うようにうまく手なずけている者もいるが、それに「とり憑かれて」しまって、衝動がひきおこすひどい混乱状態や重圧のために、真のアイデンティティを得られない者もいる。

トゥレット自身や多くの医者たちもすでに、トゥレット症のなかにはひどいものがあることを認めていた。これになると人格が分裂して、精神に異常をおこしかねない。また奇妙な幻夢状態におちいったり、パントマイムをしたり、ときにはものまねをしたりする。この種の「スーパー・トゥレット症」はきわめてまれなもので、おそらく、発症率は通常のトゥレット症の五十分の一程度だろう。症状の質もちがう。通常のトゥレット症よりはるかに激しい。これが「トゥレット精神病」であって、アイデンティティまでがあやうくなる。しかし、一種の狂気とはいうものの、生理学的または症候学的には特殊なもので、通常の精神病とはまったくちがう。いっぽう、人格がおしつぶされてしまうという点では、Lドーパによって生じることがある激しい運動性精神異常や、コルサコフ精神病に見られる作話症と共通点が多い（12章参照）。

前にも述べたように、最初のトゥレット症患者レイを診た翌日、私は、目からうろこが落ちるような経験をした。その日ニューヨークの路上で、すくなくとも三人のトゥレット患者を見つけたのだ。三人とも、レイのように顕著な症状をもっていた。レイよりもっと目立つくらいだった。まさにその日こそは、神経科医としての私が新しい世界を見せられた日だった。ちらりと見ただけで、私は、とりわけひどいトゥレット症とはどういうものかを教えられたのだった。動作にチックや痙攣があるだけでなく、知覚、想像力、情欲の面でもチック様の発作がでていた。それは全人格にかかわる発作だった。

レイの話を聞いて、路上では何がおきるか想像できたつもりでいたが、「百聞は一見にしかず」だった。病院や病棟は、病気を観察するのにかならずしも最適の場所とはいえない。すくなくとも、器質的な原因で衝動、模倣、擬人化、反応、相互作用がほとんど信じられないくらいひどくあらわれるような場合には、その病気を観察するのに適切な場所とはいえない。病院、研究所、病棟はすべて、患者の異常な行動を（まったく許さないわけではないが）規制したり、生活者としての患者ではなく、患者の行動のみに医者の関心が集中するようにつくられているからだ。それらの施設は、ある種の検査や作業をおこなう体系的で科学的な神経学には適しているが、視野の広い自然主義的神経学にはむかない。自然主義的神経学では、実生活において、自己を意識することなく、監視されてもいない状態の患者を見なくてはならないからだ。そういうとき、患者のなかではどんな衝動もありのままにその姿をあらわす。もちろん、観察者は気づかれてはならない。そのためには、ニューヨークのような巨大都市の、名もしれない路上ほど適した場所はない。患者が、とほうもない衝動によっておそろしいほど解放されるさまを、あるいはまた支配隷属させられるさまを、十二分に見ることができるからだ。

「路上神経学」といえば、尊敬すべき先駆者が幾人もいる。その一人ジェイムズ・パーキンソンは、チャールズ・ディケンズより四十年も前に、ロンドンの路上を歩きまわって観察をつづけた。彼は、のちに自分の名前がつくようになった病気を、診療所のなかでなく、ロンドンの雑踏のなかで見つけだしたのである。パーキンソン病を十分に観察し理解することは、診療所のなかでは不可能である。この病気特有の性質が十分にあらわになるのは、複雑な相互作用がおこりうる戸外においてである。この病気の奇妙な性質や、原始的な衝動、異様なねじくれなどを知りたかったら、広い世界へ出てこないとわからない。実際に生活しているところを観察しなければならないのだ。トゥレット症の場合も同様である。メージュとファンデルの名著『チック』（一九〇六）の序文にある「あるチック症患者の秘密」という話には、パリの路上で観察された、人まねをする異様なチック症患者が描かれている。リルケも『マルテの手記』のなかで、パリの路上にいた衒気症的チック症患者について書いている。私にとっても、診療所で診たレイではなく、翌日路上で目撃したもののほうが驚きだった。とりわけある場面がとても異常だったので、私はそれを、ついきのうのことのように鮮明におぼえている。

私は、六十代と思われる白髪の女性に注意をひかれた。みるからに彼女は、なにやらたいへんな混乱状態の中心にいた。しかし最初は、何がおこっているのか、何が原因でそういう状態になっているのかわからなかった。彼女は発作をおこしているのだろうか？ 何ゆえに、痙攣がおきているのだろうか。彼女は、人とすれちがうたびにチックをおこし、歯ぎしりでもするかのような顔つきになっていた。彼女に同情してなのか、彼女の痙攣がうつったのかはわからないが、すれちがう人たちも痙攣していた。その原因は何だったのだろうか。

近づいてみると事情がわかった。彼女は、通りかかる人たちのまねをしていたのだ。いや、とてもまねなどと言ってすむものではない。すれちがう人たちを戯画化していたと言うべきだろう。ほんの一瞬のうちに、彼女はすべてを、通りかかる人の癖のすべてを、とらえていた。

これまで私は、数えきれないほどのパントマイムや物まね、ピエロや道化を見てきたが、そのとき見たすさまじい光景に匹敵するものはなかった。あらゆる顔や姿が模倣された。

ほとんど瞬間的に自動的に、痙攣したような動作でおこなわれるのである。それも単なる模倣ではない。模倣するだけでもたいへんなことなのに、それどころではないのである。

彼女は、数えきれないほど多くの人々の特徴をとらえて「身につける」だけでなく、それらを片端から「脱ぐ」ことをやってのけた。目立つしぐさや表情を、誇張してまねする。意図的に誇張しているのではなく、発作的にでてくるのだ。彼女の動きはすべてひどく加速され、ゆがんでいる。したがって、ゆっくりとした微笑は、加速されて荒々しい瞬間的なしかめ面になってしまい、おうようなしぐさも、加速されて、ふざけたような痙攣した動きとして投げ返されるのだった。

一区画《ブロック》ほどの短い距離のなかで、このひどく興奮した老女は、四、五十人もの通行人のまねをしていった。万華鏡のような素早さだった。ひとつのまねは一、二秒ほどで、もっと短いこともあった。全部合わせてもせいぜい二分くらいのものだった。

ばかばかしい模倣はこれだけでは終らない。第二次、第三次があった。というのは、まねされた人たちは、ぎくりとなり、憤然としたり腹を立てたりして、彼女をにらみ返す。すると彼女はそれをまた歪めてまねする。そこで彼らはますます激怒したり、ショックを受けたりするのである。こうしてグロテスクな共鳴現象というか相互作用はどんどんひろがり、みんながそのなかにひき込まれてしまっていた。私が遠くから気がついた混乱のもとはこれだったのである。この女性は、誰のまねもやってのけた。まねをすることで自分自身をなくしたわけだから、結局は、誰にもなれなかったことになる。数多くの顔、仮面、人格をもったこの女性にとって、このように多くのアイデンティティが渦巻いている状態は、いったいどういうものだったのだろう？　その答はすぐに現れた。一秒と待たないうちにでた。自分自身および他人からくる圧力があまりに強くなって、すでに爆発寸前の状態になっていた。突然、耐えきれなくなった老女はわき道へ入っていき、憔悴しきった姿で吐きだした。彼女がまねた四、五十人のしぐさや、姿勢、表情、態度、つまり彼女のレパートリーすべてを吐きだしたのである。大きなパントマイムのような動きをひとつして、むさぼり食べた五十人のアイデンティティすべてを吐きだしたのだ。通行人を取りこむのは二分間つづいたが、それを吐きだすのは一回ですんだ。十秒のうちに五十人を吐きだしたことになる。一人につきわずか0・2秒である。吐きだすときはなんと素早いことか。

その後私は、トゥレット患者と話をしたり、彼らを観察したりビデオにとったりして、何百時間も費やしてきた。しかしニューヨークの路上での、幻影のような二分間の出来事ほど、多くのことを、速やかにするどく教えてくれたものはなかった。

そのとき私は、つぎのことに気がついた。スーパー・トゥレット症患者がひどく異常な状態になるのは、患者自身の責任ではなく、器質的な気まぐれによるものにちがいない。それは、荒々しいスーパー・コルサコフ症とすこし似ているが、そのような状態になる原因も目的も、まったくちがっている。いずれの場合も、患者は支離滅裂な状態に追いこまれ、アイデンティティの混乱がおこる。コルサコフ症の場合は、幸いなことに患者自身にはその状態がわからない。しかしトゥレット症患者は、自分のみじめな状態をいやというほど自覚している。つらくもあり皮肉なことだが、よくわかっている。だが当人にはどうすることもできない。どうかしたいという気持もなくなっているのかもしれない。

コルサコフ症患者が記憶喪失や放心によって悩まされるのにたいし、トゥレット症患者は、異常な衝動によって駆り立てられる。その衝動は患者自身によってひきおこされたものであるが、同時に彼は、その犠牲者でもある。彼は、衝動を拒絶しながらも捨てさることができない。だからトゥレット症患者は、コルサコフ症患者とはちがい、病気と馴れ合うしかないのである。病気と戦いながら、病気によってされるままになり、それと戯れているのだ。さまざまなかたちの対立と馴れ合いがそこには見られる。

抑制という正常な保護障壁、つまり器質的に決定される正常な自我の境界がないので、トゥレット症患者の自我は、生きているあいだじゅう攻撃にさらされる。内側と外側からの衝動にまどわされ、攻撃されつづけるのだ。その衝動は、器質的な原因による発作性のものであるばかりでなく、人格に——擬人格というべきだろうが——かかわる、誘惑的なものでもある。自我は、どうやってこの攻撃に耐えていくのだろう？　耐えられるのだろうか？　アイデンティティは失われないですむのだろうか？　そのような破壊や圧迫に直面しても、成長できるのだろうか。それとも、おしつぶされ、「トゥレット化した魂」というものが——これは私がその後診たある患者のことばだが——生じるのだろうか？　トゥレット症患者の魂は、生理学的、実存的、さらには神学的ともいえる圧力にさらされている。しっかりと自分をコントロールできる場合もあるだろうし、あるいは衝動に翻弄され、とり憑かれ、魂を失う結果になるかもしれないが、いずれにしても、たえずおそるべき圧力にさらされているのだ。

前に書いたことがあるが、ヒュームは次のように言っている。

あえて言うならば……われわれは、無数の雑多な感覚の集積または集合体にほかならない。それらの感覚は、信じがたい速さで次から次へと引きつがれ、動いて、変って、流れてゆくのである。

ヒュームの考えでいけば、個人のアイデンティティなどは虚構《フィクション》だということになる。われわれは存在するものでなく、ただ感覚あるいは知覚の連続にすぎないのである。

これは明らかに、正常な人間の場合にはあてはまらない。正常な人間であれば、知覚を自分自身で把握しているからである。正常な人間は、ただ単に変化しつづける感覚の集合体ではなく、持続的な個あるいは自我によって統一を保たれた確固とした存在なのである。

しかしスーパー・トゥレット症患者のように不安定な存在の場合は、まさにヒュームの言うとおりだろう。たしかに彼らの生活は、ある程度、行きあたりばったりの発作的な知覚と動きの連続だからである。要《かなめ》となる理性もなく、変化しつづける幻影のように動揺しているのだ。この点からいえば、スーパー・トゥレット症患者は、人間《ヒューマン》というより「ヒューム的な」泡のごとき存在である。哲学的神学的にみれば、これが、自我が衝動によって圧倒された場合われわれのたどる運命なのである。衝動に圧倒されるということでは、フロイト的な運命にも似ている。しかし、フロイト的な運命の場合には、たとえ悲劇的ではあっても理性（意識）が存在するが、ヒューム的な運命は、無意味で不条理なだけである。

スーパー・トゥレット症患者は、真の人間、あくまでも「個」たる存在として生きるために、たえず衝動と戦わざるをえない。ごく幼いころから彼は、真の人間となるのをはばもうとする、おそるべき障壁に直面することになろう。だがほとんどの場合――これこそ驚異と呼ぶにふさわしいが――彼は戦いに勝つのである。生きる力、生き残りたいという意志、あくまでも「個」たる存在として生きたいという意志の力こそ、人間のなかにあって最も強い力だからである。それは、いかなる衝動や病気よりも強い。健康は、戦いを恐れぬ雄々しい健康こそは、いつの場合も勝利者なのである。

第三部　移　行

これまで私は、機能についての従来の概念に疑いをはさみ、かなり根本的な見なおしをすら提唱してきたが、「欠損」に対立するものとして「過剰」をだしただけだから、大局的にみれば、やはりその概念に固執してきたことにもなる。しかし、まったく別のことばを用いる必要もあることは明らかである。現象そのものに密着し、あるがままの経験や思考や行為を注意ぶかく観察するならば、もっと詩だとか絵画に関連することばを用いる必要がでてくる。たとえば夢だが、機能一辺倒の用語で、どうして夢について説明ができるだろうか？

ものを考えたり論じたりする場合、つねに二つの領域がある。何と呼んでもいいが、「物理的な」領域と「現象的な」領域としようか。要するに量や形式を問題にする領域と、ものの質をあつかう領域の二つである。われわれはみな、自分固有の精神世界、心の旅路、あるいは心象風景ともいうべきものをもっている。ほとんどの場合、それらのひとつひとつにたいして神経学上の相関を考える必要はない。ふつうは、生理学的なことや神経学的なことなど考えずに、人間について、あるいは人生について語ることができる。そういう時に生理学あるいは神経学的なことを考えるのは、生意気でばかげているとは言わないまでも、すくなくとも余計なことのように思われる。なぜなら、われわれは、自分自身を自由な存在とみなしているからである。完全に自由ではなく何かに規定されるとしても、神経機能や神経系の変化によって決定されるのではなく、きわめて複雑な、人間的かつ倫理的な思考によって決定される存在だと考えている。ふつうはその通りである。だが、いつもそうだというわけではない。というのは、人生は、時として器質的な病気が介入することによって変えられることがあるからだ。そのような時には、生理学的、神経学的な相関を考慮して人生を見る必要がある。この第三部であつかうのは、そのような患者たちである。

本書の前半では、明らかに病理学的な症例を述べてきた。神経学的にいっていちじるしい過剰あるいは欠損が認められる話である。このような患者や親戚には（診ている医者にはもちろんのことだが）、「どこか問題がある」ということは、遅かれ早かれわかってくる。内面世界や気質が変ってくることもある。だがそれはやがて明らかになるように、神経機能における大きな（量的なといってもいい）変化が原因なのである。この第三部では主として「追想」をあつかうが、それは知覚の変形したもの、イマジネーション、あるいは「夢」とも考えられ、神経学や医学ではあまり注目されなかった問題である。そのような追想――すなわち「過去への移行」――は、当人の個人的な感情や意味にかかわるものなので、往々にして度も強く、夢とおなじように、心理的なものと見られる傾向がある。医学的なものではなく――ましてや神経学的なものとはされずに――無意識あるいは意識下の活動のあらわれとみなされるか、あるいは霊感的なもの、心霊的なものと見られることが多い。追想は本質的に劇的な、物語的なものであり、個人的な意味をもつものなので、とかく「症状」として見られない。だから、医者に話されるより、精神分析医や聴罪司祭に語られることになるし、精神病とみなされたり、宗教的啓示として評判になったりするのだ。誰も、幻覚が「医学的」なものとは思わないのである。器質的な原因が疑われたり見つかったりすると、幻覚の価値がさがったように感じられることになる（もちろん、価値がさがることはない。病因論は、幻覚の価値や評価にはなんの関係もないのだ）。

この第三部に書かれた「移行」の経験すべては、多かれ少なかれ、器質的な原因でおこったものであることは明らかである。もっとも、最初はまだそれがはっきりせず、それがわかるまでには、注意ぶかく研究する必要があった。器質的原因があったところで、「移行」あるいは「追想」の心理的・精神的な重要性は、すこしも減じることはない。発作時に、ドストエフスキーが神あるいは永遠の存在が姿をあらわしたように感じたとするなら、ほかの器質的な条件も同様の働きをしておかしくない。つまり、現世のむこう側の未知なる世界へと通じる「門」となることもできるはずである。この第三部は、いわば、そのような「門」についての研究といえよう。

ヒューリングズ・ジャクソンは、一八八〇年にある種のてんかんについて書いたおり、こうした「移行」、「門」あるいは「夢幻状態」のことを述べている。彼が用いたのは一般的な「追想」ということばではあったが。

ほかの症状もあらわれたのでなければ、追想が発作的におきたからといって、ただちにてんかんだという診断をくだすべきではない。そのような超陽性の精神状態がごくひんぱんにおきはじめるなら、てんかんを疑ってみてもいいが。「追想」だけが問題で相談をうけたことはない。

しかし私は、追想だけが問題で相談をうけたのだった。てんかんばかりでなく、ほかの器質的な条件のもとでおきた追想もあれば、発作性の強制追想の場合もあった。内容もさまざまだった。音楽が聞こえるのもあれば、「幻視」もあり、「なにかの存在」が出てきたり、情景があらわれることもあった。そのような「移行」あるいは「追想」は、偏頭痛ではよくおきる（20章「ヒルデガルドの幻視」参照）。てんかんによるものにせよ中毒症状によるものにせよ、この「過去にもどる」感覚が、17章「インドへの道」では主題となっている。単純に中毒あるいは化学物質のせいでおこるものが、16章の「おさえがたき郷愁」と、18章「皮をかぶった犬」の奇妙な嗅覚過敏症の例である。19章の「殺人の悪夢」は、発作あるいは前頭葉性の脱抑制によっておこる、おそるべき殺人の追想の例である。

この第三部のテーマは、側頭葉や大脳辺縁系へ加えられた異常な刺激の結果おきる、人を過去に移行させる心象や記憶の力である。これによってわれわれは、脳のなかがどうなって幻視や夢がおきるのか知ることができるだろう。そして、シェリントンが「ふしぎなはた織り機」と呼んだ脳が、われわれを過去へ運んでくれる魔法の絨毯を、どうやって織りだしているのかも知ることができるだろう。

15 追想

C夫人はいくらか耳が遠かったが、ほかはいたって健康だった。彼女は老人ホームに住んでいた。一九七九年一月のある夜、彼女はひじょうに鮮やかな夢を見た。なつかしい夢だった。アイルランドでの子供時代の夢で、歌が出てきた。みんながよく歌ったり、それにあわせて踊ったりした歌だった。目がさめてからも、音楽は大きくはっきりと聞こえていた。「きっとまだ夢をみているんだわ」と思ったが、そうではなかった。目をさました彼女はふしぎに思った。まだ真夜中だった。誰かがラジオをつけっぱなしにしているにちがいない。でもどうして自分だけが目をさましてしまったのだろう。あちこちのラジオを全部しらべてみたが、スイッチはみな切ってあった。それから別のことを思いついた。歯のつめものが鉱石ラジオのはたらきをして、ひどく敏感に迷子の電波をキャッチすることがあると聞いたことがあった。「そうにちがいない。歯のつめものが鳴っているんだ。じきに止むだろう。朝になったら治してもらおう」彼女は夜勤の看護師に、歯のつめものの具合が悪いと訴えたが、看護師は異常はないようだと答えた。また別の考えがうかんだ。

「いったいどこの放送局が、こんな真夜中にアイルランドの歌を大きな音で放送するのだろう。紹介も説明もなしに歌だけを流すなんて。それも私の知っている古い歌なんかを。私の知ってる歌ばかりでほかのものは放送しないなんて、いったいどこの放送局だろう」彼女は自問した。「ラジオが頭のなかにあるのかしら？」

彼女はまったく動揺してしまった。音楽は、相変らずうるさく鳴りつづけている。こうなったら、頼れるのは耳鼻科医しかいない。かかりつけの医者に診てもらおう。彼なら、これはたんなる耳鳴りで、難聴と関係したものだから心配するにはおよばない、と言ってくれるだろう。だが翌朝診察を受けたところ、耳鼻科医の答はこうだった。「ちがいますね、Cさん。耳のせいではないと思います。チリンチリン、ブンブン、カラカラといった音が聞こえたのならそうかもしれませんが、アイルランドの歌だったら、まず耳のせいではありませんね」そのあと彼はこう言った。「精神科で診てもらったほうがいいですよ」C夫人は、その日のうちに精神科で診てもらうことにした。「ちがいますね、Cさん。精神的なものではありません。頭がおかしくなったのではありません。頭がおかしい人には音楽なんか聞こえないんです。声が聞こえるんです。神経科医に診てもらいなさい。同僚のサックス先生がいい」そういうわけで、彼女は私のところへやってきたのである。

彼女と話すのはかなり大変だった。彼女の耳が遠かったせいもあるが、もっと大きな理由は、くり返し聞こえてくる歌に、私の声が幾度となくかき消されるためだった。歌声が弱くなったときにしか私の声が聞こえないのだ。彼女は聡明で元気がよかった。妄想状態でもないし、錯乱もしていなかった。しかし、なにかに熱中していて心ここにあらずといった表情をしていた。まわりのことはほとんど目にはいらないようすだった。神経系には悪いところは見あたらなかった。しかし私には、これは神経的な原因によるものではないかという気がした。

いったい何が原因で、C夫人はこのような状態になったのだろう。彼女は八十八歳で、健康状態は申し分なく、発熱の兆候もなかった。精神を錯乱させるような薬を服用してもいなかった。たしかに、前日までは正常だったのだ。

「先生、これは脳卒中のせいでしょうか」私の考えを見ぬいたかのように彼女はたずねた。

「そういうこともありえます。もっとも、こんなのは初めてですがね。何かがおきたことはたしかです。でも、べつに危険な状態というわけじゃない。心配しないで、しばらくこのまま様子をみましょう」

「このまま様子をみるといったって困ります。私が聞いているところへ先生まで入ってこようとなさるんですから。ここは静かなはずですよね、だけど私のまわりは音、音、音なんですから」

私は、すぐに脳波の検査をしてみたかった。とくに、脳のなかで音楽をつかさどる側頭葉がどうなっているのか調べたかった。だが事情があってしばらくのあいだ、それができなかった。そのうちに、音楽は前ほどでなくなってきた。音が小さく弱まってきたのだが、なによりも継続的でなくなった。四日目の夜から彼女は眠れるようになり、歌の合間をぬって、話をしたり、聞いたりできるようになった。脳波の検査ができるようになったころには、一日のうちに十二回ほど、みじかい音楽が聞こえるだけになった。われわれは彼女をおとなしく寝かせて頭に電極をつけ、そのままじっと動かないでいるように言った。ものを言わないこと、ひとり心のなかで歌うこともしないこと、そして記録してるあいだにもし歌が聞こえてきたら、右手の人差し指をそっと、検査の障害にならないように、少しだけあげるように指示した。二時間記録するあいだに、彼女は三回指をあげた。あげた時はいつも脳波計の針がゆれ、側頭部の脳波には棘波や鋭波があらわれた。これで、彼女の側頭葉に発作がおきていたことは確かめられた。側頭葉発作は、つねに追想と経験的な幻覚の原因であって、このことはヒューリングズ・ジャクソンが最初に推測し、のちにワイルダー・ペンフィールドが証明したことである。しかしなぜこの奇妙な症状が、とつぜん彼女におこったのだろうか。脳のＣＴを撮ってみると、まさしく小さな血栓か梗塞が右側頭葉にあることがわかった。夜とつぜんアイルランドの歌が聞こえたのは、大脳皮質にある音楽の記憶の痕跡がとつぜん活発になったせいだった。それは明らかに脳卒中の結果で、血栓が消滅するにつれて歌も消えていった。

四月の半ばになるともう歌はまったく聞こえなくなり、Ｃ夫人はふたたび正常な精神状態にもどった。私は彼女に、これまでのことをどう感じているのか聞いてみた。とりわけ歌が聞こえなくなって残念に思うかときいてみた。「そんなことをお聞きになるなんておかしいですわ」彼女は微笑みながら答えた。「とてもほっとしている、というところでしょうか。でも、すこし惜しい気もします。今はもう、ほとんどの歌は思い出すこともできません。でもあの時は、忘れてしまった子供時代に少しだけもどったような気がしました。本当にすてきな曲もありましたしね」

同じような気持を、Lドーパを使った患者たちからも聞いたことがある。私はそれを「おさえがたき郷愁」と呼んだ。C夫人が話してくれたことは、明らかに郷愁だった。私は、H・G・ウエルズの感動的な物語「壁のなかの扉」を思い出した。彼女にその物語を話すと、「本当にその通りなのです」と彼女は言った。「感じも雰囲気もまさしくその通りなのです。でも私の場合、扉は本当にあるのです。むろん壁だって本当にありますよ。その扉は、消えてしまった過去、忘れられた過去へとつづいているのです」

一年前の六月にM夫人を診察するよう頼まれるまで、私はおなじような症例に出会うことはなかった。彼女もC夫人とおなじ老人ホームにいた。やはり八十代で、いくらか耳が遠く、聡明で機敏だった。彼女の場合も、頭のなかで音楽が聞こえた。ときどき、チリンチリンとかヒューヒューとかガラガラという音もした。話し声が聞こえることもあった。たいていは「はるか遠くで」「一度に何人かの声が」聞こえるので、何を言っているのかわからなかった。彼女はこの症状を、四年間誰にも話さなかった。気が狂ったのではないかとひそかに心配していたのだ。シスターの一人から、ホームで少し前に同じような症例があったことを聞くと、ひどくほっとした。そして、私にうち明けることができた時にはとても安心したのだった。

M夫人の話はこうだった。ある日、台所でパースニップをすりおろしていると歌が聞こえてきた。「イースター・パレード」という曲で、つづいて「グローリー・グローリー・ハレルヤ」、そして「グッドナイト・スイート・ジーザス」が聞こえた。C夫人と同じように、彼女もラジオがつけっぱなしなのかと思ったが、どのラジオもみなスイッチが切ってあることがすぐにわかった。それは四年前の一九七九年のことだった。C夫人は数週間で回復したが、M夫人の場合は、音楽が聞こえつづけ、どんどんひどくなっていった。最初に聞こえたのは、この三曲だけだった。まったく突然、何もしないのに自然に聞こえてくることもある。しかし、ある曲のことを考えると、それが確実にきこえるのだ。そこで、つとめて歌のことを考えないようにしたが、考えないようにすればするほど、余計に考えてしまうのだった。

「その三つの歌がとくに好きだったのですか？」精神科医らしくこう聞いてみた。「あなたにとって、なにか特別なものなのですか」

「いいえ」すぐに彼女は答えた。「とくに好きだったわけではありません。けっして特別なものではありません」

「それが聞こえつづけたときどんな気持でしたか」

「大嫌いになりました」と彼女は強い調子で答えた。「隣の家で、四六時中おなじレコードをかけっぱなしにしているようなものです」

一年くらいは、この三つの歌が気が変になるほどくり返し聞こえるだけで、ほかには何も聞こえなかった。その後、もっと複雑でいろいろな種類の音楽が聞こえてくるようになった。ある意味では悪化したともいえるが、しかし逆にほっとした気持になった。ときには、いくつかが同時に聞こえることもあった。かぎりないほど多くの音楽が聞こえてきた。ときには、いくつかが同時に聞こえることもあった。人の声や、がやがやした雑音が聞こえることもあった。

検査の結果、聴覚以外は異常がないことがわかった。ここで私は、とても興味深いことを発見した。彼女は内耳性の難聴で、これはごく普通のものだったが、そのほかに、音調を知覚し区別することがとくに困難なのだった。それは神経学では失音楽症と呼ばれるもので、聴覚をつかさどる側頭葉の機能が損なわれていることと深い関係がある。彼女自身も、チャペルで聞く賛美歌が最近はどれも似かよって聞こえるようになり、音の高さやメロディーで区別できないので、詞やリズムにたよらなければならないとこぼしていた。(1)

昔はとても歌がうまかったのに、私がテストしたときには、平板な歌い方だったし、音もはずれていた。また、彼女はこういうことも言った。内なる音楽は、目がさめたときに一番はっきりと聞こえ、他の知覚による印象がどっと入ってくると弱くなる。何かあることにたいして、情緒的または知的に注意が向いているときには、ほとんどおきない。とりわけ視覚的に注意集中がおこなわれているとき、それがはっきり言える。私が診察していた一時間ほどのあいだに、彼女に音楽は一度しか聞こえなかった。「イースター・パレード」の数小節がとつぜん大きく鳴りひびき、そのため私の話はほとんど聞きとれなかった。

脳波検査の結果、両側頭部の電位がきわめて高く、そこに興奮があることがわかった。側頭葉は、音と音楽表現にかかわる重要な場所で、複雑な経験や場面を思いだすことにも関係している。なにかが「聞こえる」ときには、いつも、高電位の波が鋭波あるいは棘波様となり、明らかにてんかん性であることを示していた。これによって、側頭葉の病気からくる音楽てんかんだという私の考えは裏づけられた。

C夫人やM夫人にはいったい何がおこっていたのだろうか。「音楽てんかん」とは、それ自体矛盾したことばである。なぜなら、そもそも音楽とは情感にあふれ、意味のあるもので、内面の奥ふかくに存在する何かを――トーマス・マンの言う「音楽の背後にある世界」を――あらわそうとするものである。一方てんかんは、まったくその反対である。それは、いわば行きあたりばったりの、むき出しの生理的な現象で、選択性などとはまったく無縁で、感情や意味をもたないものである。したがって「音楽てんかん」とか「人格的てんかん」ということば自体が矛盾している。しかし現実には、このようなてんかんがおこる。ただしそれは、側頭葉発作の場合にかぎられている。つまり、脳のなかで追想をつかさどる場所でおきるてんかんなのである。このようなてんかんについては、ジャクソンがすでに一世紀も前に発表しており、それに関連して、「夢幻状態」「追想」および「精神発作」についても論じている。

てんかん患者が、発作のはじまりに、ぼんやりとしているがきわめて複雑な精神状態になることはそう珍しいことではない……複雑な精神状態、すなわち知的な前兆というものは、どの症例においてもつねに同じである。すくなくとも基本的には、同じである。

その後半世紀たってワイルダー・ペンフィールドの驚異的な研究がでるまでは、ジャクソンの言っていることはとるに足らぬ逸話とぐらいにしかみられなかった。ところがペンフィールドは、そのような症状をひきおこす側頭葉の原因箇所をつきとめたばかりでなく、ジャクソンのいう「複雑な精神状態」を実験によってひきおこすことに成功した。それは何かといえば、過去に経験したものの正確で詳細な幻覚にほかならない。彼は、大脳皮質の発作のおきやすい場所に、かるい電気的刺激をあたえることによってそれを再現させたのである。この実験は、手術時に、完全に意識のある患者にたいしておこなわれた。刺激をあたえるとすぐに、きわめて生き生きとしたメロディーの幻覚が生まれた。そして人々や情景の幻覚も生まれた。それらは、手術室という無味乾燥な雰囲気にもかかわらず、きわめてリアルに追体験されたのである。いあわせた人々は、それがおどろくほど詳細に話されるのを聞くことができた。ジャクソンが六十年前に発表したことが、これで裏づけられたのだ。彼は、この状態に特徴的な「意識の重複」について次のように述べている。

ひとつは、擬寄生的とよぶに近い状態になっている意識（夢幻状態）がそれである。もうひとつは、若干残存している正常な意識。この二つが共存しているから意識の重複と言うのである。精神の二重視である。

私が診た二人の患者も、まさにこれと同じだった。M夫人は、耳をつんざくような「イースター・パレード」や、それより音は小さいがもっと深味のある「グッドナイト・スイートドリーム」が聞こえる夢幻状態にあり、それでいて同時に、私が話すのを（聞き取りにくかったようだが）聞き、私を見ていたのである。「グッドナイト・スイート・ジーザス」が聞こえると、彼女の目に見えてくるのは、いつもかよった三十一丁目にある教会だった。そこでは「九日間の祈り」のあとでそれが歌われるのだった。C夫人の場合は、もっと深く、アイルランドでの子供時代が思い出された。それでいてやはり同時に、彼女は私を見て、私の話を聞いていたのである。「サックス先生、先生がそこにいらっしゃるのはわかりますし、自分が脳卒中をおこした年寄りで、老人ホームにいるってこともわかるんです。でも、アイルランドでの子供時代にもう一度もどったような気がするんです。母親の腕に抱かれているような気持です。母の姿が目にうかび、歌声が聞こえるんです」

ペンフィールドも指摘したことだが、そのようなてんかん性の幻覚・夢想は、けっして空想ではなく、記憶なのである。きわめて明確で鮮やかな記憶であり、しかも、原体験のときの感情もいっしょに思い出される。そのような記憶は、大脳皮質が刺激されるたびに呼びおこされる。普通の状態で思い出される記憶は、鮮明さにおいてとてもこれにかなわない。こうしたところから、ペンフィールドは次のように考えたのだった。脳は、その人の生涯の記憶を完全といっていいほど保持しつづけている。意識の流れすべては脳に保存され、生活のなかで必要なときにいつでも思い出すことができる。ところがてんかんや電気的刺激という異常な条件のもとでも、喚起され、呼び出されることがある。そのような発作性の記憶にあらわれる情景は、種々さまざまであり、たわいないもので、根本的には無意味で、行きあたりばったりのものである。以下は彼が書いたものからの引用である。

手術のさいに明らかなことは、人工的に喚起される経験的記憶は、当人の過去のある一時期における意識の流れの一部が、無作為に再生されたものだということである（以下ペンフィールドは、彼が喚起したてんかん性の夢や場面を要約して述べている）。……それは音楽を聞いている時だったかもしれないし、ダンスホールの入口でなかをのぞきこんでいる時だったかもしれないし、漫画のひとこまから泥棒の仕事を想像していた時だったかもしれない。あるいは、はっきりした夢を見て目をさました時だったかもしれないし、友達と談笑していた時、あるいは幼い息子の話を聞いて、大丈夫心配ないよと言いきかせていた時、ネオンの看板を見ていた時だったかもしれない。お産で分娩室にいた、おそろしげな男がきたのでこわかった、雪をからだにつけたまま部屋にはいってきた人々を見ていた、のだったかもしれない。ジェイコブ市とかワシントン市の町かどに立っていた時だったこともありうる。あるいは、サウスベンドかインディアナのどこかのこともある。はるか昔の子供のころ、ある晩サーカスのワゴンを見ていた時だったり、母親がお客たちをせき立てて送りだすのを聞いていた（そして見ていた）時だったり、両親がクリスマスキャロルを歌うのを聞いていた時だったかもしれない。

ここにペンフィールドのすばらしい文章を全部のせたいくらいだが、残念ながらそうもいかない（ペンフィールドおよびペロウ、六八七頁以下参照）。私の診たアイルランドの夫人たちの場合もそうだが、ペンフィールドの叙述は、まさしく「人格的生理学」(すなわち、個人の内面にかかわる生理学)のみごとな例といえよう。彼は、音楽的発作がひんぱんにみられることにおどろき、興味深い(ときには滑稽な)例をいくつもあげている。これは、彼があつかった側頭葉てんかん五百症例のうちの三パーセント以上にあたる。

電気的刺激によって患者に音楽が聞こえてくる頻度が高いのにわれわれは驚いた。十一の症例をあつかったが、なんと十七の異なった場所を刺激することでそれがおこっている(図参照)。聞こえてくるのはオーケストラだったり、歌声だったり、ピアノ演奏や合唱のこともある。ラジオのテーマソングが聞こえる例もあった。音楽再生の場所は、側頭葉の上部の、回脳の外側あるいは上方の表面にある(いわゆる音楽てんかんがおきる部位の近くである)。

ペンフィールドは、きわめて印象的な、ときには滑稽な例を具体的に示している。以下のリストは彼の最終論文から引用したものである。

- 「ホワイトクリスマス」症例4 合唱による
- 「ローリング・アロング・トゥゲザー」症例5 患者には題名がわからなかったが、

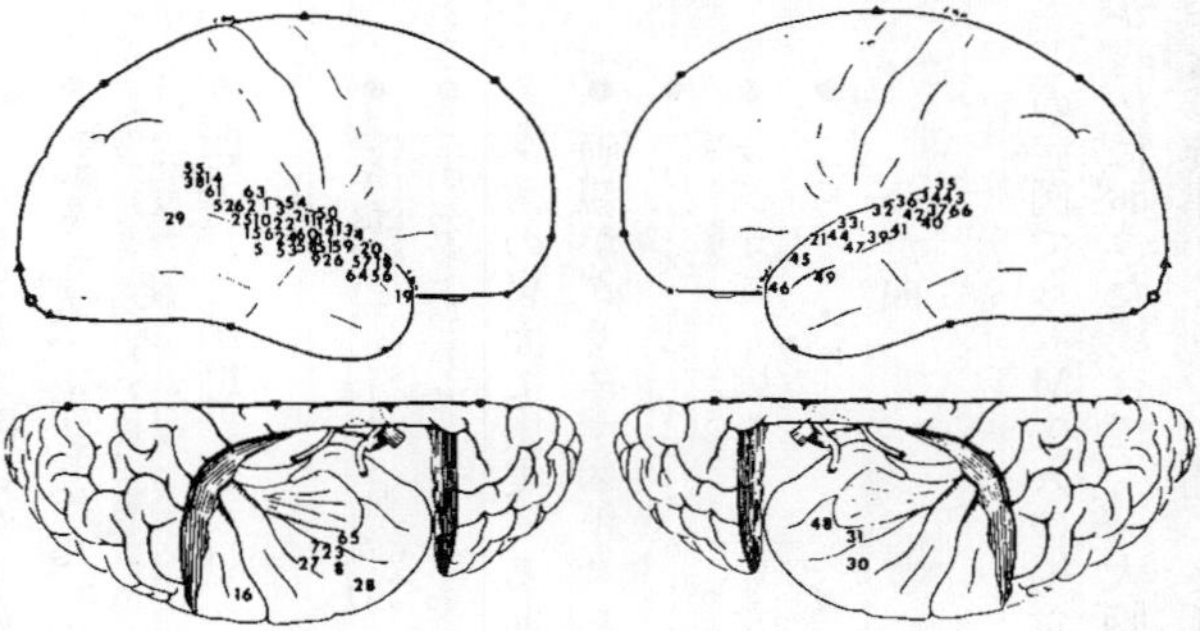

刺激に対する経験的聴覚反応

1. 一人の声（14）症例 28　2. 二人の声（14）　3. 一人の声（15）4. 聞き慣れた声（17）　5. 聞き慣れた声（21）　6. 一人の声（23）　7. 声（24）　8. 声（25）　9. 声（28）症例 29　10. 聞き慣れた音楽（19）　11. 声（16）　12. 聞き慣れた声（17）　13. 聞き慣れた声（18）　14. 聞き慣れた声（19）　15. 複数の声（23）　16. 複数の声（27）症例 4　17. 聞き慣れた音楽（14）　18. 聞き慣れた音楽（17）　19. 聞き慣れた音楽（24）　20. 聞き慣れた音楽（25）症例 30　21. 聞き慣れた音楽（23）症例 31　22. 聞き慣れた声（16）症例 32　23. 聞き慣れた音楽（23）症例 5　24. 聞き慣れた音楽（Y）　25. 歩く足音（1）症例 6　26. 聞き慣れた声（14）　27. 複数の声（22）症例 8　28. 音楽（15）症例 9　29. 複数の声（14）症例 36　30. 聞き慣れた音（16）症例 36　31. 声（16a）症例 23　32. 声（26）　33. 複数の声（25）　34. 複数の声（27）　35. 声（28）　36. 声（33）症例 12　37. 音楽（12）症例 11　38. 声（17d）症例 24　39. 聞き慣れた声（14）40. 複数の聞き慣れた声（15）　41. 犬の吠える音（17）　42. 音楽（18）　43. 声（20）症例 13　44. 聞き慣れた声（11）　45. 声（12）　46. 聞き慣れた声（13）　47. 聞き慣れた声（14）　48. 聞き慣れた音楽（15）　49. 声（16）症例 14　50. 複数の声（2）　51. 複数の声（3）　52. 複数の声（5）　53. 複数の声（6）　54. 複数の声（19）　55. 複数の声（11）症例 15　56. 聞き慣れた声（15）　57. 聞き慣れた声（16）　58. 聞き慣れた声（22）　59. 音楽（10）症例 17　60. 聞き慣れた声（30）　61. 聞き慣れた声（31）　62. 聞き慣れた声（32）症例 3　63. 聞き慣れた音楽（8）　64. 聞き慣れた音楽（10）　65. 聞き慣れた音楽（D2）症例 10　66. 複数の声（11）症例 7

ハミングを聞いた手術室の看護師が題名を知っていた。

●「おやすみ、赤ちゃん」症例6　母親の歌う声。これはラジオ番組のテーマソングとも考えられた。

●題未詳だが患者がラジオで前に聞いたことがある曲。ラジオでよくかかる曲。症例10

●「おお、マリー」症例30　ラジオ番組のテーマ曲

●「司祭たちの進軍マーチ」症例31　患者のもっているレコードのハレルヤ・コーラスの裏面に出てくる曲

●両親がクリスマスキャロルを歌っている　症例32

●「ガイズ・アンド・ドールズ」のなかにある曲　症例37

●ラジオでしばしば聞いたことがある曲　症例45

●「アイル・ゲット・バイ」と「ユール・ネヴァー・ノウ」症例46　ラジオでよく聞いた曲

どの症例でも、M夫人の場合とおなじように、聞こえてくる音楽はきまっていた。発作が自然におきた場合でも、大脳皮質へ電気的刺激をあたえて発作をおこさせた場合でも、おなじ旋律がくり返し聞こえてくる。したがって前記リストの曲は、ただ単にラジオのヒ

ット曲であるばかりでなく、幻覚性の発作時にあらわれるヒット曲でもあるのだ。いわば「大脳皮質におけるトップテン」ということになる。

幻覚性の発作のとき、なぜ、それぞれの患者に、あるきまった歌（あるいは場面）だけが「選ばれて」再生されるのだろうか？ ペンフィールドはこれを疑問にしたが、曲の選択にはなんの理由もなく、またなんの意味もないと考えた。

刺激の最中に、あるいはてんかん性放電のさいに思い出される些細な出来事や歌のなかに、患者にとって情緒的に重要なものがあると考えるのは非常に困難である。その可能性まで否定することはできないが。

彼の結論はこうである。「大脳皮質が条件によって左右されることは事実で、これには証拠もある。しかしそのことを別にすれば、何が選ばれて思い出されるかはまったく行きあたりばったりである」これは、いわば生理学者が言うことばだ。生理学の立場からだとそういうことになるのである。おそらくペンフィールドの言うとおりだろう。だが、はたしてそれだけだろうか。もっと何かがありはしないだろうか。ペンフィールドは、歌のもつ情緒的な意味、トーマス・マンが「音楽の背後にある世界」と呼んだものを、するどく感じ、十分に認識しているのだろうか。「この歌はあなたにとってなにか意味があるのですか」という表面的な質問だけで十分なのだろうか。「自由な連想」についての研究がすすんだいま、一見とるに足りない、理由などないと思われていた考えのなかにも、実は予期せぬ深い意味や反応があらわれているということを、われわれは知るにいたっている。しかし、内面世界を深く分析して、はじめて、そういうことは明らかになるのだ。いまから見れば、ペンフィールドはそれほど深い分析をやっていなかったと言えよう。同じことは他の生理学的心理学についても言える。深い分析がほんとうに必要かどうかはわからないが、発作にともなって現れる歌や場面についてもっと掘りさげてみるいい機会だとすれば、すくなくとも試して見るべきである。

私はM夫人のところへ行って、例の三つの歌にたいする彼女の感情や連想をさぐり出そうとした。これは余計なことかもしれないが、私はやってみる価値があると思った。すでに、ある重要なことが明らかになっていた。彼女は、三つの歌にたいして特別な感情もなければ特別な意味も与えていない。自分ではそう自覚している。しかし、発作がおこって歌が聞こえてくるずっと前に、無意識のうちにそれらをよく口ずさんでいたことを彼女は思い出したのである。彼女のみならず、他人の証言もあった。してみると、それらの歌は、すでに無意識的に「選択」されていたのである。そしてあとからおこった器質的な病気が、それを引きついだのだった。

それらの歌は、いまでも彼女のお気に入りなのだろうか。いまでも特別な意味をもったものなのだろうか。幻覚で聞こえる歌から、彼女は何を得ているだろうか。私がM夫人を診察した翌月、『ニューヨーク・タイムズ』紙に「ショスタコーヴィッチの秘密」という記事がのった。中国人の神経科医デジュエ・ワン医師によると、ショスタコーヴィッチの秘密とは次のようなものだった。金属の破片、つまりは弾丸のかけらが、左の側脳室の側角の部分にあるというのだ。ショスタコーヴィッチは、それを取りのぞくのを非常にいやがったらしい。

破片がそこにあるから、頭を一方に傾けるとかならず音楽が聞こえる、と彼は言った。そのつどちがった旋律が頭のなかに満ちあふれ、それを作曲に使うのだそうである。

レントゲン検査の結果、ショスタコーヴィッチが頭を動かすと、破片が動いて側頭葉の音楽領域を圧迫することがわかったそうだ。だから、からだを傾けると旋律が際限なくうかび、それを天才ショスタコーヴィッチは使うことができたのである。『音楽と脳』（一九七七）の編者R・A・ヘンソン博士は、半信半疑の態で「私には、ありえないことだと言いきることもできないように思う」と言っている。

私はこの記事を読んだあと、それをM夫人にも見せた。読みおえると彼女は、強い調子できっぱりと言った。「わたしはショスタコーヴィッチじゃありませんから、歌を利用するなんてことはできません。歌はもうたくさんです。いつもおなじ歌なんですからね。ショスタコーヴィッチにとっては、音楽的幻覚は天からの贈り物だったかもしれませんけど、私には厄介なだけです。彼は治してもらいたくなかったでしょうが、私はどうしても治りたいんです」

私はM夫人に抗痙攣剤を投与した。すると、たちどころに音楽性の発作はやんだ。最近ふたたび彼女に会ったので、発作をなつかしく思わないかときいてみた。「いいえ、ちっとも。ないほうがずっといいわ」それが彼女の答だった。しかし、すでに見てきたように、C夫人の場合には話は別だった。彼女の幻覚はもっと複雑で謎の部分が多く、なにやらずっと深いものがある。まったく筋道も理由もないように見えるけれども、心理学的にははるかに重要であり、有益なものであることがわかった。

C夫人のてんかんは、生理学的にみても、また彼女の性格や受けた衝撃から考えても、最初からM夫人の場合とはちがっていた。第一に、側頭葉の卒中がもとで七十二時間も発作がつづいたことだ。これだけでもたいへんなことだった。第二に特徴的なことは、これもまた生理学的な原因によるものだが――卒中がとつぜんおこったことやその程度から考えると、深奥にある「感情の中枢」すなわち鈎《こう》、扁桃核、辺縁系などに障害があったにちがいないが――発作にともなって、きわめて強い感情（もっぱら郷愁の感情）がおこり、もう一度子供時代にもどったような感じがしたことである。長いあいだ忘れていた家に帰るとそこに母親がいて、その腕に抱かれているような気持になったのである。

そのような発作の原因は、生理学的なものであると同時に、患者固有のものもある。脳のある特定の部分の異常によっておきるばかりでなく、個々の心理的条件や心理的必要にしたがっておきるものである。デニス・ウィリアムズは、それについて次のような症例を報告している。

三十一番の患者は、知らない人たちのなかにひとりだけいるのに気がつくと、てんかんの大発作がおきるのだった。発作の初期には、家にいる両親の思い出が浮かんでくる。そして「家に帰れてなんとうれしいことだろう」という気持になる。それは非常に楽しい思い出なのである。つぎに鳥肌がたち、暑くなったり寒くなったりする。そのあと発作はおさまるか、あるいは痙攣へと進行するかのどちらかである。

ウィリアムズは、このおどろくべき話をただありのままに記述するだけで、部分と部分とがどう関係するかはまったく考慮にいれていない。そこにおきた感情は、まったく生理学的にあつかわれるだけで、「発作性快感」と書いて片づけられている。そして「家に帰ったような気持」と、今「ひとりでいる」こととの関連は無視されている。もちろん、彼はそれなりに正しい。これらがすべて生理学的な現象であることは事実なのだから。しかし私は次のように考えざるをえない。発作が否応なくおとずれ、拒むわけにいかないとしても、この男性は、その時その場にふさわしいようにうまくタイミングを合わせているのではないか、と。

C夫人の場合、むかしの記憶を思い出したいという欲求が、心の奥ふかくに、かつ慢性的に存在していた。なぜなら、父親は彼女が生まれる前に亡くなり、母親も彼女が五歳にならぬうちに亡くなったからだ。孤児となった彼女は、厳格な未婚の叔母と暮らすためにアメリカへやられたのである。彼女には、人生の最初の五年間についてのはっきりした記憶がなかった。母の記憶、アイルランドの記憶、家の記憶がない、そのことをいつもひどく悲しく思っていた。最も幼い時期だが人生においては最も貴重であるこの時期の記憶がないことは、とてもつらかった。しばしば彼女は、失われた子供時代の記憶をとりもどそうとしたが、一度も成功しなかった。ところが夢のなかで、そしてそのあとにつづく長い夢見心地のなかで、彼女は失われた大切な子供時代をとりもどしたのだ。彼女が感じていたのは、たんなる「発作性の快楽」ではなく、心がふるえるような深い喜びだった。それは、彼女のことばによれば、人生をかたく閉ざしていた扉があいたような気持だった。「無意識の記憶」についてみごとな本を書いたエスター・サラマンは、そのなかで、「子供時代の神聖で貴重な記憶」を保持していること、あるいはそれをとりもどすことがいかに必要であるかを述べている《『時のつどい』一九七〇》。もし子供時代の記憶がないと、人生はひどく味気ない、拠り所のないものになるという。そのような記憶を呼びもどせたことで得られる深い喜びや存在感について、彼女はドストエフスキーやプルーストなどの自伝から数多く引用して述べている。われわれはみな「過去に住むことができない亡命者」である、だからこそそれをとりもどさなければならないのだ、と彼女は書いている。もう九十歳に近く、長い孤独の人生も終りに近づいているC夫人にとって、子供時代の「神聖で貴重な」記憶を呼びもどせたこと、このふしぎな、ほとんど奇跡といってもいい回想は、子供時代の記憶の喪失という扉をうち破った。しかし皮肉にも、それは脳におこった障害によってもたらされたのである。

発作に疲れてうんざりしていたM夫人とはちがって、C夫人は、発作がおきると、心が生き生きと元気になるような気がした。それによって彼女は心理的に安定し、現実感を得ることができた。これは、長いあいだいわば根なし草のようだった彼女が求めても得られなかった大切な感覚であった。自分にも本当に子供時代があった、家があり母親がいて、大事にされ、可愛がられたことがあった、と感じることができたのだ。治療して治してほしいと望んだM夫人とはちがい、C夫人は抗痙攣剤を拒否した。「私にはこの思い出が必要なのです」こう彼女は言ったものだ。「いまの状態が必要なのです。これは、いずれそのうちに終ってしまうでしょうけれど」

ドストエフスキーにはしばしば「精神発作」があり、発作時には「複雑な精神状態」になった。それについて彼はこう語っている。

あなたがた健康な人々は、われわれのようなてんかんもちが、発作をおこす直前に感じる幸福感を想像することはできないでしょう。この至福が数秒で終るのか、それとも数時間いや数か月も続くのかはわかりません。しかし、たとえ人生がもたらす喜びすべてをくれるといわれても、これと交換する気にならないことだけは確かです

（T・アラジュアニーヌ 一九六三）。

C夫人にはこの気持がわかったにちがいない。彼女は、発作の最中にこの上ない至福を感じることもまた知っていた。しかし彼女にとっては、それは精神の正常な状態、この上なく健康な状態へ通じる扉、あるいはそれを開ける鍵であった。そういうわけで彼女は、病気こそ健康、病気になったことはすなわち治ったこと、と感じたのである。

脳卒中が回復するにつれ、C夫人は憂鬱にふさぎこみ、恐怖心を抱くようになった。「扉がしまってしまいます」と彼女は言った。「またみんな忘れてしまうのです」そして事実そのとおり、四月の半ばになると、子供時代の光景や音楽や感情が突然よみがえってくることはなくなった。てんかんがおきて子供時代に突然もどることがなくなった。彼女

が見たもの聞いたものは、疑いもなく正真正銘の「追想」だった。空想などではない。なぜなら、ペンフィールドがはっきり示したように、そうした発作は、ある現実、過去に経験された現実をしっかりととらえて再生するものだからである。それは空想ではない。個人の人生に実際におきた過去の経験のひとこまなのだ。

ペンフィールドは、いつもこの観点から意識というものを考えている。精神発作は、意識の流れ（あるいは意識された現実）のうちのある一部分をとらえ痙攣によってそれを再生する、と彼は考えるのだ。C夫人の場合にとくに重要で感動的なことは、てんかんによる「追想」が、彼女の意識にもなかったものを掘りおこし、痙攣によって、完全な記憶としてよみがえらせたということであった。それによって彼女は、記憶にのこらぬほど薄れてしまったか、あるいは抑圧をうけて意識にのぼることもなかった、ごく幼いころの経験をとりもどすことができたのだ。生理学的には、発作がおさまれば「扉」は閉じる。事実閉じてしまったのだった。しかし、こうして経験そのものは忘れられることなく、強い永続的な印象として残ったのである。おかげで精神の健康がとりもどせた、という貴重な経験として彼女の心にきざみつけられたのだ。「あの発作がおきて幸せでした」回復してから彼女はこう言った。「一生のうちで一番健康で幸せな経験でした。子供時代の記憶がすっぽり抜けおちている感じは、もうありません。こまかいことまではもう今となっては思い出せませんが、たしかにあったのだということだけはわかりました。これではじめて私も、どこもかも満たされて完全になれたということでしょうね」

これらはけっしてつまらぬたわごとではない。りっぱな、真摯なことばであった。C夫人の発作は一種の「目ざめ」の効果をもたらし、よりどころをもたない人生に、よりどころを与えたのである。失われた子供時代を彼女に返してくれたのである。彼女はいまだかつて経験したことのない安らぎを感じ、それは、残りの生涯ずっとつづいたのである。それは、真実の過去を呼びもどして自分のものにできた人だけに与えられる究極の安らぎ、魂の安堵、なのであった。

後記

「追想だけが問題で相談をうけたことはない」とジャクソンは言った。一方これとは対照的に、フロイトは「神経症は追想そのものである」と言っている。ここでは明らかに、追想ということばがまったく反対の意味で使われている。なぜなら、精神分析の目的は、虚偽の追想、空想的追想を、本当にあった過去の記憶、回想と置きかえることであるからだ(精神発作の最中にあらわれるのは、そのような本物の記憶である。些細なものもあれば奥深いものもあるが、いずれにしても実際におきたことの記憶なのである)。フロイトがジャクソンを非常に尊敬していたのは周知のとおりである。しかし一九一一年まで生きたジャクソンが、フロイトのことを聞いたことがあったかどうかはわからない。

C夫人の症例は、ジャクソン的にみてもフロイト的にみても、感動的で美しい。彼女の追想はジャクソン的なものだったが、それはフロイト的な「回想」として彼女をつなぎとめ、治すはたらきもした。そのような症例はじつにすばらしい、貴重なものである。なぜなら、肉体的なものと内面的なものとをつなぐ橋のようなものだからである。それは、もしかすると未来の神経学、生きた経験にもとづく神経学のありかたを示すものではないかと思われるからだ。このように考えたところで、ジャクソンは驚きも怒りもしなかっただろう。これこそ、一八八〇年に「夢幻状態」と「追想」について発表したときに、彼が夢見ていたことなのである。

ペンフィールドとペロウは、論文の題を「脳における、視覚および聴覚的経験の記録」としている。そうなるとわれわれにとって次の問題は、そうした内面の記録はどのような形態をとるかということだ。これまで見てきたように、発作によって過去の経験（の断片）がすっかり再現される。では、経験の再構成のために何が使われるのだろうか。フィルムあるいはレコードのようなものが、脳の映写機かプレーヤーにかけられているのだろうか。あるいは、それらと同じようなものだけれど理論的にはそのひとつ前の存在である、シナリオか楽譜のようなものが脳のなかにあるのだろうか。われわれの人生の「全演《レパ》

(曲)目《ートリー》」とは、いったいどういうかたちで保有されているのだろうか？　記憶や追想が生まれ出てくるのもそのレパートリーからである。そればかりでなく、われわれの想像力もまた――最も単純な感覚的イメージ・動きのイメージから、最も複雑な世界や風景や場面までも描きだせる想像力もまた――そのレパートリーがもとになっているのではないだろうか。あくまでも内面的で、劇的でしかも「図像的」である人生のレパートリーとは、記憶とは、想像力とは、いったい何なのだろう。

　この章に出てきた患者たちの追想の体験は、記憶の性質にかんする根本的な問題を提起している。2章の「ただよう船乗り」や12章の「アイデンティティの問題」は記憶喪失をあつかった章だが、そこでも考えさせられるのは、やはり記憶の問題である。失認症の患者に接した場合には、認識とは何かという根本的な問題が出てくる。「妻を帽子とまちがえた男」のPの場合は劇的な視覚失認症であり、M夫人と9章「大統領の演説」のエミリー・Dの場合は、聴覚失認症および音楽失認症である。知的障害の人びとのまとまりのない行動や失行症、そしてまた前頭葉性の失行症患者の場合には、行為ということ自体が根本から問われることになる。前頭葉性の失行症はとりわけひどいもので、患者は「キネチック・メロディー」すなわち歩行のリズムも失ってしまうのである。『レナードの朝』で書いたように、このことはパーキンソン病患者にもおこることである。

　C夫人とM夫人が「追想」によって――すなわち、旋律や情景が発作的にあらわれる―

種の記憶亢進・認識亢進によって――悩まされたのにたいして、記憶喪失や失認症の患者は、内的な旋律と情景を失った（あるいは失いつつある）と言えよう。人間には内なる「旋律」や内なる「場面」がある。つまり記憶と心にプルースト的なものがあるということが、この二つの例で明らかとなろう。そのような患者の大脳皮質のある場所を刺激すると、たちどころにプルースト的な記憶の喚起が生じる。なぜこれがおきるのだろうか。脳内のどの器官がこれに関与しているのだろうか。脳の情報処理や再生についての現在の考え方は、すべて基本的には算定的である（たとえば、デビッド・マー著『幻覚・視覚提示についての算定的研究』参照）。それゆえ脳のはたらきの解明には、「スキマータ」「プログラム」「アルゴリズム」といった観念・用語が用いられているのだ。

だが、スキマータ、プログラム、アルゴリズムなどだけで、この豊かな幻覚、われわれ人間の経験がもつ視覚的、劇的、音楽的な面まで説明できるだろうか。「経験」を成り立たせている内面的な特質までも説明できるのだろうか。

答は、明らかにかつ断固として「否」である。たとえマーとバーンスタインの二人による複雑高度な解釈をもってしても、図像的なものまでは説明できない。彼らがその分野での偉大なパイオニアであることはたしかだが、算定的なものをいくら積みあげたところで、それだけではけっして「図像的な」表現にはなりえない。図像的なものこそ、人生を織りなす「糸」であり「材料」なのである。

したがって、患者から学んだことと生理学者が言うこととのあいだには、大きな溝がある。これに橋をわたす方法はないのだろうか。たとえそれが絶対的に不可能だとしても（どうもそのようだが）、サイバネティックスの概念を越えた何かがあるのではないだろうか。根本的に内面的なもの、つまりプルースト的な追想を理解するのに、サイバネティックスの概念よりも適切な概念はないのだろうか。機械的なシェリントン的生理学ではなくて、内面的な、プルースト的な生理学はないのだろうか？　シェリントン自身も、『人間の性質』（一九四〇）のなかでこのことにちらりと触れている。精神のことを「ふしぎなはた織り機」にたとえているのがそれだ。彼は人間の精神を、たえず変化しつづけながらも、つねに意味のある図柄《パターン》を織りつづけるはた織り機であると考えたのである。そのような意味のある図柄《パターン》は、まったく形式的あるいは算定的プログラムやパターンをしのぐものである。またそれは、追想や記憶・認識・行動すべてが本来ふくんでいる個人的特質を許容するものである。ではそうしたパターンはどのようなかたちや構成をとるのか？　その答はただちに（かつ必然的に）明らかとなろう。すなわち個人的なパターンとは、たとえて言えば、脚本か楽譜のようなものであるにちがいない。他方抽象的なパターン、コンピューター的パターンは、スキマータやプログラムのかたちをとらざるをえない。したがって、脳の脚本や楽譜は、脳のプログラムのレベルを越えたものと考えねばなるまい。

「イースター・パレード」の楽譜は、M夫人の脳に消えることがないほどしっかりときざみつけられていた。最初にそれを聞いて感じたとおりの楽譜がいわば彼女自身の楽譜として脳に刷りこまれているのだ。同様に、C夫人の場合は、脳の演劇的な領域に、子供時代の劇的な場面のシナリオが消すことができないほどしっかりときざみこまれていた。それは、一見忘れ去られたようだったが、実は、そっくり昔のとおりに思い出すことが可能だったのである。

ペンフィールドの症例から次のことが考えられる。これは注目すべきことである。大脳皮質の発作をおこす部位、すなわち、追想をひきおこすいわば震源にあたる微小な箇所を除去してしまえば、くり返し思い出される場面を完全に取り除くことができる。つまり、追想や記憶亢進状態を停止させ、忘却や記憶喪失の状態に置き換えることができる、ということである。これは非常に重要であると同時に恐ろしいことでもある。本当の意味での精神外科の手術、アイデンティティにかかわる神経手術が可能だということなのだ（それは、総切除やロボトミーよりもずっと精緻で特殊な手術になるといえよう。それにくらべたら、総切除やロボトミーの場合は、意欲をそいだり、人格がそっくり変ったりすることがあるものの、個々の経験についてまで影響をあたえることはできないのだから）。

経験は、それが図像的にまとめられるようでなければ経験とはいえない。行為は、図像的にまとめられるようでなければ行為とはいえないのだ。「脳にとどめられたすべての物についての記録」は、図像的なものにちがいない。これが脳における記録の最終的なかたちである、たとえそこへいくまでの予備段階で算定的・プログラム的なかたちをとったとしても。脳における表現の最終的な形態は「芸術《アート》」である。あるいは芸術を容認する、と言いかえてもいい。すなわち経験や行為は場面や旋律となって表現されるのである。

その証拠には、記憶喪失、失認症、失行症などの場合のように、もし脳における表現が破壊された場合、それを再構成するためには二重のアプローチが必要となる（もしそれが可能ならばのはなしだが）。そのひとつは、破壊されたプログラムとシステムを再建することで、この方面では、ソビエトの神経心理学が非常に深いところまで進んでいる。もうひとつは、内的なメロディーや場面について直接アプローチすることである（これについては、『レナードの朝』『左足をとりもどすまで』その他にも書いたが、本書ではとくに21章の「詩人レベッカ」と第四部の序に詳しい）。脳に障害のある患者たちを理解し援助しようとするなら、どちらのアプローチがおこなわれてもよい。あるいは両方あわせておこなってもよいのである。つまり「システマチック」な療法と「芸術的」な療法どちらでもよいが、望ましいのは二つをあわせておこなうことである。

すでに百年前にこれに似たことが言われている。ヒューリングズ・ジャクソンは一八八〇年に書かれた「追想」についての最初の論文で、これとほぼひとしいことを述べているのである。そしてコルサコフも「記憶喪失」についての一八八七年の論文で、またフロイトとアントンも失認症についての論文で、すでに一八九〇年代にこのことを示唆している。彼らのすばらしい洞察は、システマチックな生理学の台頭のかげにかくれ、なかば忘れられていた。だが、今こそそれを思い出し、ふたたびそれを使うときである。そうすれば、われわれの時代に、新しくみごとな「実存的な」科学、実存的な療法を生み出すことができるであろう。われわれは、それとシステマチックな生理学とを組み合わせることにより、病気を包括的に理解し、有効な治療をおこなうことができるようになるだろう。

注

（1）これと同様の、声の調子や表情を知覚できない音感失認症は、エミリー・Dの場合に見られた（9章「大統領の演説」参照）。

16
おさえがたき郷愁

てんかんや偏頭痛の発作時にときおり「追想」がおきることがあるが、Lドーパで覚醒された脳炎後遺症の患者の場合にも、追想がよくおこるのを見ていたので、私は、Lドーパを「ふしぎな心のタイムマシン」と呼ぶようになった。ある患者の症例がとても劇的だったので、私は彼女についての論文を投稿した。それは、一九七〇年六月に『ランセット』誌に掲載されたのだが、以下に転載する。その論文で私は、追想を厳密にジャクソン的な意味でとらえていた。つまり、追想とは、はるか過去の世界の記憶が発作的にわきあがってきたものと考えていた。しかし後に、『レナードの朝』のなかでこの患者ローズ・Rについて書くことになったときには、「追想」というより「休止」という観点で考えてみた（彼女のなかでは時間が一九二六年で止まってしまったのだろうか、と私は書いている）。ハロルド・ピンターもまた『いわばアラスカ』のなかで、デボラをそのように描写している。

脳炎後遺症の患者にＬドーパを与えたときのおどろくべき効果のひとつは、病気の早期の段階で見られ、その後は消えていた症状や行動パターンが復活することである。呼吸困難、発作性共同偏視、反復的多動やチックが再発もしくは悪化することはすでに述べた。そのほか、多くの休止状態にある原始的な症状、たとえば間代性筋痙攣、食欲亢進、多飲症、性欲亢進、中枢痛、強制情動などが再発することもわかっている。より高等な機能については、複雑で情緒的な精神状態、思考体系、夢、記憶等が復活あるいは回復することも認められている。それらはすべて、脳炎後遺症による無感情状態や無動症といった忘却状態のなかで、抑圧あるいは阻害され、「忘れられて」いたものである。

Ｌドーパによる強制追想のおどろくべき例といえば、つぎにしるすある六十三歳の老婦人の場合である。彼女は十八歳のときに、脳炎後におきる進行性のパーキンソン病にかかり、共同偏視をともなうほぼ継続的な意識不明の状態で、二十四年間入院していた。Ｌドーパを投与すると、最初はパーキンソン症状と共同偏視をともなう意識不明の状態が劇的に解消し、ほとんど正常に話したり動いたりできるようになったのだが、やがて、原始的衝動の亢進による随意運動の興奮がおきた（これは他の数人の患者にも認められるところだった）。この期間でめだったことは、患者が郷愁を感じ、若いころの自分に嬉々としてもどったこと、過去の性的な記憶を抑制できず思い出したことである。彼女はテープレコーダを用意してもらうと、数日にわたって、猥褻な歌、下品な冗談、ざれ歌などを数えきれないほど録音した。それらはすべて、一九二〇年代半ばから後半にかけてはやったもので、社交界のゴシップや猥褻な漫画に登場したり、ナイトクラブやミュージックホールで歌われていたたぐいのものだった。昔のフラッパーが使ったような時代遅れのことばづかいやイントネーションで、当時の出来事がくり返し話された。一番おどろいたのは患者自身だった。「びっくりしました」と彼女は言った。「わけがわかりません。もう四十年も、そんなことは聞いたことも考えたこともないのですから。まだ覚えているなんて思いもよりませんでした。でも今は、それがしじゅう心に浮かんでくるんです」興奮状態が強まる一方なので、Lドーパの量を減らす必要があった。すると、相変らず饒舌によくしゃべったけれど、若いころの記憶は薬を飲んだとたんにすべて忘れ、録音した歌を一節も思い出すことはなかった。

強制追想は、偏頭痛やてんかんの発作時や、催眠状態にあるときに、また、精神病の場合にもおこる。たいていは、前にもいつか見た場面だという気がして（既視感があり）、ジャクソン流にいえば意識の重複がおこる。それは、特別なことば、音、場面、とくに臭いなどといった、強力な記憶亢進性の刺激をうけると、それほど劇的ではないにしても、すべての人におこる。発作性共同偏視の状態でも、とつぜん記憶が湧きあがってくると言われており、ツットはそれを「患者の心に何千もの記憶がとつぜん押しよせてきた」と表現している。ペンフィールドとペロウは、大脳皮質のてんかんをおこす部位を刺激して、きまった型の記憶を喚起することに成功し、発作というものは、たとえそれが自然におきたものであろうと人工的に誘発されたものであろうと、「化石化していた記憶」を活性化すると考えた。

患者は（普通の人と同じように）無数の休眠状態にある記憶の痕跡をもっているのだろう。特別な条件のもとで、とりわけ興奮状態がはなはだしい場合に、その一部が活性化することがある。そのような記憶の痕跡は神経系に消しがたく刻みこまれていて、休眠状態のままどっちつかずの状態で存在しつづけているのだろう。ちょうど、心の底にしまわれた過去のできごとが、皮質下部に刷りこまれているのと同じである。それが目ざめないのは、興奮が欠けているためか、あるいはなにか抑制が強くはたらいているせいであろう。興奮状態と脱抑制とは、もちろん、効果において同じであろうし、たがいに誘発しあうこともあるだろう。しかし、患者の記憶が、病気のあいだは抑制されていてLドーパをあたえたら解放された、と簡単に言いきれるかどうかは疑問である。

Lドーパ、中枢探針（大脳皮質への刺激）、偏頭痛、てんかん、危機的状態などによって喚起された強制追想は、興奮状態の一種と言えそうである。一方、老年性の、あるいはアルコールによって生じることがあるおさえがたい郷愁的追想は、脱抑制に近く、抑制がとれたから過去の記憶の痕跡があらわれたと言えそうである。いずれにしても、記憶が解き放たれたことには変りないのであって、過去を再体験あるいは再演することが可能となるのである。

17　インドへの道

バガワンディー・Pは十九歳のインド女性で、悪性の脳腫瘍のため、一九七八年にわれわれのホスピスに入院してきた。腫瘍——神経膠腫——が最初に見つかったのは彼女が七歳のときだったが、その時点では、腫瘍の悪性度は低く、範囲もかぎられていたので、完全に除去することができた。機能は完全に回復し、彼女は通常の生活にもどることができた。

この小康状態は十年間つづき、そのあいだ彼女は充実した生活をおくった。感謝の心を忘れず、できるだけ有意義に暮らそうと心がけていた。聡明な彼女は、脳のなかに時限爆弾をかかえていることを知っていたからだ。

十八歳のとき脳腫瘍が再発した。今度ははるかに浸潤的な悪性のもので、もはや取りのぞくことはできなかった。腫瘍の増大にそなえて減圧法が施された。そのため、われわれのホスピスに来たときには、左半身の脱力と知覚低下がはじまっていて、発作もときどきおこるようになっていた。

最初、彼女はひどくほがらかで、自分を待ちうけている運命を覚悟して受け入れているようだった。それでもやはり、できるだけ長いあいだみんなと一緒にいて、いろいろ経験したり楽しんだりしたいと強く願っていた。腫瘍が側頭葉の方に少しずつ進行し、減圧法が限界に近づくにつれ——脳浮腫をとるためわれわれはステロイドを投与していた——発作は前よりひんぱんにおきるようになり、しかもいっそう奇妙なものになった。

彼女にはもともとてんかんの大発作があり、それがときどきおこっていたのだが、新しい発作はまったく性質がちがった。意識は失わないが、表情は（感情も）夢を見ているようだった。当時彼女がひんぱんに側頭葉発作に見舞われていたことは、脳波検査によって容易にたしかめられた。ヒューリングズ・ジャクソンによれば、側頭葉発作では、「夢幻状態」と、意思に無関係な「追想」が特徴的にあらわれる。

やがて、このぼんやりした夢幻状態は、いっそうはっきりとした具体的な幻影をともなうようになった。それはインドの幻影だった。風景、村、家、庭など、どれも彼女が子供のころ好きだった場所だったので、すぐに見わけることができた。

「そういうもの見るのはつらい？」と私はきいた。「薬を変えてあげてもいいんだよ」

「いいえ。こういう夢は好きなんです。家へ帰ったような気がしますから」彼女はおだやかな微笑をうかべて言った。

夢には、ときどき故郷の村人たちが出てきた。たいていは、家族か隣人たちだった。話や歌、踊りがでてくることもあった。彼女自身が教会にいたり、墓地にいることもあった。しかしほとんどの場合、村の近くの野原や田畑、そして、地平線までつづく低くなだらかな丘が浮かんでくるのだった。

これらはすべて、側頭葉発作によるものだったのだろうか？　最初はそのように思われたのだが、だんだん確信がもてなくなった。なぜなら、側頭葉発作では、わりにきまった型の夢があらわれるものだからである（これはヒューリングズ・ジャクソンが力説したことで、後にワイルダー・ペンフィールドは、露出した脳に刺激を与えることによってこのことを確認した。15章「追想」参照）。つまり、特定のシーンや歌がいつもくり返され、それをひきおこす大脳皮質の場所もきまっているのである。ところがバガワンディーの夢は、そのように固定化していなかった。彼女の目前にひろがる大景観《パノラマ》はたえず変り、風景はつぎつぎとあらわれては消えていった。当時、彼女は大量のステロイド投与による中毒症状で、幻覚はそのためだったのだろうか。それはありうることだったが、ステロイドを減らすことはできなかった。もし減らせば、彼女は昏睡状態におちいり、数日のうちに死んでしまっただろう。

いわゆる「ステロイド精神病」の場合、患者はしばしば興奮したり混乱したりするが、バガワンディーはいつも理性的でおだやかに落ちついていた。彼女の幻想は、フロイト的な意味での夢か幻だったのだろうか。あるいは、分裂病にみられる、夢幻精神病だったのだろうか。この点についても、確かなことはわからなかった。ある種の幻夢症だとしても、幻夢は、すべて、はっきりとした記憶だったからである。それらの夢は、目ざめている正常な意識と併行してあらわれた（ヒューリングズ・ジャクソンは「意識の重複」ということを言っている）。それらが、情熱的な感情が高まっておきる夢ではないことははっきりしていた。むしろ、絵画か詩のようなものであった。ときには幸福感にあふれ、ときには悲しく、よみがえっては消える記憶とともに、彼女は、愛され慈しみ育てられた子供時代を行きつもどりつしていたのである。

日がたつにつれて、夢や幻はよりひんぱんにあらわれ、ひどくなった。もはや、ときどきではなく、ほとんど一日じゅうあらわれるようになった。彼女は、恍惚状態にあるかのようにうっとりとしていた。目を閉じていることも、開いていることもあったが、何も見ていないらしく、顔には、かすかにふしぎな微笑がうかんでいた。誰かが（看護師の務めとして）彼女に近づいたり、何か聞いたりすると、彼女はすぐに正気をとりもどし、ていねいに答えたものだ。ひどく現実的な考え方をする職員たちでさえ、彼女は別世界にいるのだから邪魔してはいけないという気持になった。私もおなじ気持だったので、興味はもっていたが、詳しく調べるのは気がひけた。しかし、ただ一度だけこう聞いてみた。「バガワンディー、いったい君には何がおきているんだね？」

「私はもうすぐ死ぬんです。家へ、故郷へ帰るんです。帰郷するんです」

一週間後、彼女はもはや外的刺激に反応しなくなった。まるで自分だけの世界にひたりきっているようだった。目は閉じていたが、顔にはまだうっすらと幸せそうな微笑がうかんでいた。「彼女は故郷へ帰っていくのです」看護師のひとりが言った。「もうすぐ家につくことでしょう」三か月後に彼女は亡くなった。亡くなったというより、こう言うべきだろう、「ついにインドへの道を終えたのだ」と。

18　皮をかぶった犬

スティーヴン・Dは二十二歳の医学生で、薬物常用者だった（おもにアンフェタミンを使っていたが、コカインや、PCPすなわちフェンサイクリジンを使うこともあった）。ある夜、彼は鮮明な夢を見た。彼は犬になっていて、想像できないくらい豊かな臭いの世界にいた（「幸せな水のにおい……すばらしき石のにおい」）。目がさめてからも、彼は夢とおなじ世界にいることに気がついた。「まるで、以前は完全な色盲だったのが、とつぜん天然色の世界にほうりだされたかのようでした」実際のところ、色彩感覚も鋭くなっていた。「以前はただ単に茶色だと思っていた色に、数多くの色合いがあることがわかりました。また、前はどれも同じに見えた革表紙の本も、とてもはっきりした、別々の色調をもっていることがわかったのです」直感的な視覚的能力と記憶力が、ひどく高まったのである。「それ以前は、絵を描くなんてとんでもないことでした。まして心のなかで物を見ることなどできなかったのです。でもその時は、高感度のカメラを心のなかにもっているようでした。まるで、紙の上に映しだされているように、すべてが見えたのです。見たままに輪郭を描いてみると、とつぜん、正確この上ない解剖図を描くことができたのです」しかし、本当に世界が変ったように感じられたのは、嗅覚が鋭くなったためだった。「犬になった夢を見たんです。臭いの夢でした。ところが、目がさめてからも臭いにみちた世界にいたのです。ほかの感覚もすべて鋭くなっていたのですが、嗅覚の鋭さとはくらべようもありませんでした」これらの感覚が鋭くなるにつれて、ある種の感傷というか郷愁に似た思いがおこってきた。おぼろげな記憶のなかの、なかば忘れかけたもとの世界をなつかしむ気持である。(1)

「私は香りの専門店へ入っていきました」彼は話をつづけた。「以前はあまり区別がつかなかったのですが、そのときの私は、ひとつひとつの香りを即座に嗅ぎわけることができたのです。ひとつひとつが個性的で奥深く、それ自体ひとつの世界なのだということがわかりました」彼は、友人や患者すべてを、臭いで区別することができるようになっていた。「病院に入っていき、犬のように臭いをかぎます。くんくんやっているうちに、顔を見なくても、そこにいる二十人の患者を識別することができたのです。一人一人が、独特の〈臭相〉をもっていたからです。実際の顔よりもっと生き生きとその人らしさを伝える、臭いの顔をもっていたのです」彼は、その人たちの感情もかぎとることができた。恐怖や満足の度合、性的な状態まで、犬のようにかぎとることができたのである。どんな道や店も臭いで識別できたし、臭いをかぐことで、ニューヨークの街をけっして迷わずに歩くことができた。

彼は、あらゆる物の臭いをかぎ、それに触れたいという衝動を感じた（さわって臭いをかいでみないうちは、それが現実のものとは思えなかった）。しかし、他の人といっしょの時は、変に思われるといけないのでその衝動を抑えた。性的な臭いにたいする感覚も鋭くなったが、食物などの臭いのほうが敏感に感じられた。嗅覚のもたらす快感は強烈だった。もちろん不快感も。しかし臭いは、彼にとって単なる快不快の問題ではなく、美意識や判断に影響をあたえる重要なものでもあった。「きわめて具体的な世界でした。個が重要だったのです。ひとつひとつがおそろしく直接的で、すべてを生《なま》で感じるんです」と彼は語った。以前はどちらかといえば知的で、あれこれ考え、抽象化したりするほうだったのに、いまや、個々の経験がもつ直接性にくらべたら、考えたり抽象化したり分類したりすることは、なんとなく難しく、真実味がないように思われた。

三週間後、この奇妙な変身はとつぜん終った。嗅覚をもふくめて、あらゆる感覚が正常にもどった。彼はもとの世界にもどり、ほっとすると同時に、残念でもあった。生気なく色あせた世界、感覚も平板で、具体性のとぼしい抽象の世界にもどったのである。彼はこう語った。「もとにもどれてうれしかったのですが、失ったものも大きかったような気がしました。文明化の代償として、われわれ人間がなにを失ってきたのか、よくわかりました。われわれには原始的なものも必要なのです」

十六年たち、学生時代もアンフェタミン中毒の時代も、遠い昔のことになってしまった。似たようなことは二度とおこらなかった。現在のD医師は、若き内科医として評判もよく、ここニューヨークで私の同僚であり友人でもある。彼はけっして後悔しているわけではないが、ときどき昔をなつかしく思い出す。「あの臭いの世界、芳香あふれる世界があまりにも生き生きとしていてリアルだったので、まるで別世界へ旅をしているようでした。純粋な知覚の世界、生き生きとした世界への旅です。いつかもどって、もう一度犬になれたらなあ、と思います」

しばしばフロイトは、人間の嗅覚を犠牲者として論じている。人間が成長するにつれ、嗅覚は抑圧される。直立歩行を前提とし、幼児期の素朴で原初的なセックスを抑圧してかかる文明のなかでは、嗅覚はおさえつけられている。特殊な（病理学的な）嗅覚の亢進は、性的倒錯、対物性色欲異常《フェティシズム》、その他同類の倒錯や退行においておこることが報告されている。[2] しかしDの例で見られた脱抑制は、もっと一般的なものと思われる。この脱抑制は、興奮をともなうが――おそらく、アンフェタミンによって誘発されたドーパミン性の興奮であろう――とくに性的なものではなく、性的な退行と関係しているものでもない。同様の嗅覚過敏は――ときには発作性のこともあるが――ドーパミン過剰状態でもおこりうるし、Lドーパを使用している脳炎後の患者にもおこり、またトゥレット病患者にもおこる。

少なくともひとつだけはっきりしていることは、抑制はいろいろなところで働いているということだ。もっとも原始的な感覚においてさえ、抑制は働いている。ヘッドが「原発性の」と名づけた原初的なものにたいしてさえも、抑制は必要である。分類能力をそなえ、感情に左右されない、高次の洗練された識別力を生じさせるためには、抑制は必要なのである。

　フロイト主義者たちがなんと言おうと、こうした抑制は必要なしとするわけにはいかない。ブレイク主義者のように、抑制の減少をロマンチックに謳歌したり、賞揚するわけにもいかない。たぶん抑制は（ヘッドが考えたように）必要なのだ、われわれが犬でなく人間でいるためには[3]。だがそれにしても、スティーヴン・Dの経験から思いうかぶのは、G・K・チェスタトンの詩『クードルの歌』の一節である。われわれも、ときには人間でなく犬になる必要があるということだ。

　　鼻をなくしてしまったのか
　　堕落したイブの子らよ……
　　ああ、しあわせな水のにおい
　　すばらしき石のにおいよ！

後　記

　最近私は、この症例の一方のきわまりともいうべきものに出会った。ある優秀な男性が頭部に傷害をうけ、嗅覚神経系をひどくやられた。嗅覚神経系は、前窩のところに横に長くあるので、非常に傷つきやすいのである。その結果、まったく嗅覚を失ってしまった。

　彼はおどろき、悲しんだ。「嗅覚のことなど、それまで考えたこともありませんでした。普通はそうでしょう？　でも、いざ失ってみると、目が見えなくなったも同然です。人生の風味といったものが、あらかたなくなってしまうわけですから。人は気づいていませんが、〈風味〉って結局は臭いなんです。人の臭い、本の臭い、町の臭い、春の臭いといったものを、われわれはちゃんと嗅いでいるんです……おそらく意識はしていないでしょうが、臭いは他のすべての物をひきたてる豊かな背景なのです。だから嗅覚を失ったとたん、わたしには世界がひどく味気ないものになってしまったのです……」

　彼は喪失感を痛切に感じ、失った嗅覚をとりもどしたいと切望した。それまではとくに注意を向けたことなどなかった、人生の通奏低音ともいうべき臭いの世界をとりもどしたいと思った。数か月後、びっくりするような嬉しいことがおこった。まったくにおいがしなかった朝のコーヒーから、香りが立ちはじめたのである。そこで彼は、何か月も手を触れることのなかったパイプをおそるおそる吸ってみた。すると、大好きだった芳醇な香りが、かすかに感じられるではないか。

ひどく興奮して――神経医から治る見込みはないと言われていたけれど――彼はふたたび医者を訪れた。医者は二重盲検法でくわしく検査したあと、こう言った。「残念ですが、回復のきざしはありません。やはり完全な無嗅覚症です。でも妙ですね、パイプやコーヒーの香りがわかるなんて」

おそらく、次のようなことがおこっていたのだろう。まず、この場合、傷ついたのが大脳皮質でなく、嗅覚神経系だけだったことが重要なのだが、嗅覚イメージが非常に強く発達してきて、制御された幻覚症といってもいいような状態が生じていた。したがって、コーヒーを飲んだりパイプに火をつけたりすると――これらは、以前は香りをともなった行為だったので――彼は、無意識のうちに香りを呼びさまし、思い出すことができるようになったのである。思い出したい気持が非常に強かったために、ついには「本当の香り」として感じられるようになったのである。

意識的で無意識的でもあるこの力は、その後もっと強まり、範囲をひろげていった。今では、くんくんと春のにおいを嗅ぐことさえできる。すくなくとも彼は、香りの記憶というか香りの姿を強く呼びさますことができたので、本当はちがうにもかかわらず、香りを嗅いでいると思い込んだのである。

このような代償作用が、目や耳の不自由な人たちにおこることはわかっている。耳が聞こえなかったベートーベン、目が見えないプレスコットの例を考えればいい。しかし、これが無嗅覚症においてもよくあることなのかどうかはわからない。

注

（1）いくらかこれに似た状態がある。奇妙な感情過多の状態である。はげしい嗅覚の幻覚にともなって、郷愁、追想、既視がおこることがあり、「鈎回転発作」において特徴的にみられる。これは側頭葉性てんかんのひとつのかたちで、ヒューリングズ・ジャクソンが百年ほど前にはじめて発表したものである。幻覚として現れるのは特定された経験であるのがふつうだが、ときおり、全般的な嗅覚の亢進（あるいはヒペロズミア）が認められることがある。鈎《ウンクス》とは、系統発生学的にいえば、旧称「嗅脳」の一部であって、機能的には大脳辺縁系全体と関連している。辺縁系が感情の調子をすべて決定し規制する重要なところであるという認識が、近年ますます強くなっている。いかなる原因によるものであれ、辺縁系が興奮すると、感情が高揚し感覚が鋭くなる。こうした問題にかんしては、派生的なこともふくめ、デヴィッド・ベアーの詳細な研究がある。

（2）これについては、A・A・ブリルが、犬のような嗅覚の鋭い動物や、未開人、子供などと対比して詳しく述べている。

（3）ジョナサン・ミラーが書いたヘッドについての評論「皮をかぶった犬」を参照のこと

（『リスナー』一九七〇）。

19 殺人の悪夢

ドナルドは、PCPを使用していて薬の作用がまだ続いているあいだに恋人を殺してしまった。しかし、彼には殺人の記憶がぜんぜんなかった。すくなくとも、ないらしかった。催眠術や催眠剤アモバルビタール・ナトリウムを使っても、彼からは何もひきだせなかった。したがって裁判では、「記憶の抑圧は見られず、器質的な記憶喪失、PCPの作用でよくおこる意識喪失が認められる」という結論になった。

殺害の詳細は調査によって明らかになったが、身の毛もよだつようなもので、とうてい法廷で公開することはできなかった。そこで審理は非公開となり、世間一般にもドナルド自身にも知らされなかった。側頭葉発作すなわち精神運動発作時にしばしば見られる暴力行為が引き合いに出された。そのような暴力行為の場合、当人には行為についての記憶がなく、おそらく、暴力をふるう意図もない。したがって、そのような犯罪を犯した者は責任を問われず、有罪とされない。それでもやはり、本人自身や他の人々の安全のために、その者は収監される。不幸なドナルドについても、おなじ処置がくだされた。

犯罪者なのか精神障害者なのかはっきりしないまま、彼は、精神に異常のある犯罪者のための病院で四年間すごした。彼は、監禁されて幾分かほっとしているようだった。すすんで罰を受けたいと思っていたのだろう。それに、隔離されていれば安全だとたしかに感じていたようだった。「私は社会に適応できないんです」人になにか聞かれると、いつも彼は悲しげにこう言っていた。

そこにいれば、突然、制御できない危険な状態になっても安全だったし、落ちついていられた。彼はいつも植物に興味をもっていた。園芸は建設的な趣味といえるし、あぶなげな人間関係や行為のおそれがないので、彼がいた刑務所病院では奨励されていた。そんなわけでドナルドは、ごつごつした荒れ地をあたえられ、そこに花壇、菜園、その他いろいろな種類の庭をつくっていった。彼は、節度のある落ちつきを取りもどしたように見えた。以前は荒々しかった人間関係や感情も、ふしぎに落ちついてきた。彼のことを分裂病質だと思う人もいたし、正常だと考える人もいたが、彼が安定したことは誰もが認めるところだった。五年目に外出が許されるようになり、出かけはじめた。週末だけは病院を出てもいいことになったのだ。自転車が大好きだった彼は、もう一度自転車を買った。それが、この奇妙な物語の第二幕のはじまりだった。

自転車に乗った彼は、スピードを楽しみながら急な丘の道を下っていった。そのとき、へたな運転の車が見通しのわるい角を曲がってわっと姿をあらわした。正面衝突を避けようとして彼はハンドルを切ったが、コントロールを失い、頭から激しく地面にたたきつけられた。

彼は頭部に重傷を負った。ひどい両側硬膜下血腫で、それはすぐに外科的に除去されたが、両前頭葉もひどく損傷していた。約二週間、彼は半身不随で昏睡状態だった。その後、意外なことに彼は回復しはじめた。だがその時から「悪夢」がはじまったのである。

意識は回復したが、それはかならずしも良いことばかりではなかった。彼はひどい心の動揺に悩まされることになったのである。なかば意識をとりもどしたドナルドは、何かと激しく戦っているらしく、「ああ、なんてことだ！」「いやだ！」と叫びつづけた。意識がはっきりするにつれて、あのおそるべき記憶が完全なかたちでもどってきたのだ。神経学的にみて大きな問題もあった。左半身の脱力と知覚障害、発作、ひどい前頭葉欠損症状である。そこへまったく新しい問題が加わったのだ。「殺人」である。記憶をうしなって忘れていた行為が、鮮明に、あたかも幻視を見るかのように、細部のすみずみまで彼の前にあらわれたのだ。追想がおさえようもなく湧き上がってきて彼を圧倒した。彼は「殺人」をくり返し見つづけ、幾度となく殺人を犯しつづけたのである。これは悪夢なのか、狂気だったのか。それとも記憶の亢進なのか。記憶が本当に恐ろしいほど高まったのだろうか。

彼はこと細かに質問を受けた。それは、いかなる暗示やヒントも与えないよう細心の注意をはらっておこなわれた。その結果じきに明らかになったことは、これはまちがいなく、実際にあったことの追想である（ただし彼自身はコントロールできない）ということだった。彼は、事件の細部まで知っていた。調査で明らかになったのと同じことを知っていた。でもそれは、公判でもちだされたこともなく、彼にもぜんぜん知らされたことがないものだった。

それまではなくなっていた記憶――あるいは忘れられたと思われていた記憶――が、催眠術や催眠剤注射を使ってももどらなかったというのに、いまやすべてもどったし、もどりうることがわかったのだ。それればかりか、そうした追想がおきるのを止めようもなかったし、もっとわるいことに、その中身はまったく耐えがたいものだったのである。ドナルドは、脳神経外科病棟で二回自殺をはかった。そのため強力な鎮静剤をあたえ、拘束しなくてはならなかった。

ドナルドに何がおきたのだろうか？　何がおころうとしていたのだろうか？　精神病による妄想が突然あらわれたのだとは考えられない。なぜならば、実際にあらわれたものは、まぎれもない過去の事実であって、その追想だったのだから。かりにそれが精神病的妄想だったとしようか。それならばなぜそれは前触れもなく、突然、頭部の損傷にともなってあらわれたのだろう？　彼の場合、記憶にたいして、精神病的といっていいほどのある異常な強い圧力が加わったのだった。精神医学用語でいえば、あまりにも強いカセクシス

(集中)がおこったのである。そのために彼は、たえず自殺を考えるまでに追いつめられてしまったのだ。漠然としたエディプス的苦悩や罪悪感でなく、実際の殺人が、記憶喪失から一転して思い出されることになったのは、いったいどうしてなのだろうか？　このような追想をひきおこすカセクシスとは、通常はどのようなものなのだろうか。

ひとつの可能性として、前頭葉が欠損したために、本来はたらくべき抑制に必要な条件が消えたとは考えられないだろうか？　われわれが見せられたのは、それまでの抑圧が突然ほどけ、そのため爆発的に吹き出した特異な「反抑圧」なのではないだろうか。だがわれわれの誰一人として、このような症例を聞いたことも読んだこともなかった。もっとも、前頭葉症候群において一般的に脱抑制が見られることは、みながよく知っていた。そういうときの脱抑制では、たとえば衝動性、おどけ、饒舌、好色さが認められ、ものにこだわらず、どうでもいいといった投げやりな態度があらわれる。しかし当時のドナルドには、そのような変化は認められなかった。少なくとも、衝動的ではなかったし、投げやりなところも見られず、無作法にもならなかった。彼の性質や判断、人柄はまったく元のままだった。抑えきれずにあらわれ、彼につきまとって悩ませていたのは、ただひとつ、殺人の記憶とそのときの感情だったのである。

なにか興奮性の要素かてんかんの要素でもあって、それが関係していたのだろうか？　脳波検査の結果はとても興味深いものだった。鼻咽喉用の電極をもちいて調べてみると、彼はときどきてんかんの大発作をおこすが、それとは別に両側頭葉では、たえず興奮状態、強度のてんかんがおきていることが明らかになった。これはあくまで推論で、電極を埋め込まないことには確かなことは言えないが、おそらくその興奮状態は、両側頭葉のなかで、鈎から扁桃核、さらに辺縁系にまでひろがっていたにちがいない（これらはみな、側頭葉の深部にある感情の回路である）。ペンフィールドとペロウは、側頭葉発作をもつ患者にくり返しおこる「追想」や「経験的幻覚」について報告している（『脳』一九六三、五九五―六九六頁参照）。しかし、ペンフィールドがそこで書いている経験や追想の大半は、受動的といっていいものである。たとえば音楽を聞いているとか、ある場面に立ち会ってそれを見ているとかで、患者はその場にいるけれども行為者ではなく、ただ観客にすぎない。[1]患者がある行為を経験しなおしたり、もう一度演じるなどという例は、これまでわれわれの誰一人として聞いたことがなかったのに、ドナルドにはそれがおこっていたのだ。しかし明確な判断はくだせなかった。

そんなわけで、ここでは、その後どうなったか書くことしかできない。若さ、運、時間、自然の回復力、外傷をうける以前からもっていた優れた機能などのおかげで、何年もかかったが、ドナルドはめざましく回復した。前頭葉機能の代償をうながすルリア方式の治療も回復を助けた。彼の前頭葉機能は現在ほぼ正常である。数年前から使えるようになった新しい抗てんかん剤のおかげで、側頭葉発作が効果的に抑制できるようになったのだ。おそらく自然の回復力がここでも働いたのだろう。さらに、効果的な精神療法が細心の注意をはらって定期的におこなわれた結果、スーパーエゴによる過酷な自責もやわらぎ、よりおだやかなエゴがドナルドを支配するようになっている。しかしもっとも重要なのは、ドナルドが庭仕事にもどったということだ。「庭いじりをしている時が一番心がなごみます。争いなどおきません。植物にはエゴがありませんから。感情を傷つけられることがないのです」と彼は語った。フロイトが言ったように、労働と愛こそ究極の治療法なのである。

ドナルドは、殺人のことを何ひとつ忘れていないし、記憶をふたたび抑圧するようなこともしていない（抑圧しようとしてできるものでもないだろうが）。抑圧しなくても、彼は記憶にさいなまれることはなくなっている。生理学的な均衡、精神的な落ちつきをとりもどしたのだ。

しかし、いったん失われていながらあとでよみがえった記憶については、どう考えたらよいのだろうか。記憶喪失がなぜおこり、なぜ急激に記憶がもどったのだろうか。完全な忘却からひどく激しい回想へと変ったのはなぜか。神経学のドラマともいえるこの奇妙な物語で、実際におこったことは一体なんだったのだろう。それは今日にいたるまで謎である。

注

（1）全部がそうだというわけではない。ペンフィールドが書いているなかに次のような例がある。とりわけひどい精神的損傷を受けたある十二歳の少女の場合、発作のたびに、蛇が入ったくねくね動く袋をもって追いかけてくる残忍な男から、死にものぐるいで逃げている自分の姿が浮かんできた。この経験的幻視は、五年前に実際におきた恐ろしい出来事が、そのまま正確に再現されたものである。

20　ヒルデガルドの幻視

いつの時代にも宗教的文献のなかには、幻視についての記述が数多くみられる。そこでは、ことばでは表現できないほど崇高な感情が、燦然とかがやく光とひとつになって経験されているのである（ウィリアム・ジェイムズは、これを「他覚視」として論じている）。ほとんどの場合、そのような経験がヒステリー性の恍惚状態なのか、精神病的恍惚状態なのか、中毒によるものか、あるいはてんかんや偏頭痛によるものか確かめることは不可能である。しかし唯一の例外は、ビンゲンの修道女ヒルデガルド（一〇九八―一一八〇）の場合である。彼女は霊的直感力にすぐれていたばかりでなく、たいへん知的で文学的才能もあった。幼い頃から生涯を終えるまでに、数えきれないほどの幻視を経験した。彼女は二冊の写本、『汝知るべし』*Scivias* と『神聖なる労働の書』*Liber divinorum operum* に、幻視についてのみごとな叙述と絵を残し、それらは今日まで伝えられている。

注意深く考察すると、これらの叙述と絵には、明らかにある特質があらわれている。それらは、まちがいなく偏頭痛性のもので、前にも述べたさまざまな視覚的異常感覚を示し

天上の街のヴィジョン

ヒルデガルドの『汝知るべし』*Scivias*（ビンゲンにおいて1180年頃書かれた写本）より。この絵からは偏頭痛性のいくつかの幻視が読みとれる。

ている。ヒルデガルドの幻視について長い評論（一九五八）を書いたシンガーは、最も特徴的な現象として以下のことをあげている。

すべての絵についてきわだって特徴的なことは、どこかに光が描かれている――光点はひとつでなく複数のこともある――ということだ。それらはたいてい、ちらちら光って波のような動きを見せ、しばしば、星だったりぎらぎら輝く目だったりする（図B）。多くの場合、他より大きいひとつの光が、ぎざぎざの同心円の集まりで表現されている（図A）。はっきりとした砦《とりで》のかたちが、彩色された中心からひろがって描かれることがある（図C・D）。幻視を経験した多くの者が述べているように、これらの光は、しばしば沸きかえるような激しい動きを感じさせるものだった。

ヒルデガルドは次のように書いている。

私が幻視を見たのは、眠っているときでも夢のなかでもありません。もちろん、狂気の状態で見たのでもありません。肉体の目や耳で感じたのではないのです。秘密の場所に閉じこもって見たのでもありません。ひらけた場所で、油断なく気を配っているときに、心の目と内なる耳とではっきりと感じとるのです。それは神のご意思なの

図A

図B

図C

図D

ヒルデガルドの幻視にあらわれた偏頭痛性の幻覚の諸例

図A―ぎざぎざの同心円にちらちら光る複数の星がちりばめられているのが遠景にみられる。

図B―輝く星（眼内閃光）が落ちてきて消えている（実性及び虚性暗点がつづく）。

図C・D―ヒルデガルドは、偏頭痛性の幻視に典型的な、中心からひろがってのびる砦を描いている。原画では、中心部は彩色され、燦然と輝いている。

です。

そのような幻視のひとつ、たくさんの星が海のなかに落ちて消えていく絵（図B）は、彼女にとっては「天使の落下」を意味する。

私はこの上なくみごとで美しい大きな星を見ました。そのあとを追うように、おびただしい星が南の方へ落ちていきました……突然それらはすべて滅ぼされ、黒い石炭に変えられてしまいました……そして、深淵に投げこまれ、見えなくなってしまいました。

これが、ヒルデガルドの寓意的解釈である。これをただ医学的に解釈するとすればこうなるだろう。彼女は、視界を横切る眼内閃光を、無数に経験し、その軌跡が虚性暗点に入ったのだ、と。『神への熱愛』*Zelus Dei*（図C）と『輝ける神座』*Sedes Lucidus*（図D）には、砦のかたちがでてくる。燦然と輝きまたたく色あざやかな点から、砦がひろがってのびている。これら二つの幻視が複合されたものが三〇二頁の図である。彼女はこの城砦を、神の都の建造物と見ている。

極度の恍惚的熱中状態が、このような異常感覚にともなって経験される。とくに、最初の閃光の結果として第二暗点があらわれるという特殊な場合におきる。

私にはその光がどこから出ているのかわかりません。しかし、それは太陽より輝かしいものなのです。光がどれくらい高いところにあり、長さや奥行きがどれくらいなのか確かめることはできません。私はそれを「生命の光の雲」と名づけました。水面に太陽や月や星の光が反射するように、人間の書いたもの、言い伝え、徳や行いなどすべてその光のなかで輝いているのです……

ときおり私は、この光のなかに、「生命の光そのもの」と名づけたもうひとつの光を見ます。それを見ると、悲しみや苦痛をすべて忘れ、私は、もう一度、老女ではなく純心な乙女になるのです。

彼女の恍惚状態には、深い神への畏敬と哲学的な意味がふくまれていたのである。そのような恍惚の境地で見る幻視は、ヒルデガルドが聖なる生活をおくり、霊の人として生きるのに役立った。しかし、これは特異な例である。大多数の人にとっては不快で無意味な生理的な現象も、選ばれた人にとっては、至上の法悦的霊感の源となるのである。おなじような経験をした歴史上の人物としては、ドストエフスキーがいる。彼は、ときどき、てんかんによる法悦的な異常感覚を経験した。彼にとって、それはきわめて重要な経験だったのである。

ほんの五、六秒のみじかい時間だが、永遠の調和の存在を感じるときがある。恐ろしいことに、それは驚くべき明晰さで姿をあらわし、魂に法悦をもたらす。もしこの状態が五秒以上つづくなら、魂はそれに耐えられず消滅してしまうだろう。この五秒間に、私は人間としての全存在を生きる。そのためなら、私は命をも賭けるだろうし、賭けても惜しいとは思わないだろう。

第四部　純　真

数年前知的障害の人たちの治療をはじめたとき、憂鬱な仕事かもしれないと思い、私はルリアに手紙を書いた。おどろいたことに、彼からの返事はとても肯定的にこう書かれていた。発達の遅れた人々ほど彼にとっていとしく思われる患者はいない、と。また、先天性疾患研究所ですごした年月は、生涯のなかでもっとも興味深い時期であった、と。最初の臨床記録（『こどものことばと精神発達』一九五九）の序文でも、彼は同様の感情を述べている。「もし自分の本についての気持を述べることが許されるなら、私はこの小著のなかに書かれている人たちにたいしていつも感じていた温かい気持のことをぜひ付記しておきたい」

ルリアのいう「温かい気持」とは何なのだろう。これは明らかに個人的で情緒的な表現である。患者たちがどのような知能障害をもっているにせよ、彼ら自身が反応しなければ、あるいは彼ら一人一人が真の感受性をもち情緒的に反応することができなければ、この「温かい気持」を感じることは不可能だったろう。しかし、これにはもっと奥深い意味がある。このことばには、科学的な興味がこめられている。ルリアは、科学的にみて、きわめて特異で興味深い何かをみつけたのだ。それは何だったのだろう？　欠損や欠損学の上での話ではない。それだったら狭い範囲でしかない。いったい、知的障害の人たちに認められる、とくに興味深いこととは何なのだろう？

それは心の「質」と関係するものである。それも、すこしも損なわれることなく、かえって高められてさえいる心の「質」である。彼らの心は、たとえ「知能的な欠陥」はあっても、それ以外の点では精神的に興味深く、完全とさえ言えるほどのものである。知的障害の人々のなかにはっきりと認められるものは、概念的なものなどではない心の「質」なのである（子供や「未開人」の心に接した場合もおなじことが言える。もっとも、クリフォード・ギアツがくりかえし強調しているように、知的障害者、子供、未開人の三者は、けっして同等にはあつかえない。未開人は知的障害者でもなければ子供でもないし、子供の文化は未開人のそれではないし、知的障害の人々は、けっして未開人でも子供でもないからだ）。しかし、重要な類似点もある。ピアジェが子供の心の研究で明らかにしたこと、またレヴィ＝ストロースが「未開人の心」の研究で明らかにしたことは、かたちこそ異なるが、知的障害の人々の心や精神世界に認められることなのである。(1)

この研究をつづけていけば、心と知性をともに満足させる結果が得られるだろう。そして、ルリアのいう「ロマンチック・サイエンス」に近づくことができるであろう。

ではいったい、知的障害の人々に特徴的な心の質とは何か？　人の心をつくあの無邪気さ、透明さ、完全さ、尊厳は何から生まれたのか。子供の世界とか未開人の世界というのと同じように、「知的障害者の世界」というものをもちだすならば、それに特有のものとはいったい何なのだろう？

一語で言えば、それは「具体性」ということである。彼らの世界は生き生きとして、情感するどく、詳細にわたり、それでいて単純である。具体的だからである。抽象化によって複雑になることも、希薄になることも、統一されてしまうこともないのである。

万物自然の本来のあり方からいえばむしろ逆なのだが、とかく神経学者は「具体性、具体的な事象」を、劣った、考慮に値しない、統一を欠いた、後退的なものとみている。だから、体系化、組織化にかんして当時第一人者といわれたクルト・ゴールドスタインなどは、人間の精神は抽象化や分類をすることができるからすばらしいのだと考える。そして、いったん脳が損傷すれば、人間は高尚な領域から、人間的とすらもはやいえぬ、低い「具体性」の泥沼へほうり出されると考えるのである。もし人間が「抽象的、範疇的態度」（ゴールドスタイン）、あるいは「命題的な思考力」（ジャクソン）を失ってしまうなら、とりもなおさず、人間以下となり、重要性もなければ興味の対象にもならない、というわけである。

これは逆だと私は考える。具体性こそが基本である。現実を生き生きとさせ、「リアル」たらしめ、個人的に意味のあるものにするのは「具体性」なのである。もし「具体性」が失われたなら、すべては失われる。「妻を帽子とまちがえた男」のPの場合がそうである。彼は反ゴールドスタイン式に「具体性」から転落し、「抽象性」へと陥ってしまったのだ。

次のように考えるほうがわかりやすく、いっそう自然であろう。脳に損傷をうけた場合にも、具体的なものを理解する能力は損なわれず残るのだ、と。退行して具体的なものしか理解できなくなったと考えるのでなく、具体的なものを理解するもとからあった能力は失われず残っていると考えるべきである。したがって基本的な人格や、アイデンティティや、傷こそ受けたものの生き物としての存在そのものは、失われずに残っているのである。『こなごなになった世界の男』のザゼツキーの場合がそうである。彼は本質的には人間であることに変りない。たとえ抽象能力や叙述能力は荒廃していようと、道徳性とゆたかな想像力とをもった人間なのである。ここでルリアは、ジャクソンやゴールドスタインの考え方を支持しているように見えるけれど、じつは重要な点を一八〇度ひっくり返している。ザゼツキーは、ジャクソンやゴールドスタイン流の考えかたでは知能の低い魂の抜けがらだが、実際はけっしてそうではない。完全に一人前の人間であり、その感情と想像力はまったく損なわれていない。かえって高揚しているくらいである。本のタイトルとはちがい、彼の世界はこなごなになどなっていない。欠けているのは一貫性のある抽象能力だけであって、彼の世界は非常にゆたかで、奥が深く、具体的である。

これらすべてのことは、知的障害の人々についても言える。いっそうよく当てはまるとさえ言えよう。彼らは、はじめから知能が低く抽象的なことは理解できないが、だからこそ、それによって惑わされることもない。考えこむようなことをせず、素朴で、しばしば人をおどろかせるほどの集中力で、直接現実を経験しているのである。

いまやわれわれは、魅惑とパラドックスの世界に踏みこんでしまった。「具体性」が曲者なのだ。これがなかなか曖昧で解釈がむずかしい。医者、セラピスト、教師、科学者にとくに求められているのが、この「具体性」についての研究である。これはどうしてもやらねばならぬことである。これはまさしく、かのルリアの言う「ロマンチック・サイエンス」である。彼の二冊の小説のような臨床記録は、いずれも具体性についての研究といってもいいだろう。脳に障害のあるザゼツキーの場合には、現実に役立つものとして「具体性」が失われず残ったし、記憶亢進患者の超精神の場合は、現実を犠牲にしても「具体性」が強調されていたのである。

具体性の解明には古典的科学は役に立たない。古典神経学や精神医学では、「具体性」はとるに足りないつまらぬものとみられている。「具体性」を十分に評価するためには、つまり「具体性」のもつ驚異的な力と危険とを理解するためには、ロマンチック・サイエンスが必要なのである。そして、知的障害の人々のことを考えるときにも、われわれは具体性に、純粋で単純な具体性に、否応なしに直面することになる。「具体性」こそ、新たな解明へのきっかけであり、障壁でもある。それをとおして感受性、想像力、内面へと入っていくこともできるが、同時に、それにとり憑かれると、意味のない細目に固執するようになりかねないのだから。知的障害の人々には、その両方の可能性が増幅されてあらわれる。

具体的な心象や記憶についての亢進した能力は、観念的・抽象的な面で欠けているかわりとして自然があたえる代償でもあるが、その能力が裏目にでることもありうる。小さな個々のことに心をくばりすぎたり、細部にいたるまでの正確で鮮明な心象や記憶力に気をとられたり、あるいは超絶能力の実演者（いわゆる「天才児」）の知能にばかり注意が向きがちである（記憶亢進患者の場合や、ひところ喧伝された「記憶術」の養成開発などはその一例である）[2]。こうした傾向は、22章のマーチンや24章のホセの場合にも見られる。23章の双子の場合は、人前でやって見せてほしいという要望と、当人たちの見せたがり屋気質とが相まって、とくにその傾向がめだっている。

しかし、もっと興味深く人間味のあること、もっと感動的で現実的なこと、それは彼らの特質である具体性をいかに適切に用い、伸ばすかということである。そのことは、思いやりのある親や教師はすぐ気がつくのだが、知的障害についての科学的研究ではほとんど認められていないのである。

神秘性、美しさ、奥深さは具体的なものをとおしても伝わるし、具体的なものをとおしても、感情や想像力や魂の世界へ入っていくことができる。それは、いかなる抽象的概念にもおとらず効果的である（おそらく抽象概念以上に効果的であろう。そのことを一九六五年にゲルショム・ショーレムは、観念的なものと象徴的なものとを対比させて論じ、一九八四年にジェローム・ブルナーは「パラダイム的なもの」と「物語的」なものとを対比させて論じている）。具体的なものには、容易に感情や意味をしみこませることができる。おそらくそれは、抽象概念より容易であろう。具体的なものは、容易に、美しいもの、劇的なもの、喜劇的なもの、象徴的なものにもなり、芸術や精神といった奥の深いものに昇華することが可能なのだ。概念的には、知的障害は障害かもしれない。しかし具体的なもの、象徴的なものを理解する力は、いかなる健常者にも劣らない（これは科学である、だが同時にロマンスでもある……）。キルケゴールほどこのことを美しく表現した者はいない。彼は死の床でこう書いている。「汝、平凡にして素朴なる人間よ」（彼のことばをすこし言いかえればこうなるだろう）「聖書の象徴主義はかぎりなく高いところにある……しかしそれは知能の高い低いとは関係なく、人と人とのあいだの知的な差異とも関係ない……それは万人に理解できるものだ。なぜならすべての人間は、そのかぎりない高さに達しうるのだから」

知能の非常に低い人もいるだろう。ドアの鍵を開けることができず、ましてニュートンの運動法則など理解できず、世界を概念としてとらえることもできないかもしれない。しかし、そのような人間でも、十分にできることがある。それは、世界を具体的なもの、象徴として理解することである。これこそ、マーチンやホセや双子の兄弟のような、才能に恵まれた知的障害の人間にそなわるもうひとつの面なのだ。

彼らはなみはずれた例外的な存在なのだ、と言う人があるかもしれない。そこで私はこの最後の部をレベッカの話ではじめようと思う。彼女はまったく平凡な知的障害の娘である。彼女を診たのは十二年前のことであるが、私はいまでも温かい気持で彼女のことを思い出す。

注

(1) ルリアの初期の研究は、すべて、これら三つを合わせた分野にかかわるものだった。彼は中央アメリカの未開社会で子供にかんするフィールド・ワークをおこない、先天性疾患研究所で研究をおこなった。この二つがもとになって、そこからライフワークである人間のイマジネーションの研究がスタートしたのである。

（2）　フランシス・イエイツ著『記憶術』（一九六六）参照。

21　詩人レベッカ

紹介されてわれわれの診療所に来たとき、レベッカは子供どころか十九歳になっていた。だが、彼女の祖母が言うように、まだ子供みたいだった。近所でも道に迷うし、鍵でドアをあけることもできなかった（鍵がどういうものかわからず、いつまでたっても使い方をおぼえないようだった）。左右の区別がつかず、衣類の裏表・前後をまちがえて着ても気がつかなかった。たとえ気がついたとしても、自分で正しく直すことはできなかった。手袋や靴を左右反対に着けようとして、何時間もかかったりした。祖母に言わせると、「空間の感覚がない」ようだった。あらゆる動作が、ぶきっちょでぎこちなかった。そのため報告書には、「不器用」とか「魯鈍」と書かれたりした（もっとも、踊るときには不器用さがまったく消えてしまったのだが）。

レベッカには部分的に口蓋裂があり、話すときにヒュウヒュウ音がした。指はみじかく、太く、爪は丸くて変形していた。重度の退行性近視のため、厚いめがねをかけていた。これらはすべて、脳と知能に欠陥を生じさせたのとおなじ原因からくるものだった。彼女は、痛々しいほど恥ずかしがりで内気だった。自分はいつも笑い者なのだと思ってきた。

しかし彼女は、あたたかく深く情熱的に愛することができた。祖母をとても愛していた。両親が死んで孤児となった彼女は、三歳のときから祖母に育てられた。自然がとても好きで、町の公園や植物園につれていくと、何時間も楽しく過ごすのだった。物語も好きだった。しかし、一生懸命におぼえようとしたにもかかわらず、ついに読めるようにはならなかった。彼女はよく、祖母やほかの人に読んでくれとせがんだ。「物語に飢えているんです」と祖母は言った。幸いにも、祖母は物語を読んで聞かせることが好きで、良い声で朗読してくれたので、レベッカは夢中になった。物語だけでなく詩も読んでもらった。彼女は物語に飢え、物語を必要としていた。物語は必要な栄養であり、現実を知らせてくれるものだった。自然は美しいが寡黙である。それでは不十分だった。彼女が必要としていたのは、ことばによるイメージで表現される世界だった。日常の生活では簡単な説明や教えさえ理解できないのに、深遠な意味をもつ詩のなかの比喩や象徴を理解することには、ほとんど困難を感じないようだった。感情や具体性をあらわすことば、イメージや象徴をあらわすことばがひとつの世界を生みだし、彼女はそれを愛し、おどろくほど深くそこに入りこむことができたのである。概念的な理解力はないのに、詩的なことばとなるとよくわかっていた。しゃべるのはたどたどしかったが、彼女は一種の詩人、生まれながらの詩人といってよかった。はっとさせるような比喩や修辞が自然にうかび、思いがけない瞬間に、叫びのように発せられるのだった。祖母は控え目ながら敬虔な信者で、レベッカもおなじだった。安息日のろうそくの光や、ユダヤ教の祝日に唱えられる祝福や祈りが好きだった。シナゴーグへ行くのも好きだった。そこでも彼女は、汚れなき者、聖なる愚者としていつくしまれていた。正統的ユダヤ教の礼拝、典礼、聖歌、象徴もじゅうぶんに理解できた。これらすべてを彼女は身近に感じ、愛した。しかし、知覚や時空の把握、体系的理解力についてはひどい欠陥があった。たとえばおつりの勘定ができず、読み書きもできるようにはならなかった。知能指数の平均は六十以下だった（もっとも、運動検査より言語性検査の結果のほうが格段にすぐれていた）。

彼女はそれまで「愚鈍」「痴呆的」「のろま」と人々の目にうつり、実際にもそう呼ばれてきた。しかし、思いもよらない不思議な力、すばらしい詩的な才能をもった知的障害だったのである。見かけはハンディキャップのかたまりで無能そのものだったし、そのため強い欲求不満や不安につきまとわれていた。実際、知能的には不完全で、それは自分でも感じていた。普通の人がもっている簡単な技術も幸せな能力も、彼女にはなかった。しかし彼女自身の心のなかには、ハンディキャップや無能という意識はまったくなかった。そこにいるのは、おだやかで成熟した感情をもち、充実して生きている人間、普通の人とかわらない、深く高尚な精神をもった人間だった。レベッカは、自分が知的には不完全だと感じていたが、精神的には充実した完全な人間なのだと思っていたのである。

まったく不器用で不格好な彼女にはじめて会ったとき、私は彼女をただたんに、いやまったくのところ不幸なる犠牲者、欠陥者だと思った。彼女の神経学的な欠陥を見つけて、正確に分析することもできた。失行症、失認症、感覚および運動の欠損と衰弱などが認められ、知能体系と知能概念は、ピアジェの基準によれば八歳児なみだった。「おそらく、断片的に偶然のこった能力なのだろうが、話すことだけはできるかわいそうな子だ」と私はつぶやいた。ほとんどの機能がだめになっているが、ピアジェの体系のうち、より高い皮質性の感覚機能だけが断片的に残っていると思ったのだ。

つぎに彼女を見たときには、まったく様子がちがっていた。私は彼女を診察したわけではない。診療所のなかで「評価」したのではなかった。気持のよい春の日、診察開始までにすこし時間があったので、私は庭をぶらぶらしていた。レベッカはベンチに腰かけ、四月の若葉の芽ぶきを、静かに、楽しそうにながめていた。彼女の姿には、あの見るからにひどい不器用な不格好さはみじんもなかった。薄物の服を着てすわっている彼女の顔は、おだやかで、すこし微笑んでいた。とつぜん私は、イリーナ、アーニャ、ソーニャあるいはニーナといった、チェーホフにでてくる乙女のことを思い浮かべた。背景は桜の園である。彼女は、美しい春の日を楽しんでいる乙女そのものだった。神経学者としての私の見解はどうであろうと、すくなくとも普通の人間として私はそう感じた。

近づくと、足音を聞きつけ、彼女はふり向いた。そして満面に笑みをうかべ、ことばではなく身ぶりでこう言った。「ごらんなさい、なんて美しいんでしょう」それから彼女は、突然ジャクソン症候群に特徴的ないきおいで、ふしぎな詩のようなつぶやきをもらした。「春」「誕生」「成長」「めざめ」「よみがえり」「季節」「万物が時をえている」私は旧約聖書の『伝道の書』を思いだした。「天が下のすべてのことには季節があり、すべてのわざには時がある。生まるるに時があり、死ぬるに時があり、植えるに時が……」

とぎれとぎれではあったがレベッカが叫んでいたことは、まさしくそれだった。それは季節のヴィジョン、時のヴィジョンであり、『伝道の書』の書き手のそれにほかならなかった。「彼女は知的障害の伝道者だ」と私はひそかにつぶやいた。私のなかにある彼女の二つの姿、知的障害の彼女と象徴主義者としての彼女とが、このことばのなかで出会い、衝突し、融けあった。その前に診察したときの彼女はひどいものだった。そのときのテストは、すべての神経学や心理学のテストと同じように、欠陥を明らかにするばかりでなく、彼女を分解して欠陥と能力にわけるようにつくられていたのだが、そこでは彼女はまったくだめだった。しかし、庭にいたときの彼女はふしぎに統一がとれ、落ちついていた。

以前はあんなに統一を欠いていたというのに、庭にいたときにはどうやって統一のとれた落ちついた存在に変ったのだろう。彼女の思考、組織、存在には、まったく異なった二つの相があるにちがいない。ひとつは体系的な相というべきもので、図形を理解したり、問題を解いたりするときに必要なものである。今までやってきたのはこの相についてのテストで、そこでは非常に劣っていることがわかっていた。しかしそのテストでは、欠陥以外のことはなにもわからない。欠陥の向こうにあるものは見えてこないのだ。

彼女がはっきりと能力をもっていることは、そのようなテストからはすこしも感じとることができなかった。つまり現実の世界——自然界や想像の世界——を一貫性のある、明瞭で詩的な存在として感じとる能力、そのような世界を見つめ考え、可能ならばそれを生きる能力をもっていることなど、すこしも予想できなかったのである。彼女にも、明らかに平和で調和がとれて一貫している内なる世界がある、と感じることはできなかった。それを見つけるには、問題や課題などとは別の方法が必要なのである。

彼女を落ちつかせたものはいったい何だったのだろう？ それが体系的《スキマティック》なものでないことは明らかだった。私は、彼女が物語が好きで、物語的な構成や調和を好むことを思い出した。もしかしたら、目の前にいるこの女性、認識障害をもつ知的障害だが魅力的なこの女性は、一貫した世界をつくりあげるのに物語的、演劇的な方法を用いることができるのではないか。非常に劣っていてまったく役に立たない体系的方法のかわりに、物語的、演劇的方法を用いているのではないか。そう考えながら、私は踊っているときの彼女を思い出した。ふだんはひどく不格好なのに、踊っている時はどんなにしっかりしていたことだろう。

ベンチに腰かけて、虚飾のない崇高な自然の景色を楽しんでいる彼女を見ながら、私は、われわれのアプローチや評価が、とほうもなく不適切だったことをさとった。それらは、欠陥を見つけるだけで能力を見いだそうとはしないのだ。音楽、物語、演劇のように、それ自体に内在する力で自然に進行していくものこそ必要なのに、それらのテストは、たんにパズルや図表を示すだけなのである。

レベッカは、自分自身を物語的な方法でまとめることができる状態にあれば、「物語的な存在」としては無傷で完全なのだ。これはとても重要なことで、知っておくべきだった。これがわかっていれば、スキマティックな方法とはまったくちがう方法で、彼女の潜在能力を知ることができたからだ。

あまりにもちがう様子の彼女を偶然に見たことが幸いだった。欠陥だらけでどうしようもない彼女と、もう一人の、とても頼もしく有能な彼女。彼女が、私の診た最初の知的障害の患者だったことも幸いだった。なぜなら、彼女に認められたことが、他のすべての患者にもあてはまることだったからである。

ひきつづき診察するにつれ、彼女の人間性は深みを増していくようだった。彼女が内面の深いところを見せるようになったせいかもしれないし、私が彼女の内面に敬意をはらうようになったためかもしれなかった。彼女はその年、幸せそのものだったわけではないが、おおむね幸せだった。

十一月に彼女の祖母が亡くなった。四月に彼女が見せていた明るさや喜びは、深く暗い悲しみにかわってしまった。悲しみにうちひしがれながらも、彼女は威厳をもってふるまった。以前とても印象的だった明るく叙情的な自我に、気高さと人間的な深みが加わった。私は知らせを聞くとすぐに彼女を訪れた。人気のないがらんとした家のなかの小さな自室に、彼女は私を迎えた。威厳は失っていなかったが、悲しみに凍りついた面持ちだった。そして、例のジャクソン症候群に特徴的な、きれぎれのしゃべり方で、呟くごとく訴えるがごとく、彼女は話しはじめた。「なぜおばあさんは逝ってしまったの？」そう言って彼女は泣き、またこう言った。「泣いているのはおばあさんのためではなく、自分のためよ」すこしたってから、彼女はまた言った。「おばあさんはもういいの、永久《とわ》の家へ旅立ったんだから」「永久《とわ》の家」とは彼女自身が考えた象徴的表現なのか、それとも『伝道の書』を無意識のうちに思い出して言ったのだろうか。「とても寒い」身をちぢめながら彼女は泣いた。「外が寒いからじゃない、家のなかが冬なの。死のように冷たい」そしてつけくわえた。「おばあさんは私の一部だった。私のなかのどこかが、おばあさんといっしょに死んでしまったの」

嘆いている彼女は完全な存在だった。悲しみにくれた完全な人間だった。知能の低さなどまったく感じられなかった。三十分たった。悲しみはやわらぎ、いくぶんか生気がもどった。彼女はこう言った。「いまは冬で、私は死んだような気がするけれど、きっとまた春はめぐってくるわ」

悲しみは、もちろんすぐには去らなかった。とはいえ、徐々によい方向へむかった。レベッカが予想していたとおりだった。悲しみがもっともひどい時でも、彼女にはそれがわかっていたようだった。祖母の妹である大叔母がこの家へ引っ越してきていたが、この大叔母の同情と援助が大きな支えとなった。シナゴーグや、おなじユダヤ教の信者仲間の助けも大きかった。とりわけ七日間の「服喪《シーベ》」が役立った。遺族、喪主として特別の地位が彼女にあたえられたからだ。私と自由に話ができたことも役に立ったかもしれない。興味深いことに夢もまた、彼女の支えとなった。夢を語るとなると、彼女はいつも生き生きとしてきた。夢には、喪に服しているあいだの彼女の心の変化がはっきりとあらわれていた（ピーターズ、一九八三）。

私は、四月の陽光のもとでニーナのようだった彼女をおぼえている。また、暗い十一月のある日、クイーンズ地区のわびしい墓地で、祖母の墓にカーディッシュの祈りをとなえながら、悲しみにうちひしがれて立っていた彼女の姿もはっきりおぼえている。祈りと聖書の物語は、いつも彼女に喜びをあたえてくれた。それらは、祖母が死ぬまえは、幸福で叙情的な祝福された生活と深く結びついたものだった。だがこのときの彼女は、葬送の祈り、詩篇百三番、とりわけカーディッシュの祈りのなかに、彼女に唯一ふさわしいなぐさめのことば、嘆きのことばを見いだしていたのである。

四月に最初に会ってから、十一月の祖母の死までのあいだ、彼女はほかのクライアントとおなじように、――ぞっとする呼称だが、「患者」よりは聞こえがよいというので当時はこの語がはやった――われわれの「機能開発認識力促進」の一環として（この語もまた当時の流行だが）、さまざまな作業や授業を強制的にうけさせられていた。

しかし、それはレベッカには効果がなかった。ほかの患者についても同様だった。欠陥とされる部分の矯正に力をいれすぎ、しばしば残酷なまでに作業を課するのだが、結果はむなしかった。こんなやり方は適切な療法ではない、私はそう考えるようになった。

われわれは、患者の欠陥にあまりにも多くの注意をはらいすぎていた。それでいて、変化していない、失われることなく残っているほうの能力をほとんど見ていなかった。そのことを、最初に言ってくれたのはレベッカだった。われわれはいわゆる「欠陥学」に関心をよせすぎていて、「物語学」のほうにはほとんど注意をはらわなかったのである。「物語学」こそ、これまでは無視されてきたが必要な「具体性の科学」なのである。

レベッカは、まったく異なる二つの思考・精神形態――「パラダイム的（範例的）なもの」と「物語的なもの」（ブルナーの用語）を具体的なかたちで体現していた。どちらも、成長する人間の精神に生まれながらにして備わっている自然なものだが、二つのうちでは、「物語的なもの」が先行し、精神的にも大切なものである。

ごく幼い子供たちは、物語が好きでそれを聞きたがる。一般的な概念や範例を理解する力はまだないうちから、物語として示される複雑なことがらは理解することができる。世界とはどういうものなのかを子供に教えるのは、「物語的な」あるいは「象徴的な」力なのである。象徴とか物語をとおして具体的な現実が表現されるからである。抽象的な思考などまだなんの役にも立たないころから、それはおこなわれている。子供たちは、ユークリッドを理解するより先に聖書を理解する。それは聖書がより単純だから(おそらくその逆だが)ではなく、聖書が象徴をもちいた物語として語られているからである。

このように考えると、十九歳のレベッカは、祖母の言うとおりまったく子供のようだったといえよう。だが「子供のよう」ではあっても、子供ではなかった。なぜなら年齢的には大人なのだから(「知的障害」ということばは、子供が持続していることを意味し、「知能が低い」ということばは、欠陥のある大人を意味している。これらのことばや概念には、深い真実と嘘とがまじっている)。

レベッカにかぎらず、内面的成長が可能な「知的障害」の場合、感情的、物語的、象徴的能力は、いちじるしく伸びる可能性がある。そして、レベッカがそうだったように詩人としての才能が育ち、ホセのように絵描きとしての才能が伸びることはありうる。一方、パラダイム的な能力、概念的能力など、最初からはっきり弱いものは、こつこつと学習を続けても伸びることはなく、発達するといっても限度がある。

レベッカにはこのことがよくわかっていた。最初に会ったその日から、彼女はそれをはっきりと教えてくれた。彼女は自分の不器用さについて話し、そうしたちぐはぐで不器用な動きが、音楽に合わせるとどんなにまとまりのある落ちついたものになるか、どんなにスムーズに動けるか話してくれた。そして、庭で会ったときには、物語的な統一や意味をもつ美しい自然の景色を見ているとどんなに落ちつきをとりもどせるか、見せてくれたのである。

祖母が死んでから、にわかに彼女は断固とした態度をとるようになった。「授業なんてもういやです。作業もいやです」と彼女は言った。「なんの役にも立ちません。あんなことやったって、人間としての統一は生まれません」そして彼女は、知能の低さにもかかわらず、みごとで適切な例と比喩をもちいて（まったくこれにはいつも感心させられるのだが）、診療所の絨毯に目をおとしながらこう言った。「私は、生きている絨毯のようなものです。絨毯にあるような模様、デザインが必要なのです。デザインがなければバラバラで、それっきりです」レベッカの言うことを聞きながら、私は絨毯を見おろした。そして、シェリントンの有名なイメージのことを思いだした。シェリントンは、「頭脳と心」を「ふしぎなはた織り機」にたとえた。たえずほどけていくのだが、意味深い模様をいつも織りつづけるはた織り機である。私はこう考えた。デザインといったものがまったくない絨毯などありうるだろうか、と。絨毯そのものがなくてデザインだけあるということが可能だろうか？　それだったら、不思議の国でアリスが見たように、チェシャー猫の顔がきえて笑いだけのこっているようなものだ。レベッカが言うとおりで、生きている絨毯にはデザインと織り地の両方が必要なのだ。彼女には体系的構造が欠けていたから（絨毯でいえば縦糸と横糸）、物語的情緒的な要素にあたる模様がなければバラバラになってしまったことだろう。

「意味のあることが必要なんです」と彼女はつづけて言った。「授業をうけたりはんぱ仕事をするのは意味がないのです……私が本当に好きなのは」そのあと彼女は、もうたまらないといった様子で言った。「演劇なのです」

われわれはレベッカを作業からはずし、やりくりして特別の演劇グループにいれた。彼女は劇が好きだった。劇によって彼女は統一のとれた人間になることができた。おどろくほど彼女はうまくやった。役を演じるときには完全な人間になった。せりふはよどみなく、落ちつきもあり、自分のスタイルをもっていた。やがて、演劇と劇団が彼女の人生になった。現在舞台に出ているレベッカを見たら、彼女が知的障害だなどとは誰も想像できないことだろう。

後記

音楽、物語、劇には、実践的にも理論的にも、きわめて重要な力がある。知能指数が二十以下で、運動能力がきわめて低い知的障害の場合にもこのことはあてはまる。彼らのぎこちない動きは、音楽や踊りになるととつぜん消えてしまう。音楽があると、どう動けばよいかわかるのだ。四つか五つの動作や手順からなる単純な仕事さえうまくこなせない知的障害の人々が、音楽がはいると、それらを完ぺきにおこなうことができる。彼らは、体系としては把握できないそれらの仕事を、完全に音楽として、つまり音楽にはめこまれたものとしてとらえる。重度の前頭葉損傷患者と失行症患者についても、同様のことがみとめられる。まったく劇的に、といっていいほどだ。これらの患者は、知能はまったく損なわれていないのに、簡単なひとつながりの動作ができない。歩くことさえできない患者もいる。このような「行程失調」「運動音痴」と呼ばれるものには、通常のリハビリテーションは効果がない。ところがこれらの欠陥も、音楽にあわせるとまたたく間に消え去ってしまうのである。おそらく労働歌が生まれたのは、こういう理由もあったにちがいない。

基本的に言えることは、抽象的で体系的な方法が役立たないときにも、音楽には、組織しまとめる力、効果的に楽しくまとめる力があるということだ。他の方法ではどうやってもまとまらないときに、音楽だけはそれをやれるということは、とりわけ劇的ではないだろうか。したがって、知的障害の人々や失行症患者の作業時には、音楽や「物語的な」要素が必要不可欠なのである。訓練や療法は、音楽やそれとおなじ効果のあるものを中心におこなわれるべきである。演劇はもっと効果的である。役には、組織しまとめる力がある。

劇がつづくかぎり、「役」はまとまった人格をもちつづけるからだ。役を演じたり、何かに「なる」という能力は人間の特権である。それには知能の差など関係ない。そのことは子供を見ればわかる。老人を見ればわかる。そしてレベッカのような知的障害の人々を見たとき、この上なくよく、胸がしめつけられるくらいによく理解できるのである。

22

生き字引き

六十一歳のマーチン・Aがわれわれのホームに入所したのは、一九八三年も暮れようというころだった。彼はパーキンソン病で、もはや一人では自分のことができなくなっていた。子供のときに髄膜炎であやうく死にかけ、それが原因で知的障害となったのだ。そのうえ衝動的で、発作をおこしやすく、半身がいくらか痙攣していた。学校へかよったのはほんのわずかだけだったが、音楽についてはすばらしい教育をうけていた。父親がメトロポリタン歌劇場の有名な歌手だったのである。

彼は、両親が亡くなるまではいっしょに暮らしていたが、その後はメッセンジャーやボーイ、ファストフードのコックなどをしてなんとか暮らしてきた。できることなら何でもやったのだが、動作がのろく、ぼんやりしていて役立たずだったので、いつもじきにクビになった。もし音楽的な才能や感受性がなかったら、そして音楽があたえてくれる喜びがなかったら、彼の人生は、憂鬱でつまらないものになっていただろう。

彼は音楽についておどろくべき記憶力をもっていた。オペラなら二千曲以上知っている、と話してくれたことがある。もっとも、音楽を習ったことはなく、譜面も読めなかった。はたしてそんなことが可能だったのかどうかはともかくとして、彼の才能はなみはずれた耳の良さのおかげだった。一度聞いただけで、オペラでもオラトリオでも忘れずに記憶できた。残念ながら、声は耳の良さにはおよばなかった。音痴ではなかったが、しゃがれ声で、痙攣性音声障害があった。親から受けついだ生まれながらの音楽的才能は、髄膜炎や脳障害にもかかわらず失われなかったのだろうか。もし障害がなかったら、彼はカルーソのような大歌手になれただろうか。それとも、音楽的能力が発達したのは、ある程度まで、脳障害や知能障害にたいする代償だったのだろうか。答は謎のままだろう。たしかなことは、彼の父親が、音楽的な素質ばかりでなく、音楽にたいする情熱をも、密接な親子関係を通じて、おそらくは知的障害の子にたいする優しい愛情を通じて、彼に伝えたということである。のろまで不器用なマーチンを父親は愛し、彼も父親を熱愛した。そして、親子の愛情は音楽にたいする愛を共有することでゆるぎないものとなったのである。

マーチンがいちばん残念に思っていたことは、父親のように有名なオペラやオラトリオの歌手になれなかったことである。しかし、その思いにとりつかれて悩んでいたわけではない。彼なりに、できることに喜びを見いだし、それで人々を楽しませたのである。彼の記憶力があまりにもすばらしいので、有名な人々さえ彼のところへやってきた。彼の記憶は音楽そのものだけでなく、演奏にまでおよんでいた。彼は生き字引きとして多少は名を知られていた。二千曲のオペラの音楽ばかりでなく、数えきれないほど多くの公演で役を演じた歌手全員をおぼえていた。さらに、背景や演出、衣装、舞台装置の細かい点までおぼえていたのである（彼はまた、ニューヨークじゅうの道という道、家という家、そして電車やバスの路線を全部おぼえていることを自慢にしていた）。要するに彼は熱狂的なオペラ通であり、また「知的障害の天才《イディオ・サバン》」と言ってもよかった。彼は、このような並はずれた記憶力をもっていることに子供のような喜びを感じていた。それは、直観能力者や熱狂者の感じる喜びだった。しかし心から喜びを感じるのは、教会で聖歌隊の一員として歌うときだった。彼の人生にとって、それは唯一の支えだった（悲しいことに、音感痙攣のためソロでは歌えなかったけれど）。イースターやクリスマスといった大きな行事で「ヨハネ受難曲」「マタイ受難曲」「クリスマスオラトリオ」「メサイヤ」を歌ったときはとくに嬉しかった。彼は、少年のころから今日まで五十年間、ニューヨークの大きな教会や大聖堂でそれらを歌ってきた。メトロポリタン歌劇場でも歌ったし、それが壊されてしまうと、リンカーンセンターでも、ワーグナーやヴェルディが演奏されるときには、大合唱団にこっそりまじって歌った。

たいていはオラトリオや受難曲のような大曲だったが、小さな教会の聖歌隊や合唱団で歌うときでも、音楽に没入していくにつれ、マーチンは、自分が知的障害であることや、悲しいこと、いやなことなどをすべて忘れ、大いなるものに抱かれているような気がして、自分も一人前の人間であり、神の子なのだと感じた。

マーチンの世界、内面世界はどのようなものだったのか。概して彼は世間知らずだった。すくなくとも実際的な生きた知識はわずかしかもっていなかったし、まったく興味もないようだった。百科事典の一ページや新聞を読みきかせたり、アジアの河川地図やニューヨークの地下鉄路線図を見せれば、彼はたちどころに、それを直観的に記憶してしまった。だが、そのような直観的記憶は、彼と何のかかわりもないことだった。リチャード・ウォルハイムのことばをかりれば、それは、実存的な自我とは無関係のたんなる「非中枢性の」記憶にすぎなかったのである。ニューヨークの地図に感情がないのとおなじで、そのような記憶にはほとんど、いやまったく、なんの感情も存在しない。脈絡がなく発展性もないし、応用されることもない。だから、彼の常軌を逸した直観的記憶は、いかなる意味においても、それ自体では完結した世界にならなかった。統一なく、感情なく、彼自身とのかかわりもまったくない。それは生理的なものといってよかった。すなわち、記憶の核あるいは記憶の銀行のようなもので、生身の人格の一部ではなかった。

しかし、ひとつだけ例外があった。きわめて個人的で敬虔な動機にもとづいた記憶があったのである。彼は一九五四年に出版された、全九巻からなる膨大な『グローブ音楽・音楽家事典』を暗記していた。まさしく生きたグローブ事典だったのである。父親は年をとって病気がちになり、歌手としてはもう表だった活動ができず、ほとんど家にいるようになった。彼は三十歳になる息子をそばにおいて、たくさんの声楽のレコードをかけ、楽譜を全部だしてきて次から次へと歌ってすごした。彼らがもっとも密接なつながりを感じたのは、このようなときであった。父は、グローブ事典を息子に読んで聞かせた。六千ページ全部をである。父が読むとともにそれは、読み書きこそできなかったが無限に記憶できる息子の大脳皮質に記憶されたのだ。その後、グローブ事典を思い出すたびに、父親の声が聞こえ、彼は胸がいっぱいになるのだった。

そのようなとほうもない直観的記憶は、専門的に使われたり利用されたりした場合、自我と対立してそれを排除してしまうか、発展を妨げてしまうことがあるようだ。しかし、直観的記憶には深みも感情もないのだとすれば、そのような記憶には痛みも感じないはずだから、それは現実から逃避するための手段となりうる。ルリアの記憶亢進患者の場合には明らかにそうだった。彼の本の最終章にはそのことが痛ましいほどに書かれている。マーチン、ホセ、双子の場合にも、ある程度まで、これとおなじことがおきていたのは明らかだ。しかし、彼らの場合直観的記憶は、現実のためにつまり実用として、また現実を越えるためにも使われていた。世界を感じとるための、すぐれた神秘的な感覚として使われていたのである。

直観能力者でなかったら、マーチンの世界はどのようなものだったろう。しょせんそれは、小さくて、せせこましく、汚くて暗い世界だった。子供の時はからかわれ、仲間はずれにされた。大人になってからも、いやしい仕事に雇われてはいつもクビになる、そういう暮らしだった。子供のときも、大人になってからも、一人前の人間ではないと思いこまされてきたのである。

彼はよく子供じみたことをしたし、ときには意地悪で、かんしゃくをおこしたりした。そんなとき、彼は子供のような口をきいた。「どろんこを顔にぶつけるぞ！」と叫んでいたこともある。人につばを吐いたり殴りかかったりすることもあった。鼻をずるずるすする。汚らしい。鼻水を袖でふく。そんなときの彼は、様子も感情もまるで子供で、ほんとに鼻たれ小僧と変りなかった。子供じみた性格のうえに、人間的な温かみや親切心がないし、これみよがしに記憶力のいいのを見せびらかすので、彼は誰からも好かれなかった。やがて彼はホームのきらわれ者になり、入所者の多くが彼を避けるようになった。事態はますます悪化した。日ごとにマーチンは悪くなっていき、誰もどうしたらいいのかわからなかった。最初は、外で独立して生活していた人がホームに入所したとき誰もが経験するような適応障害だと思われた。しかし、もっと特別な原因があるとシスターは感じていた。「何かが彼をさいなんでいるのです。渇望のようなものです。われわれにはそれをやわらげてあげることができないんです。でも何とかしなくてはいけません」と彼女は言った。

一月にふたたび診察にいったとき、彼はまるで別人のようだった。以前のようにうぬぼれ屋でも自慢家でもなかった。彼は明らかに、精神肉体両面で苦しみ、憔悴していた。

「いったいどうしたんですか」私はきいた。

「歌わなくてはいけないんです」しわがれ声で彼は答えた。「歌なしでは生きていけません。それも、ただの音楽ではだめです、祈ることができませんから」そして突然、昔のことを思い出してこう言った。「バッハにとって、音楽とは祈りの道具だった……これはグローブ事典のバッハについての記述で、三〇四頁にあります。日曜には」思い出にひたっているかのように、もっとおだやかに彼はつづけた。「かならず教会に行って、聖歌隊で歌っていました。歩けるようになるとすぐに、父に連れられて行ったのです。そして一九五五年に父が亡くなったあとも、ずっと行っていました。行かなくてはならないのです」彼はきっぱりとこう言った。「行かなければ、死んでしまいます」「行かせてあげますとも」私は言った。「われわれには、あなたが何を恋しがっているのかわからなかったのです」

教会はホームからそう遠くなかった。マーチンは喜んで迎えられた。教会員および聖歌隊のメンバーとして歓迎されたのはもちろんだが、父親が以前そうであったように、聖歌隊の幹部、相談役として迎えられたのである。

それ以来、彼の生活はがらりと変った。彼は、本来の居場所をとりもどしたように感じた。日曜ごとに、バッハを歌って祈ることができた。聖歌隊幹部としてのささやかな権威も誇らしかった。

「ねえ先生」つぎに私が訪ねたとき、彼はうぬぼれた様子もなく、淡々とうちあけ話でもするようにこう言った。「私がバッハの礼拝音楽と合唱曲すべてを知っていることが、教会の人たちにわかったのです。私はグローブ事典にのっている二〇二曲の教会カンタータ全部を知っているんです。それに、どの日曜日になにを歌うか、どの聖人の祝日になにを歌うのかも知っています。この司教区で本格的なオーケストラと聖歌隊をもっているのは、われわれの教会だけなんです。それにバッハの声楽曲全曲を定期的に歌っているのもここだけです。毎日曜にカンタータを歌いますし、今度のイースターにはマタイ受難曲をやるんです」

知的障害のマーチンが、このように情熱的にバッハに傾倒しているのはふしぎなことだった。感動的でもあった。バッハは非常に知的と考えられていたし、マーチンは知的障害だったからだ。私は〈カンタータ〉のカセットを、一度などは〈マニフィカト〉のカセットをもって彼を訪ねた。そのときはじめて私は、知能が低いにもかかわらずマーチンは、バッハの複雑な技巧のほとんどを完全に理解できる音楽的知性をもっていることに気がついたのである。知能など問題ではなかった。バッハは彼のためにあり、バッハこそ彼の命だった。

マーチンは、異常にすぐれた音楽的能力をもっていた。しかしそれは、適切な場面において自然なかたちで用いられるのでなければ、たんに常軌を逸したものにすぎなかった。

父親にとって大切だったこと、それがマーチンにとっても大切だった。二人は、音楽の魂、わけても宗教音楽の魂、声の魂を共有していたのである。声こそ、喜びと神の賛美に用いられるべく神がつくり給うた楽器なのである。

マーチンはまったく別人になった。教会にもどって歌うようになってから、彼は自分を取りもどして立ち直り、もう一度真実の存在になったのである。半人前の人間、疑似人間ではなくなった。知恵遅れと言われつづけた、鼻たらしの汚らしい子供じみた姿は消えてしまった。彼はもはや、癇にさわる、感情のない、非人間的な直観能力者ではなかった。人格をもった人間であった。尊厳をもった礼儀正しい人間として、今ではほかの入所者たちからもうやまわれ、一目おかれている。

だがマーチンが実際に歌っている姿、音楽と一体になり、法悦の境地で一心に聞き、全身全霊をかたむけている姿こそ、まさに驚異だった。そのとき彼は「変身して」いたのである。踊っているときのレベッカや、絵を描いているときのホセ、そろって数の世界に没入しているときの双子とおなじである。欠陥や生理学的な問題はすべて消えさり、調和のとれた快活さ、統一のとれた健全さだけがあらわれていたのである。

後記

この章と次の二章では、私自身が経験したことだけを書いた。当時は、この問題をあつかった本が実際に数多く出ていることなど知らなかった（例えば、ルイス・ヒルによる五十二の症例　一九七四）。「双子の兄弟」を発表したあとではじめて、私はおぼろげながらそのことに気がつき、おどろくと同時に興味をひかれた。そうこうするうちに、手紙や抜刷りが殺到したのである。

私はとくに、デヴィッド・ビスコットによるみごとで詳細な症例報告（一九七〇）に興味をひかれた。彼の患者ハリエット・Gと私のマーチンとのあいだには多くの共通点があった。二人とも並はずれた能力をもっていたが、それが「非中枢的に」すなわち人生を否定するようにつかわれることもあったし、ときには人生を肯定するように、創造的につかわれることもあった。父親が読んで聞かせると、ハリエットはボストンの電話帳の最初の三ページ分を記憶し、その後数年間、そのページの番号なら求めに応じて答えることができたのである。しかし同時に、それとはまったくちがう、おどろくほど創造的な力ももっていた。彼女は、どのような作曲家のスタイルを使ってでも作曲することができたのである。

双子の兄弟の場合と同様に（23章参照）、マーチンの場合もハリエットの場合も、彼らの能力が「イディオ・サバン」特有の機械的なはなれ業、並はずれてはいるが無意味なはなれ業に堕するおそれはあった。だがそれをしないですむあいだは、双子の兄弟と同様に、彼らはたえず美と秩序を追求しつづけていたのである。マーチンは、さほど重要でもないことにおどろくべき記憶力をもっていたが、彼が真の喜びをえたのは秩序と調和からだった。カンタータの音楽的精神的秩序であろうと、グローブ事典の百科事典的な秩序であろうとかまわない。ともかく、バッハもグローブ事典も、彼にとってはひとつの世界を伝えるものだったのである。ビスコットの症例と同様に、マーチンには音楽が世界のすべてだった。それこそ真実の世界であった。そのなかで彼は生き、変身する。これがマーチンにおこった奇跡である。それは明らかに、ハリエット・Gの場合も同じだった。

　この不格好で器量がわるく垢ぬけない娘、五歳にしては大柄な娘は、ボストン州立病院でのセミナーで演奏したとき、まったくの別人に変身した。彼女はしとやかに腰をおろすと、静かに鍵盤を見つめ、聴衆がしずまるのを待った。ゆっくりと鍵盤に手をおろすと、しばらくじっとしていた。それからうなずくと、ピアニストそのものといった動きで、感情をこめ、演奏をはじめた。その瞬間から、彼女は別人になったのである。

「イディオ・サバン」といえば、真正の知性や理解力などももたず、奇妙なコツとか機械的な才能だけをもっているかのように思われている。私もマーチンのことを最初はそう思った。バッハの〈マニフィカト〉をもちこむまではそう思いつづけていた。〈マニフィカト〉をいっしょに聞いたときはじめて、彼がその複雑さを完全に理解できることがわかった。彼が、たんなるコツや驚くべき機械的記憶力ではなく、本物のすぐれた音楽的知性をもっていることがわかったのである。そんなわけで私は、本書の初版発表後に送られてきた、シカゴのL・K・ミラーのすばらしい論文にとりわけ興味をひかれた。それは「発達障害のある音楽的博識者の音感構造にたいする感受性」という題で、妊娠中の風疹感染により、知能その他に重い障害をもった五歳の神童の詳細な研究であった（ボストン心理作用協会出版、一九八五）。それによると、彼女はたんに機械的な記憶力をもっているばかりでなく、「作品を支配している法則についてのすぐれた感受性、とくに主題の全音階的構造を決定する法則についての感受性をそなえていることも明らかになった……作曲するための構造法則について、彼女が絶対的知識をもっていることがわかったのである。つまり彼女の知識は、特定の経験から得られたものではないのである」私は、これがマーチンの場合にもあてはまることを確信した。だとすれば、このことは「イディオ・サバン」すべてについて言えることではないか。音楽、数字、視覚など、すぐれている領域において、彼らは真正の創造的な知性をもっている。たんに機械的なコツをもっているだけではないのである。たとえ特殊なせまい領域であっても、彼らの能力が発揮できるのは、マーチンやホセ、そして双子の兄弟のような知的障害の人々に「創造的な知性」があるからである。理解し大切に育てなくてはならないのは、このような知性なのである。

23 双子の兄弟

一九六六年、私が州立病院で双子の兄弟ジョンとマイケルにはじめて会ったとき、彼らはすでによく知られた存在だった。ラジオやテレビに出たこともあったし、この二人のことは学者たちの研究対象にもなり、学界にかぎらず広く一般にも話は伝わっていた。[1] 二人をモデルにしたサイエンス・フィクションまで書かれるありさまだった。それは多少フィクションもまじえてあったが、大筋のところは、実際に報告された話にもとづいたものだった。

その双子は二十六歳だったが、七歳のときから施設にはいっていた。自閉症、精神病、重度の精神遅滞、などと診断はさまざまだった。二人についてそれまで言われてきたことをまとめると、こういうことになる。いわゆる「知的障害の天才《イディオ・サバン》」と言っていいのだろうが、長所は何もないけれど、ただひとつ、記憶力だけは抜群なのである。経験したことは、些細なことまで実によくおぼえている。さらに暦にかんすることとなると、意識していないが頭のなかになにかアルゴリズム（算法）をもっているらしく、過去のどの日でも未来のどの日でも、それが何曜日であるか即座に答えられるのだ。無意識アルゴリズムの内在というこの考えは、スティーヴン・スミスがあの想像力あふれる大著『偉大なる頭脳計算器』（一九八三）のなかで主張しているところである。私の知るかぎりでは、この双子の研究は一九六〇年代半ばがピークで、それ以後はおこなわれていない。ある時期関心をもたれたけれど、一応説明がついて謎が解けたかに思えると、それからあとは本気でとりあげる者はない状態である。

しかしこれはまちがっている、と私は思う。二人のことが正しく理解されていないのは無理もない。研究者たちは紋切型の考えから抜けきれなかったし、お定まりの質問をあびせ、ひとつのことしか頭になかったのだから無理もない。そうやって彼らは、この二人のことを――二人の心理を、方法を、生き方を――理解も評価もせず、つまらないものとして一蹴してしまったのである。

だがこれらの研究がなんといおうと、現実はそれよりはるかに不可思議で、複雑で、そう簡単に説明がつくものではない。一方的に攻めたてるだけの形式的なテストや、よくある「六十分番組」のようなインタビューを二人にむかってやったところで、真実を垣間見ることさえできないだろう。

これらの研究やテレビで実演させることがまちがっている、というのではない。それらはちゃんと筋がとおっているし、しばしば多くのことを教えてくれるので参考にはなる。

だがそれらは、外からよく見える「表面」だけをあつかっていて、深いところまで降りていかない。底の底の深いところに何かあるということに言及もしないし、考えてみたことさえないのである。

双子をテストするなどという考えを捨て、彼らを研究の「対象」と見ることをやめないかぎり、深い奥底に何かあることに気がつくはずはないのである。われわれは、彼らを枠にはめたり、テストしようとする気持を捨てなければいけない。そして、ただひたすらこの双子を知ろうとつとめなければならない。虚心に、ただだまって、じっと観察しなければならない。いっさいの先入主をもたず、表にでた現象をあるがままに受けとるという態度で接しなければならない。彼らが生活し、考え、二人そろって静かに何かをやっているのを、たとえそれが奇妙なふうに見えようとも、むしろ共感をこめて見守るだけにしなければならないのである。そうした時はじめてわかってくるのだが、なんとここには、この上なくふしぎな何かがひそんでいるのである。それは、おそらく根源的なといってもいいある力であり、深淵なのである。私はそれを知って十八年になるが、いまだにそれは、解くことができない謎なのである。

その双子の兄弟は、最初会ったとき、人をひきつけるような魅力はどこにもなかった。あたかも『鏡の国のアリス』に登場するグロテスクなトゥィードルダムとトゥィードルディーといったところで、たがいに見分けがつかないほどよく似ている。鏡を見ているようなもので、顔はまったくおなじ、体の動きもおなじ、性格も頭の働きもおなじ、脳の組織の欠陥状態までまったくおなじだった。二人とも背丈は常人以下、頭と手は不釣合いなくらい大きく、口蓋も足も弓のようにひどくわん曲している。声は単調で、キーキー鳴くような声だった。チックや奇妙な動きをしばしば見せ、二人そろってひどい近眼で、ぶ厚いめがねをかけていたから、眼はかなりゆがんで見えるのだった。滑稽なちびの教授といった感じで、刺すような視線で相手をじっと見つめ、場ちがいなことを考えつめ、それに心を奪われているかのようだった。こうした印象は、こちらの質問がはじまると強まるいっぽうだった。いや、質問というよりもむしろ、人形にむかって、いつものパントマイムをはじめていいよというようなものだった。

これからあとは、それまでの論文などに書かれているのとまったくおなじだった。ステージに立ったときもこの通りだった（二人は、私のいる病院で毎年おこなわれる余興によく登場したのである）。しばしばテレビに出ることもあったが、そのときもおなじだった。

こうした場に出てやることは、いつもきまっていた。双子は言う、「ある日を言ってみてください。いつでもいいです。四万年前でも、四万年先でもかまいません」そこで誰かがある日を口にする。するとほとんど瞬間的に、それが何曜日であるかの答が返ってくる。「はい、ほかには？　もう一度おねがいします」二人は大きな声で言う。そしてこのパフォーマンスはくり返される。二人はまた、この八万年間のイースターが何月何日になるかを答えていく。研究報告のなかには書きもらしているのもあるが、彼らの眼はといえば、これをやっているあいだ奇妙な動き方をして、それからはたと止まるのである。あたかも、頭のなかに風景かカレンダーかがあって、それを順に繰ってしらべているかのようだ。とにかく、なにかを「見ている」ふうなのだ。この答えを出すことは純粋に「計算」の問題であるはずなのに、彼らは、ひどく緊張を有する視覚的作業をしている様子なのである。

数字にかんする彼らの記憶力は、たしかにすごい。限りがないと言ってもいいくらいだ。三桁の数字でも、三十桁の数字でも、三百桁であっても、同じように易々とこなしていく。これもまた、見えないなにかの「方法」あってのことにちがいなかった。

ところが彼らの計算能力をテストしてみると、おどろくほど悪いのである。計算能力こそは、算術的天才や人間計算機がもっとも得意とするところであるはずなのに、なんともこれは意外な結果だった。彼らのＩＱは六十で、ほぼそれに見合った計算能力しかないのである。簡単な足し算や引き算も正確にできない。掛け算と割り算にいたっては、なんのことなのか意味もわからない。これはなんとしたことだろう。「人間計算機」なのに計算ができず、算術のごく初歩的な能力すらも欠いているとは。

それなのに彼らは、「カレンダー計算機」と呼ばれている。どうやら、ここにあるのは記憶力などではなくて、カレンダー計算に適した無意識無自覚のアルゴリズムを使っているらしいのである（もちろん、たしかな証拠はほとんどないといっていいが）。カール・

フリードリッヒ・ガウスは最大の数学者でありすぐれた計算家だったが、イースターの日を算定するためのアルゴリズムを考え出すことは、彼の能力をもってしても容易にできなかった。それを思うと、この兄弟がごく簡単な算術すらできないのに、そうしたアルゴリズムをさぐりあてて使っているなどということは、信じられないことだった。計算にすぐれた人はみな、自分に合った方法やアルゴリズムを自分でつくり出して、それらをたくさんレパートリとしてもっているものである。それでおそらくW・A・ホーウィッツその他の人々は、この双子の場合も当然そうだろうと考えたのである。スティーヴン・スミスは、こうしたはじめのころの研究報告を額面どおりに受けとって、つぎのように書いている。

　よくあることだが、われわれの理解をこえたふしぎなものが、ここに働いている。多くの具体例を経験することによってそこから無意識裏にアルゴリズムをつくりあげるという、人間の神秘的な能力といったものが。

もしそう言って万事すむとしたら、この二人はよくある存在のひとつで、ふしぎでもなんでもないことになるだろう。なぜならば、アルゴリズムを用いて計算することは、本質的には機械的なことなのだから（現に機械はそれを上手にやっている）。そうなれば、もはやことは「難問」というだけであって、すくなくとも「神秘」の世界とは関係がないことになる。

しかし彼らがやってみせるパフォーマンスあるいは「芸当」のなかには、本当におどろくようなものがあった。彼らは、過去のどの日を言われても、その日の天気とその日におこった出来事を答えることができるのである。だいたい満四歳の時からあとでさえあれば、どの日をきかれても、すぐに答えることができるのだった。ところでこのときの二人のしゃべり方だが、ロバート・シルヴァーバーグがその小説の主人公メランジオについて描いているとおりで、じつに子供っぽく、こまごまと詳しく、それでいて、感情がまったくこもっていないのである。ある日が口にされる。それを聞くと二人の眼は一瞬くるくると動くが、それから一箇所に止まる。すると平板で単調な声で、その日の天気と、その日報道されたという政治的事件と、二人の身の上におこった出来事が告げられるのである。この最後の、二人の身の上におこった出来事のなかには、往々にして、幼少時代のつらい思いや、人から受けた侮蔑やあざけりや屈辱などが当然ふくまれているはずなのに、なんとも一様で変化のない調子で語られるのである。抑揚もなければ、感情がすこしもこもった気配がないのである。明らかに、彼らの記憶はただ事実の記録にすぎず、個人的《パーソナル》なものとも心情的なものともかかわり合いがなく、中心に生身の人間がいることをまったく感じさせないのである。

パーソナルな要素や感情がこれらの記憶からすっかり排除されていたということは、強迫観念がつよいタイプや分裂症的なタイプにみられる、一種の防御姿勢のしわざといえるのではないかと思う（事実この双子は強迫観念がつよく、かつ分裂症的であった）。しかし同時に言えることは、この種の記憶はそもそもパーソナルな性格をもっていなかったということだ。それが、彼らのような直観的記憶の大きな特色なのである。

しかしとくに強調したいのは——普通の素朴な人には明白でおどろくはずなのに、研究者たちはかならずしも十分に書きしるしているといえないが——この双子の記憶量の厖大さである。まったくのところ、限りがないように思えるのだ（子供っぽく、月なみなものだとしても）。そればかりでなく、記憶がもどってくる時のもどり方がまた、注目に値する。どうして頭のなかにそんなに多くのことを——三百桁の数字だの、過去四十年間にあった何千億という事件を——保持していることができるのかと聞くと、彼らはさらりとこう答える、「見るだけなんです」と。どうやら「見る」ことが、このふしぎを解く鍵のように思われる。問題は「視覚化」にあるらしい。それも、異常な集中力を発揮し、広大な範囲にわたり、寸分たがわぬ厳密さを必要とする「視覚化」にあるらしいのである。それが、彼らの頭脳の生得的な生理学的能力であるように思われる。A・R・ルリアが『偉大な記憶力の物語』のなかで書いているあの有名な患者がやることに似ている。ただちがうのは、ルリアの患者の記憶力はゆたかな共感覚《シネステジャ》と統合能力をもっていたのにたいし、この双子にはそれがないという点だろう。だがたしかなことは——すくなくとも私にはそう思われたのだが――この双子は目の前にとほうもない大きなパノラマをもっている、ということだった。それは一種の風景《ランドスケープ》で、そのなかには、これまでに聞いたもの、見たもの、考えたこと、したことが全部はいっている。そして一瞬のうちに――眼がくるっと動いたかと思うと動きがぴたりと止まって、なにかを凝視するようになるのだが――彼らは（心の眼によって）この巨大な「風景」のなかにあるどんなものでもたぐりよせ、「見る」ことができるのだった。

このような記憶力は、きわめて異常でめずらしい。だが、ほかに例がまったくないわけではない。この双子が――あるいはほかの誰にしても――どうしてそのような記憶をもちうるのかについては、われわれにはほとんど何も、いやまったくわからない。それではこの双子のなかに、もっと興味をひく何かがあるのだろうか？　たしかにある、と私は思う。

十九世紀にエジンバラ大学の音楽教授だったサー・ハーバート・オークレーについて、こういう話がある。あるとき農場に行って豚がなくのが聞こえると、とたんに彼は「Gのシャープ！」とさけんだ。誰かがすぐピアノのところへ走った。オークレーの言ったとおり、たしかにGのシャープだったのである。私自身がこの双子の「自然の」力や、いとも「自然な」態度をはじめて見たときの印象も、これに似ていた。ごく自然で、むしろ笑って見ていられるくらいだった。

二人のいるテーブルにあったマッチ箱が床へ落ちて、中身が出てしまった。「百十一」

と二人は同時にさけんだ。それからジョンが「三十七」とつぶやいた。マイケルもおなじことを言った。ジョンがもう一度おなじことを言った。それで終りだった。私がマッチの軸をかぞえると――時間がだいぶかかったが――ほんとに百十一本あった。

「どうしてそんなに早くかぞえられるの？」私はたずねた。「かぞえるんじゃないです」と二人は言った。「百十一が見えたんです」

おなじような話が、数の天才といわれたザカリアス・ディスについて伝わっている。彼はたくさんの豆が目の前にざあっとひろげられると、とたんに「百八十三」とか「七十九」と言ったという。そして、彼もまた知的障害だったから説明には窮したが、自分は豆をかぞえるのではない、一瞬のうち全体の数が「見える」だけだ、と答えたという。

「なぜ三十七とつぶやいたの？　なぜそれを三回くり返したの？」と私は二人にたずねた。彼らはそろって同時に言った。「三十七、三十七、三十七で百十一」

これを聞いて、私はこれまで以上におどろいた。彼らが百十一を一瞬にして見るということもおどろきではあった。しかしその異常さは、オークレーの「Gシャープ」とおなじ程度のもので、オークレーの絶対音感に相当するものを数にたいしてもっていると考えれば、納得はいく。しかし彼らは、百十一の因数分解までやってのけたのだ。なんの方法もなく、因数が何かも知らないというのに。前にも書いたように、彼らはごく簡単な計算さえできないし、掛け算・割り算がどういうことであるかも知らない（らしい）のである。

それなのにいま、百以上の大きな数を三等分して、けろりとしているのだ。ごくあたりまえといった顔をしているではないか。

「どういうふうにしてそれをやったの？」私は興奮してたずねた。彼らはたどたどしいことばで、せいいっぱい説明してくれようとした（そもそも、このようなことは説明しようにもことばなどないものである）。要するに、彼らは「やった」のではなく、一瞬のうちに「見た」だけだったのである。ジョンは二本の指と親指をつき出して、ある身ぶりをした。それは、ひとりでに数を三つに分けたということを示していたようでもあったし、あるいは数のほうが、ひとりでに同じ分量ずつ三つに分かれたという意味だったのかもしれない。彼らは、私がおどろいたことにおどろいているらしかった。まるで私が盲人かなにかのように映ったらしい。ジョンの身ぶりを見ていると、じかに、まぎれもない実体を把握していることはたしかだった。私は思わず心のなかでつぶやいた。こんなことってありうるだろうか、と。彼らには数が見えているのだ。概念として抽象的に理解するのでなく、はるかに具体的に、直接的に、感覚的に、ものとしてとらえているのだ。しかも百十一がひとかたまりで見えるだけでなく、それを構成している部分相互の関係までが、あたかもものが見えるように見えている。どうしてそんなことが可能なのだろうか。これをサー・ハーバート・オークレーでたとえれば、「三度音」とか「五度音」というのと同じことになるのである。

彼らが事件や日付を見ていることがわかったので、私は次のように思うようになっていった。すなわち彼らは、頭のなかに、壁掛けのような記憶の織物をもっている。それは巨大な（もしかすると際限のない）風景画のようなもので、見さえすれば、あらゆるものがそこにはいっている。ひとつひとつが単独で孤立して見えると同時に、他者との関係もまた見える。彼らがその容赦ない記録のタペストリをひろげると、まず目にうつるのは、すべてのものが孤立して存在している姿である。ところが彼らの視力は異常な能力があるから、その気になって目をこらすと、観念や概念などがまったく介入しなくても、そこにあるもの相互の関係まで見えてくるのではないだろうか？　最初の一瞥でまず百十一全体が（いわば一つにまとまった星座のように）ぱっと見えるが、その数の星座をつくり上げている複雑きわまりない内部の構成要素や、部分相互の関係なども また、同じく一瞥しただけで見えてしまうのではないだろうか。とほうもない能力で、こうなるともはや何をか言わんやである。私はボルヘスが書いた「記憶の人フネス」を思いだした。

われわれはひと目でテーブルの上の三つのワイングラスを知覚する。フネスはブドウの木のすべての若枝、房、粒を見る……黒板に書いた円周や直角三角形や菱形ならば、その形態は、われわれにも完全に直観できる。ところがイレネオには、同じように、種馬の荒々しいたてがみや、山道の牛の群れや……などが直観できるのであった。

彼がどのくらい多くの空の星を認めることができたか、それは測りしれない。この双子、たしかに数にたいして異常な情熱と才能をもっているらしく、「百十一」をひと目で読みとることができたけれど、それにしても、かりに「百十一」を葡萄の木とすれば、その木を見ると同時に葉も見て、蔓も見て、実も見る、などということがはたして可能なのだろうか？　そんな考えは奇妙で、ばかげていて、ありえないと言うべきだろう。だが、それまでに私が見せられてきたことはふしぎなことばかりで、私の理解を越えていた。彼らができること全体からいえば、こんなことはまだほんの序の口なのかもしれなかった。

私はこの問題をいろいろと考えてみたが、考えてどうなるものでもなかった。そのうちに忘れてしまったが、そのあとふとした偶然から、私は第二の光景に出くわしたのである。それは魔術でも見ているような、ふしぎな、おどろくべきものであった。

二度目にこの二人を見たとき、彼らはいっしょに部屋の片隅にすわっていた。二人の顔には、謎のような微笑がうかんでいた。それまで見たことがないような微笑で、どうやら二人だけで奇妙な喜びと平和を味わっているようすだった。二人の邪魔をしないように、私はそっと近づいていった。彼らは二人だけで、数そのものに関係したふしぎな対話をやっているらしかった。ジョンがある数を言う。六桁の数だった。マイケルはそれを聞くと、こっくりとうなずく。にこにこして、いかにもそれをとくと味わっているようすである。それから今度は、彼が別の六桁の数を言う。今度はジョンが受ける番で、それをゆっくりと反芻している。最初見たときこの二人は、まるでワイン通が、めずらしいワインを舌の上にのせ、その味と香りに二人そろって悦に入っているかのようだった。私はまだ彼らに気づかれなかったが、催眠術にかかったようになり、わけもわからずぼうっとしていた。

彼らは何をしていたのだろうか？ いったい何がおこなわれていたのだろうか？ 私にはぜんぜんわからなかった。一種のゲームらしかったが、普通のゲームの場合にはけっして見られないような重々しさと緊張がみなぎっていた。二人はじっと沈思黙考にふけり、なにやらおかしがたい神聖な雰囲気だった。いつもは興奮してはしゃいだ様子を見せていたのに、いまや一変し、これまで見たことがないほど神妙な態度なのだった。しかたなく私は、二人が口にした数をメモするだけにした。彼らにとって大きな喜びの源となっていた数。じっと考えこみ、ゆっくりと味わい、二人のあいだだけの秘密のようにしていたそれらの数を、私は書き取ったのである。

それらの数はなにか意味をもっているのだろうか、と私は家へ帰りながら考えた。まともな意味、万人に理解できるれっきとした意味があるのだろうか？ それとも、兄弟姉妹が自分たちのあいだで考え出して言い交しているたわいないことばのように、ただ気まぐれな、特殊な意味だけをもった数なのだろうか？ 私は家へ帰る道を運転しながら、ルリアが書いていた双子リョーシャとユーラのことを思った。二人は、脳にも言語器官にも障害がある瓜ふたつの双生児で、おたがいのあいだでは、自分たち独特の、原初的な、片言のような言語を使って、遊んだりおしゃべりをしていたのである（ルリア、ユードヴィッチ共著、一九五九）。ジョンとマイケルは、ことばさえ、片言すら使っていなかった。ただ相手に数を投げるだけだった。これらのボルヘス的あるいはフネス的な数は、この双子だけにわかる葡萄の木なのか、種馬の荒々しいたてがみなのか、空の星なのか？　あるいはまた、二人のあいだだけの一種の符丁としての数にすぎないのだろうか？

　家に着くとすぐに私は、累乗、約数、対数、素数などがのっている数表をひっぱり出してきた。遠い昔の幼少時代の記念品であり遺物である。小さいころ、私もまた数に強く、数が見える人間といわれ、数にはことのほか情熱を燃やしたものだった。数表を見るまえからすでに私は予感していたが、やっぱり思ったとおりだった。双子の兄弟がやりとりしていたあの六桁の数は、どれもみな素数だったのである（素数とは、一とその数自身とのほかには約数がない正の整数をいう）。二人は、私の数表の本のようなものを見たのか、あるいはもっているのだろうか？　それとも彼らは、百十一という数が（あるいは三十七が三つあるのが）見えたのとおなじように、素数が——どうやってか想像もつかないが——見えていたのだろうか？　計算の結果ということはもちろんありえない。なぜなら、彼らは数の勘定はぜんぜんできないのだから。

翌日私は、だいじな素数表をたずさえて、病棟に入っていった。二人は、やはり部屋の隅にすわって数の対話をやっていた。私はなにも言わず、今度は二人のいるところにすわった。最初彼らははっとしたが、私がべつに邪魔するわけでもなかったので、六桁素数のゲームをつづけた。しばらくたってから私は仲間に加わることにきめ、ある数すなわち八桁の素数を口にした。二人はふりかえって私のほうを見た。そのあと突然、二人はおしだまり、身動きもしなくなった。その顔には、緊張とおどろきがあらわれていた。沈黙のうちに長い時間がたった。こんなに長いあいだ彼らが無言をつづけたことはなかった。三十秒かそれ以上つづいたろう。それから突然、二人は同時ににこりと笑った。

彼らは、こちらには想像もできないなにかあるやり方によって、私が口にした数が素数であることに突然気づいたのだった。これは二人にとって、明らかに大きな喜び、二重の喜びだった。一つには、私が楽しい遊びの種をあらたにひとつ提供したからだった。それまで彼らは、八桁の素数にはまったく出会ったことがなかったのである。第二には、彼らがやっていることを私が理解したことが明らかとなったからだった。私もそれが好きで、見て感心しているばかりでなく仲間に加われるということ、それが彼らにわかったからだった。

彼らは椅子をすこしずらして、私のために場所をつくった。いまや私は彼らのゲーム仲間、新しい三人目として迎えられたのだった。そのあと、いつも先の番であるジョンが、非常に長いこと考えこんだ。すくなくとも五分間はそうしていた。そのあいだ私は身動きもできず、息をすることもはばかられるくらいだった。やっと、九桁の数が出された。また同じくらいの時間がたってから、マイケルが同じように九桁の数を返してよこした。今度は私の番だった。私は数表の本をこっそり見て、ずるかったけれど、本に書いてあった十桁の素数を口にした。

ふたたび沈黙。いぶかしげな、前のよりずっと長い沈黙がつづいた。やがてジョンが、驚異的な精神集中のすえに十二桁の数を言った。私としてはもうたしかめようがなく、何も答えることはできなかった。私の本には――当時これ以上の本はなかったはずだが――十桁より上の素数はもうのっていなかったからである。しかしマイケルは挑戦にこたえ、五分間かかったけれど、それについてきた。こうしてその一時間後には、この二人は二十桁の素数をやりとりするようになっていたのである（それらは素数だったのだろうと思う。私にはたしかめようがなかったけれど）。一九六六年の当時、コンピューターを使わないかぎり、二十桁の素数などわかる方法はなかった。いや、使ってもむずかしかったろう。いわゆる「エラトステネスの篩《ふるい》」方式でこつこつやってゆくにせよ、その他のアルゴリズムを用いるにせよ、素数をみつけるのはそう簡単ではないからだ。ここまで大きな素数になると、簡単な方法はまずありえなかった。それなのにこの二人は、それをやってのけていたのである（後記参照）。

ふたたび私は、ディスのことを思いうかべた。ずっと前に読んだF・W・H・マイヤーズの魅力あふれる『人格について』（一九〇三）のなかにはこうあった。

ディスは（この種の超能力者としては、おそらく古今最大といっていいだろうが）、数学的な理解となるとふしぎなくらいなかった……それなのに彼は十二年間に、八〇〇万はもちろん、おおかた九〇〇万近くまでの数について、その約数と素数の表をつくったのである……これは、機械の助けをかりないかぎり、常人だったら一生かかってもやれないくらいの仕事だった。

こういう次第だから、ディスは、初等数学もわからないで数学に貴重な貢献を果たした唯一の人だといえる、とマイヤーズは結論している。

いったいディスは、彼の数表をつくるにあたって、なにか方法論をもっていたのだろうか？　それとも、豆を見たとたん「数が見えた」くらいだから、おなじ調子で、双子の兄弟がそうであったように、数の大きなこれらの素数も見えたのだろうか？　この点はマイヤーズの本に書いてないが、おそらく彼にも明らかにできなかったのだろう。

この二人をそっと観察してわかったことだが、――私のオフィスは同じ病棟にあったから、観察は容易にできた――彼らは、先に述べた以外にもじつにさまざまな数のゲームや数のやりとりをしていた。それらがどういうものかはわからなかったし、見当すらつかなかったけれども。

だが察するところ、いやこれはたしかだと言ってもいいが、彼らは、しかるべき特性をもった数のみを相手にしていたのである。つまり、どうでもいい勝手な数では喜びは得られないのであって、数のなかに「意味」がなくてはならないのだった。音楽家にとって、ハーモニーがなければならないのとまったくおなじだったのである。しばしば私は、彼らから音楽家を連想し、両者は似ていると思わずにいられなかった。たとえば22章のマーチンである。マーチンもまた知的障害で、知的な理解力は劣っていたからバッハの世界を頭で理解することはできなかったけれども、純粋で、荘厳で、大建築のようなバッハの音楽のなかに、宇宙の究極的なハーモニーと秩序のあらわれを感じとっていたのである。

サー・トマス・ブラウンはこう書いている。「調和をもってつくられた者は、調和に喜びを感じ、……宇宙（の妙なる音楽）を創《つく》った〈第一作（曲）者〉を深くしずかに思う。瞑想する彼の心には、耳が聞いて感じとる以上に、神々しいものが伝わってくる。それは全世界を解きあかす啓示であり、謎めいた象形文字のごとくいわば象徴的なかたちで告げられるかくれたる教えである。神の耳には知的に鳴って聞こえている調和の音楽といえよう。……人間の魂はハーモニカルであって、音楽にもっとも共鳴しやすいのである」

リチャード・ウォルハイムは『人生の糸』（一九八四）のなかで、計算することと、彼のいう「図像的精神」とをはっきり区別している。彼は、この区別に反対論が出るであろうことを前もって予期し、先回りして次のように述べている。

計算は「図像的《アイコニック》」でないという事実に異を唱える人がいるかもしれない。理由としてこう言うだろう。計算するとき紙の上に書いて、つまり、その計算を視覚化してやることがあるではないか、と。だがこれは理由にはならない。なぜならば、紙の上に書かれたものは計算そのものではなくて、計算の結果の表現だからだ。計算で扱われるのはあくまでも数であり、視覚化されたものが数字なのである。数字は、数を表記したものにすぎない。

一方ライプニッツは、数と音楽との類似を述べている。興味深い問題をはらんだ指摘である。「われわれが音楽から受ける喜びは、無意識的にだが数をかぞえるところからきている。音楽は無意識的な算術にほかならない」

ではこの双子の場合は、いったいどうだったのだろうか（想定するだけで、確証はないが）。他の人の場合にこんな例がある。作曲家エルンスト・トッホは――これは彼の孫ローレンス・ウェシュラーからじかに聞いた話だが――非常に長い数でも、一度聞いたらすぐにおぼえることができたという。彼は数の羅列を旋律に変え、それによって記憶したのだった。数が与えられると、そのつどそれをもとにしてメロディーをつくったのである。

ジェディダイア・バクストンは、これまでのうちでもっとも重厚でねばりづよい計算家だった。数にかんしては、計算にせよ勘定にせよ、病的なほどの情熱をもっていた（「計算に酔いしれた」とは本人自身のことばである）。彼は音楽や芝居を、つぎつぎと数に変えていった。一七五四年に書かれた記録にはこうある。

「ダンスがおこなわれているあいだ、彼はそのステップの数にじっと注意を集中していた。あるすばらしい音楽を聞いたあと、彼はこう言った。あまりにも多くの音が発せられたので、どうしようもないほど困惑した、と。名優ギャリックが出る芝居を観にいったとき、彼がしゃべる語数をかぞえようとして、ただギャリックだけに注意を集中し、ついにそれをやってのけた」

以上は、極端ではあるが、いずれもすばらしい例である。ひとつは、数を音楽に変える作曲家、もうひとつは、音楽を数に変える計算家だ。これほど対極的に異なる頭脳——すくなくとも、対極的な型の心的態度——はめったにないと言っていいだろう。[2]

ところで、かぞえる能力はまったくないが、数にたいして異常な感覚をもったこの双子の兄弟は、バクストンよりむしろトッホに近いと私は思う。ただしトッホとちがうところは、この二人は数を音楽に変えるのでなく、数を「かたちあるもの」として、「調子《トーン》」として、直観的にとらえている点である。自然はもろもろのかたちによって成り立っているが、そういったかたちのひとつとしてとらえられている。彼らは計算家ではない。けっして数を勘定する人間ではない。彼らにとって数は図像的なのである。彼らの目の前には、数、数、数でできたふしぎな景色がある。それらのなかに二人は住んでいる。数でできた大きな風景のなかを、彼らは自由に歩きまわっている。中身は数だけといった大きな世界を、あたかも劇を創作するように、彼らは創造したのである。彼らは、この上なくふしぎな想像力の持ち主だった。数だけしか想像できないという点が、これまたすくなからずふしぎなところだった。彼らは数にむかって、図像的なアプローチ以外のことはできなかった（計算家ならばできるはずである）。彼らには数というものが、大きな風景のなかに物のかたちが見えるのとまったく同じように、かたちとして直接に見えていたのである。

このような「図像的」な話の例がほかにあるかというと、科学的な精神をもった人のなかに似たような例がある。たとえばディミートリ・メンデレーエフだが、彼は元素の性質を周期律順にカードに書いていつも持ちあるいていた。そしてそれらにすっかり慣れ親しんだため、それらの性質が見慣れた顔に見えてきた。諸元素の性質を図像的に、観相学的に受け入れるようになったのである。したがって、周期律順にならんだすべての元素の表を前にして、宇宙の顔を見ているような気になったのだった。このような科学者の心は本質的には「図像的」であって、すべての自然は、人の顔または光景《シーン》として見えている。音楽として見えていることもあるのだろう。こうした光景、心のなかのヴィジョンは、「現象的」なもので満ちているが、それでいて「物理的」なものとも密接に関係している。心霊の世界から物理的な世界へもどることも可能であって、そこからこうした科学の二次的、外面的なはたらきが成り立つのである（ニーチェは書いている、「哲学者は、宇宙にあるシンフォニーの反響《エコー》を自己の内部に聴き、それらを、観念のかたちをとってふたたび外の世界へ投射しようとするのである」）。あの双子の兄弟は、知的障害ではあったけれど、宇宙のシンフォニーが聞こえていたのだろうと思う。それは、数のかたちをとって聞こえていたのであろう。

人の魂は、その人のＩＱがいくつであろうと、「調和的《ハーモニカル》」なものである。ある人々にとっては――物理学者や数学者がそうだが――調和というときそれは主として知的なものであろう。だが知的だからといって、感覚的でないとはいえない。感覚《センス》がまったくまじらないで知的だけということはありえないことだと私は思う。考えてみれば、センスということばは、二重の意味をふくんでいるのだ。「感じられる《センシブル》」とは、おなじく「個人的《パーソナル》」ということでもある。なぜならば、われわれがあるものを「センシブル」だと受けとれるのは、それが自分自身となんらかの点でかかわりがあるからである。かくしてバッハの音楽という堂々たる大建築は、たしかにマーチン・Ａにたいし「全世界をあたかも象形文字によるがごとくに啓示」した。だがそれにもかかわらず、その建造物はまた、はっきりと、まぎれもなく、なつかしい彼のバッハなのだった。このこともまた、マーチンにはしみじみと、痛いほどよく、感じられたのであり、これは、父にたいして抱いていた愛情と切っても切れないものであった。

双子の兄弟は、あのふしぎな能力だけでなく、すぐれた感受性――それも調和的《ハーモニカル》な感受性――をもっていたにちがいない、と私は思う。おそらくそれは、音楽への感受性に通じるものではなかろうか。だとすれば当然それは、宇宙のなかに音楽を見たピタゴラスの感受性のようなものだったろう。だが奇妙に思われるのは、それが存在するということではなく、それをもっている人がどうしてかくも少ないかということである。人間の魂は、その人のIQにかかわりなく「調和的《ハーモニカル》」である。なにか究極的な調和あるいは秩序を見いだしたい、あるいはそれを感じたいという欲求は、その人の能力がどうであれ、どんなかたちをとるにせよ、誰の心にも普遍的に存在している。昔から数学は科学の女王と呼ばれてきた。そしてつねに数学者は、数というものを大いなる神秘と感じ、この世界は、数がもつふしぎな力によって有機的に構成されていると感じてきた。このことは、バートランド・ラッセルの『自叙伝』の序文のなかに美しく表現されている。

おなじように情熱をもって、私は知識を追いもとめた。人々の心を理解したいと私はねがった。なぜ星が輝くのかを知りたいと思った。そしてまた私は、流動する万物の上に立って数が支配すると説いた、あのピタゴラスがわかるようになりたいと努力したのだった。

この知的障害の兄弟を、バートランド・ラッセルのような知性や精神の持ち主とならべるのは意外に思われるかもしれないが、じつはそれほど行き過ぎたことではないと私は思う。双子の兄弟は、数でできた世界だけに住んでいる。彼らは星が輝くことにも、人間の心にもぜんぜん興味がない。しかし彼らにとって数は、ただの数ではなく、意味をもっているものだった。

彼らは、数にむかって軽々しくは近づかない。ここが計算者とちがうところだ。彼らは計算や感情に関心もなければ、それをする能力もなく、計算ということが理解できないのである。彼らはむしろ、数そのものをだまって見つめ、考える。襟を正してとでもいおうか、ある種の畏敬の念をもって数に近づくのである。彼らにとって数は、意味を付与された、神聖なものだった。「第一作者」に達するのに、マーチンは音楽によってだったが、彼らは数をとおしてだった。ちがうのはそこだけである。

しかし数は、彼らにとってただ畏敬の対象だけではなかった。友だちでもあった。自閉症の孤立した生活のなかで彼らが知った唯一の友だちといってよかったろう。こうした傾向は、数に特殊才能をもった人々のあいだではわりに共通している。スティーヴン・スミスは、方法論というものを何よりも大事だと考えたが、個々の具体的なものにも興味があり、楽しい例もたくさん書いている。ジョージ・パーカー・ビッダーは、数好きだった幼少時代のことを語ってこう書いている。「私は百までの数とは完全に仲よしになった。それらはいわば私の友だちとなった」。それらの親戚や友人まで全部知るようになった」あるいはまた、インド生まれの同時代人シャイマン・マレーズはこう言う。「数が私の友だちだというのはこういう意味です。以前しばらくのあいだ、ある特定の数をいろいろなかたちで扱っていたので、それまで知らなかったおもしろい性質がそのなかに隠されていることを、いろんな機会に発見していたのです。……そこで、その後計算などやっていてその数に出会ったりすると、とたんに友だちと思って見てしまうのです」

ヘルマン・フォン・ヘルムホルツは、音楽的知覚について次のように語っている。複合音の分析は可能で、それを構成している音ひとつひとつに分けることはできるけれども、ふつう耳は、それがその音の特質だとして、分けることができない全体として聞いているものである、と。ここで彼は、分析の上をいく総合的知覚について語っているのであって、これが音楽的感覚の本質だといえよう。ヘルムホルツはこうした音を人の顔になぞらえ、われわれは人の顔を見分けるときと同じように、各人固有のやり方で楽音を認識するのではなかろうか、と述べている。要するに彼が言いたいのは、音楽における音や調子は、耳にとって、人の顔のようなものであり、聞いたとたんに、人として受けとれるということである。それは温かみや、感情や、個人的な関係などが全部ふくまれた上での認知であり認識なのである。

数を愛する人の場合もこれと同じようで、数というものは、そういうふうにして認知されるものらしい。ひと目で直観的に、「あ、きみ知ってるよ」というふうにわかるのだ。[3] 数学者のウィム・クラインは、そのことを次のようにうまく書いている。「数は、ぼくにとって友人みたいなもの。誰にとってもおなじというわけじゃない。たとえば三八四四はどう見える？　きみにとってはただ、三と八と四と四だろうが、ぼくに言わせれば、『やあ、六十二の平方さん！』なのさ」

この双子は、見たところはまったく孤独のようだったけれども、実際には、友だちがいっぱいいるなかで暮らしていたのだろう、と私は思う。友だちは何百万何千万とあって、それらにむかって二人は「やあ」と言い、数は二人にむかって「やあ」と言い返していたにちがいない。だがどんな数でもいいわけではなくて、「六十二の平方さん」のように、それぞれはなんらかの理由や根拠があって存在しており（こうなると説明のつかない謎としか言いようがないが）、しかも、尋常普通の方法で到達できるわけでもなかった。その兄弟は、天使とおなじ直覚的認識力をもっているかのようだった。彼らには、数にみちた宇宙が、天空が、なんら労することなく見えていたのである。そしてそのためだろうが、二人のまわりには、ふしぎに満ちたりた雰囲気と、ある種の静かな安らぎがただよっていた。そして、その安らぎを邪魔したりこわしたりしたら悲劇を招きかねないと思われたほどだった。どれほど奇妙でおかしくても、これを「病的」と言ってはならない。われわれにはそう呼ぶ権利などないのである。

しかしこの平和は、それから十年後にかき乱され、こわされた。二人を引きはなすべきだ、それが「彼ら自身のためになる」と考えられたのだ。「二人だけの不健全なまじわり」はやめさせるべきで、「もっと外の世界に接しなければ、しかるべき社会性がつかない」と考えられたのである（これは、当世の医学や社会学のきまり文句である）。こうして兄弟二人は、一九七七年に引きはなされた。その結果が良かったのか悲惨だったのかは、考えようによる。二人は中間施設《ハーフウェイハウス》に別々に入れられ、しっかりと見守られつつ、小遣いかせぎ程度のつまらない仕事をさせられるようになった。入念に注意をあたえて乗車券代りの金属札《トークン》を持たせておけば、彼らはバスに乗ることができた。人前に出てもおかしくない程度にひとりで身づくろいすることもできた（もっとも、愚鈍で精神的におかしいことは、やはりひと目でわかったが）。

以上はいわばプラスの面であって、マイナスの面もまたあった（だがこちらのほうは、カルテになにも書かれなかった。そもそも気がつく者などなかったからである）。二人だけでする数の対話を禁じられ、瞑想や交感の機会や時間をすべて奪われたために、彼らはたえずせき立てられ、仕事から仕事へとあわただしく追い立てられる身となった。彼らは、数についてのあのふしぎな能力を失ってしまったように思われる。そしてそれとともに、生の喜びや生きているという感覚もなくなっていったようにみえる。だがこうしたことは、彼らがなかば独立できて、社会的に人なみになれたのだから、代償としては些細なものだと考えられたのである。

この処置を聞いて思い出されるのは、ナディアにたいしておこなわれた処置である(ナディアは、スケッチにすばらしい才能をもった自閉症の子供である。24章参照)。ナディアもまた、「スケッチ以外の面での能力が最大限に発揮されるような道を見いだすべく」否応なく治療体制に従わさせられた。その結果はどうだったか? ものをしゃべるようにはなったけれど、スケッチはぴたりとやめてしまった。ナイジェル・デニスはこう書いている。「かくして、天才少女から天才がとりのぞかれておわった。あとに何ものこらなかった。ただひとつの優れた点はなくなり、どこをとっても人なみ以下の欠陥ばかりとなった。こんな奇妙な治療法を考えつくとは、いったいわれわれはどういう人間なのか?」

もうひとつつけ加えておくべきことがある(これはF・W・H・マイヤーズも気づいていたことである。彼は数にかんして驚異的能力をもった人たちについて深い考察を試み、その結果を「天才」と題する章の冒頭にのせている)。それは、天才めいた驚異的能力というのは奇妙不可思議なもので、もちろん一生つづく場合もあるけれども、ひとりでに消えてしまうことがある、ということだ。もちろん双子の兄弟の場合は、それはただ「能力」といってすまされるものでなく、人格的にも感情の面でも、彼らの人生の中心だった。だが二人が引きはなされてしまってからは、その能力は失せてしまった。こうなっては、もはや彼らの人生にはなんの意味もないし、中心もまたなくなってしまったのである。(4)

後　記

本篇の原稿をイズラエル・ローゼンフィールドにみせたところ、彼は次のようなことを教えてくれた。算術のなかには、ふつうの四則計算でなくて、もっと高級でもっと簡単なやり方がいろいろある、と。そしてこの双子の異常な能力（と限界）をみると、どうやら彼らは「合同」による計算をやっているのではないか、と。彼が私にくれた手紙のなかには、イアン・スチュアートが『現代数学の概念』（一九七五）のなかで述べているようなアルゴリズムで考えていくと、この双子がカレンダーの曜日をあてた謎が説明できるかもしれない、と書いてあった。

何曜日にあたるかを前後八万年にわたって答えられるという能力は、じつはわりに簡単なアルゴリズムにもとづいている。「今日」から「その日」までの日数を七で割る。割り切れれば「その日」は今日とおなじ曜日だし、もし剰余が一ならば、曜日はひとつ前へずれる。以下同様である。いわゆる合同という観念をもちいる算術（モジュラー・アリスメチック）であるわけだが、この算術は巡回的で、くり返し同じパターンがつづいている。おそらくこの双子は、そうしたパターンが頭のなかで見えていたのである。単純な構成の図《チャート》のかたちで見えていたのかもしれないし、あるいは、スチュアートの本の三十頁にあるような、整数がらせん状になってつづいている絵として見えていたのかもしれない。

だがこれだけでは、この双子の兄弟がなぜ素数のやりとりができるのかについての答になっていない。しかし、曜日をあてるための計算では、七という素数が出てくる。素数であることが必要なのである。素数であるならば巡回的パターンが生じるわけで、それが手がかりとなって曜日がわかるし、それにともなって、過去の特定の日におこった事件もまた思い出せる。そこから彼らは、七でない素数だったらまた別のパターンが生じて、彼らの回想行為に重要な助けとなるということを、知っていたかもしれないのである。マッチ棒を見て「百十一——三十七の三倍」と彼らが言ったことに注目しよう。彼らは三十七という素数をとりあげ、それを三倍しているのである。実際には素数だけが「見える」ものだったのである。素数がちがえば、そのつどパターンはちがってくる。相手が言った素数をくり返すとき、彼らのあいだで視覚的な情報が伝達されている、と考えるならば、パターンが情報の断片だったかもしれないのである。要するに、合同を用いるモジュラー・アリスメチックは、彼らが過去をとりもどすのに役立っていた。そしてそのさいに出てくるパターンは——素数のときだけ生じるのだが——二人にとっては特殊な意味をもつものだったにちがいない。

こうした合同を用いるモジュラー・アリスメチックだと、非常に大きな素数から生じるパターンにうまくはめこむことによって、ふつうの四則計算では歯が立たない場合でも、すばやく答が出てくることがある。これが、イアン・スチュアートの指摘するところだった。

もしもこのような方法、つまり視覚化がこの場合のアルゴリズムだとするならば、それはなんとも非常にめずらしい種類に属する。代数学的ではなくて、空間的ひろがりをもつものだからである。木々や、らせん状のかたちや、建造物などと同類だからである。ちがう点はただ、見えているのが「地上の風景《ランドスケープ》」でなくて、むしろ「思惟の風景《ソートスケープ》」と言いたいものだということだ。とにかくその空間は、明らかに観念上のものとはいえ、なかば感覚的でもあるのだ。イズラエル・ローゼンフィールドの指摘とイアン・スチュアートのモジュラー・アリスメチックの解説は、正直いって私を興奮させた。なぜならそれらは、この双子の能力のように他の方法では説明がつかない能力の解明を（解決とはいわぬまでも）約束するように思えるからである。

こうした高等算術は、理論としては、すでにガウスの『整数論研究』（一八〇一）のなかで説かれていた。しかしそれらが実用化されるのは近年になってからのことである。これからはどうなるのだろうか？　これまでの算術——往々にして教師や生徒にとって悩ましい、不自然で、習得のむずかしい算術はどうなるのだろうか？　ガウスが述べているような深遠な算術——チョムスキーの「深層」統語論や生成文法とおなじように、人間に生得的内在的な算術が併存していくのだろうか。すくなくともこのような算術は、この双子のような精神の持ち主のなかでは、生き生きと力強くはたらいていたのである。宇宙と星にたとえれば、それは、たえず拡張をつづける精神のなかにあって、いわば、数の球状星団のようなものだった。らせん状にまわりながら、外へ外へ果てしなくひろがっていく数の星雲のようなものだった。

前にも書いたように、「双子の兄弟」が発表されると、それを読んだ人たちからたくさんの手紙が送られてきた。個人的なことを書いたものもあれば、科学的なものもあった。数を見たり、直観的に把握する話を書いたものもあれば、この現象が何を意味するかを論じたものもあった。自閉症の一般的特質やその感受性についてしるした手紙もあったし、そういう感受性がどのようにして育成されるのか、また、どのような抑圧がはたらいているのかを述べたものもあった。また、一卵性双生児の問題を書いているものもあった。とりわけ興味深かったのは、このような子供をもった親からの手紙だった。なかでも最も貴重ですばらしかったのは、親として否応なく研究考察せざるをえず、子供にたいする献身と深い愛情を見せながらも、同時に、みごとな客観性でつらぬかれている手紙だった。パーク夫妻の手紙がそのひとつだった。夫妻は知性においてすぐれ、娘エラは、ひじょうに才能に恵まれていたが自閉症だった（C・C・パーク　一九六七、D・パーク　一九七四、三一三—三三三頁）。エラはスケッチが上手だったが、それとともに、数にたいして特殊な才能をもっていた。とくに幼いころがすばらしかった。彼女は数の世界の魅力にひかれ、とくに素数が好きだった。素数に特別の感情がはたらくということは、それほどめずらしいことではない。C・C・パークからもらった手紙のなかには、もうひとり別の自閉症の子供のことも書いてあった。その子は、紙という紙にいっぱい数字を書きつけた。自分では制御できないある衝動にかりたてられるかのように書いたそうだ。「なんと、それらの数はみな素数だったのです」そしてそのあと、彼女はこう書いている。「素数こそは、別の世界へむかって開いた窓なのです」そのあともらった手紙には、最近の経験ですがといって、これまた自閉症で、約数と素数にとくに敏感な若い男のことが書いてあった。約数と素数だけが、即座に特別な数だと映るらしい。つぎのような例が書いてあった（相手から反応をひき出すためには、「特別な」ということばを用いないといけないのだった）。

「ジョー、その数（四八七五）はどこが特別なの？」

「十三でも割れるし、二十五でも割れるから」

別の数（七二四一）を聞いてみると、「十三と五五七で割れる」という返事。

では八七四一はどうか。「それは素数」

パークはこうつけ加えている。「家族のなかに、誰ひとりとして、素数について彼の相手になれる者はいません。それは彼ひとりだけの楽しみなのです」

わからないのは、どうして答がほとんど反射的に出てくるのか、である。答はなにか頭をつかって導きだされるのか、前から知ってい（て思い出し）たのか、それとも一瞬のうちに「見えて」いるのか、それは今もって謎である。明らかなことは、素数というものに特別の喜びや意味がある（らしい）ということだ。形式的な美しさとか均整美のようなものを感じとっているのかもしれないし、なにかの意味や潜在力を連想させるからなのかもしれない。エラの場合は、「マジカル」ということばがしばしば使われていた。数とくに素数は、特別の思い、イメージ、感情、関係を喚起するものだった。そのうちのあるものは、「特別で」「マジカル」な感じがあまりにもするので、口にも出せないほどだった。

こうしたことは、デヴィッド・パークの報告（前述）のなかにくわしく書かれている。

クルト・ゲーデルは、ごく一般的なかたちではあるが、数とくに素数が、多くの観念、人間、場所等をさす「標識《マーカー》」となっているのではないか、という説を述べている。もしそうであれば、ゲーデルのいう「標識」説は、この世界の「算術化」あるいは「数字化」へむかって道をひらくものといえよう（E・ネイジェルとJ・R・ニューマンの論文参照。一九五八）。もしゲーデルが言うとおりのことがおこっているのだとすれば、双子の兄弟やそれと同類の人たちは、数の世界に住んでいるばかりでなく、世界のなかで数として生きている、ということが考えられる。彼らが数で遊んだり、数を出してくることは、人生そのものを生きようとしていることではないだろうか。そして、われわれにはよくわからず、鍵が見つからないでいるけれども――デヴィッド・パークはときおりわかっているようだが――彼らのそうしたふるまいは、奇異に思えるけれども、精確なコミュニケーションでもあるのかもしれない。

注

(1) W・A・ホーウィッツほか(一九六五)、ハンブリン(一九六六)、ロバート・シルバーバーグの小説『ソームズ』参照。とくに一一―一七頁。

(2) バクストンに似た例として――それよりはるかに異常と思えるかもしれないが――私の患者ミリアム・Hがあげられる。彼女が発作におそわれて計算マニアになった時がそうで、これについては『レナードの朝』に記してある。

(3) とくに重要で興味深いのは、人の顔を知覚または認識するさいのやり方である。われわれが人の顔を、すくなくとも見なれた顔をそれと知るのは、いっきょに直接にであって、細部の分析を重ねていってそれらを総合した上で判断するのではない。これには多くの証拠がある。すでに見てきたように、顔貌失認症の場合はおどろくほどちがう。患者は、右後頭部皮質に損傷があるために、人の顔が顔として認識できない。そこで、ばからしいほどの、まわりくどい、間接的なルートに頼らざるをえない。意味のない、個々別々の特徴点をひとつひとつ分析していくのである(1章参照)。

(4) こうした議論がひどく奇妙で倒錯していると思うなら、ルリアが診た双子の場合を考えてみるがいい。二人を引きはなすことは、彼ら自身の発達にとって絶対に必要なことだった。それまでは二人だけの世界にこもって、意味もなくぺちゃくちゃやっていた。そこから鍵をあけて二人を解放し、健全で創造的な人間に発達すべく、道をひらいたことになるのである。

24　自閉症の芸術家

「これを描いてごらん」そう言って私は、ホセに懐中時計をわたした。彼は二十一歳になったところで、ひどい知的障害とのことだった。すこし前に持病の発作のひどいのがまたおこったところだった。やせて弱々しい様子をしていた。注意散漫で落ちつきのない様子がとつぜんやんだ。彼はまるで魔除けのお守りか宝石のように時計を注意深く受けとると、それを前に置き、身じろぎもせずじっと見つめた。

「彼は知的障害なんですよ」と付添い人が口をはさんだ。「話しかけたってだめです。何を言われているかわからないんです。時刻だってわからない。しゃべることさえできません。自閉症だといわれていますが、ただの知的障害です」それを聞いてホセの顔はさっと青ざめた。付添い人が言ったことばの内容ではなく、言い方のせいだった（ホセがことばがわからないことは、前に付添い人から聞かされていた）。

「さあ、君なら描けるよ」私は言った。

ホセは、目の前にある小さな時計にじっと注意を集中し、ひとこともしゃべらずに描いていた。時計以外は目に入らなかった。このときはじめて、彼は自信を得たかのようだった。ためらうことなく、落ちついて、気が散るようすもなかった。はっきりした線で、すばやく、しかも詳細に描いていた。消して書き直すようなこともぜんぜんなかった。可能な場合にはほとんどいつも、私は患者に字や絵を書かせる。そうすることで、患者の能力についてだいたいの見当がつくし、書かれたものには患者の性格やスタイルがあらわれるからである。

ホセは、その時計をおどろくほど正確に描いていた。すべての特徴を描きうつしていた（すくなくとも、本質的な特徴はすべて描かれていた。もっとも「ウェストクロックス社、耐衝撃性、アメリカ製」という文字はなかったが）。時間もきっかり十一時三十一分に描かれているばかりでなく、分ごとの目盛りや、秒針用のはめ込みダイヤルはいうにおよばず、ぎざぎざの竜頭や鎖をつけるための台形の留金も描かれていた。各部の大きさのバランスもよくとれていたが、留金だけはひどく大きくなっていた。よく見ると、文字盤の数字は、ひとつひとつの大きさ、かたち、スタイルがちがっていた。太かったり細かったり、きちんと並んでいるかと思えばくっつきすぎていたり、かたちも単純なものもあれば太字《ゴシック》体で手のこんだものもあった。実物の時計ではかなり見にくいはめ込みのダイヤルのなかの秒針も、天体観測器の針のようにめだっていた。

全体として時計の感じがおどろくほどうまく表現されていた。付添い人が言うようにホ

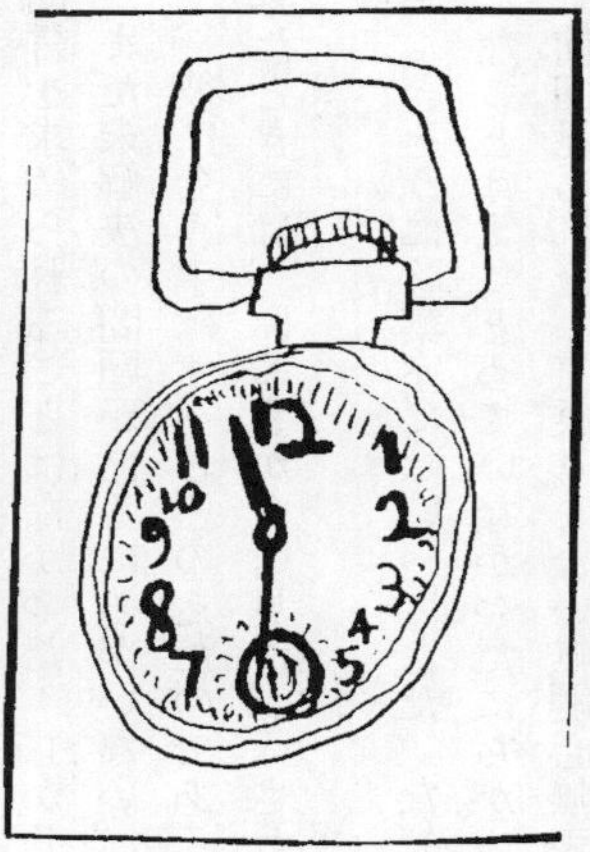

セには時間の観念がぜんぜんないとすれば、なおのこと驚くべきできばえだった。それ以外で気がついたところは、その絵には、ひどく緻密なところと、妙に凝ってかたちが変ってしまっている部分とが入りまじっていることだった。

それはふしぎなことだった。その日運転して帰るときも、私にはそのことがずっと気になってしかたなかった。知的障害だって？　自閉症か？　ちがう。なにか別のことがおきているのだ。

ホセを診察するために私が再度呼ばれることはなかった。最初は、ある日曜の夕方、緊急に呼びだされたのだ。彼はその週末ずっと発作をおこしており、日曜の午後に、私は抗痙攣剤の処方を変えるよう電話で指示していたのである。発作がおさまると、それ以上の神経学的助言を求められることはなかった。しかし、あの時計の一件が依然として気になっていた。まだ未解決の問題があるにちがいない。もう一度会う必要がある、と私は思った。そこで、彼に会う手はずをととのえたのである。彼のカルテ全部を見ることにした。前に彼を診たときには、おおまかな所見が記入された紙を一枚見せられただけだったからである。

ホセはのんきそうに診察室にはいってきた。なぜ呼ばれたのかわからなかったことだろうし、そんなことは気にとめていなかったにちがいない。私を見ると、彼はうれしそうに微笑んだ。前回見られた、気乗りしない無関心無表情な様子が消え、とつぜん、恥ずかしそうな微笑をちらりと見せたのである。

「君のことをずっと考えていたんだ」私は言った。彼はことばは理解できなかったかもしれないが、口調は判断できた。「もっと君の絵が見たいんだ」こう言うと、私は彼にペンをわたした。

今度は何を描いてもらおうか？　私はいつものように、『アリゾナ・ハイウェイ』という雑誌をもっていた。写真や絵がたくさんのっていて、私はとくに気にいっている。私はそれを、患者のテスト用にいつも持ち歩いていたのだ。表紙は素朴で美しい風景だった。山々を背景にして、たそがれの湖でカヌーに乗っている人たちがいる。ホセはまず、空とは対照的にくっきりと黒く影をおとしている前景を描きはじめた。きわめて正確に輪郭を描くと、つぎになかを塗りつぶしはじめた。しかし、これは尖ったペンでなく絵筆が必要な作業だった。「それはとばしていいよ」私はそう言って、今度はカヌーを指さして、描いてごらんと言った。彼はすばやく人物とカヌーの黒いシルエットを描いた。はじめに人物とカヌーをじっと見たら、もうあとは見ない。いったん見ると、それらは彼の心に焼きつけられる。それをペンの側面を使ってさっと描いたのである。

このときも、描く速さと細部の正確さにおどろいた。風景全体についてそうだから、いっそう感心した。もっと驚いたことは、彼は一度見ると、あとは見ないで描いたことだった。以前、付添い人が「彼は複写機《ゼロックス》みたいなものです」と言ったことがあったけれど、それはちがう。ただ写しているだけではなかった。彼は対象をイメージとしてとらえ、写すだけでなく理解するというすぐれた能力をもっていたのである。なぜなら、彼の絵には、もとの表紙にはない劇的なものがあらわれていたからである。小さな人物は大きく描かれ、もっと力強く生き生きとして、なにかに熱中している感じがよくあらわれていた。それは、もとの表紙からは感じられないことだった。リチャード・ウォルハイムのいう「図像性」の特徴——主観性、表象性、脚色性——がホセの絵にはすべてあらわれていた。したがって、あきらかに、彼には複写能力だけでなく——それだけでも驚くべきことだが——それ以上のもの、想像力と創造性があるらしかった。描かれているのはただのカヌーではなく、彼のカヌーだったのである。

私はページをめくり、まず釣りの箇所をひらいた。川の流れは淡い色の水彩で描かれ、遠景には岩や木が、前景には、今しも飛びはねようとするにじますが描かれていた。「これを描いてごらん」にじますを指さして私は言った。彼はじっとそれを見つめて、にこっとしたようだった。そのあとページから目をはなすと、楽しそうに満面に笑みをうかべながら、彼のにじますを描いたのである。

彼が描くのを見ながら、いつのまにか私も微笑んでいた。私がいることで安心したのか彼はのびのびとふるまうようになり、そのうちに姿をあらわしたのは、ただの魚ではなく、いたって個性的な魚だったのである。

もとの絵には個性が感じられなかった。生気がなく平面的で、まるで剝製のようだった。それにひきかえホセの描いた魚は、体をひねって宙をはねていた。立体的で、もとの絵よりはるかに本物らしかった。生きた魚そのものというわけではなかったが、リアルで動きがあるばかりでなく、ゆたかな表情さえ感じられた。大きくぱっくりあいた鯨のような口、どことなく鰐を思わせる鼻づら。そして、きわめて人間的な目をしていた。それはひどくいたずらっぽい表情だった。ほんとうにおかしな魚だった。彼が笑っていたのもむりはなかった。おとぎ話に魚の役で出てくる人物か、『鏡の国のアリス』のカエルのようだった。

かくして私の前には、いろいろ考えるべきことが出てきた。例の時計の絵はおどろきだった。私は興味をかきたてられた。しかし、それだけでは何の結論も出せなかった。カヌーの絵からは、ホセがすぐれた視覚的記憶力をもっていることがわかった。そして魚の絵からは、生き生きとしてきわ立ったイマジネーションと、ユーモアのセンス、おとぎ話むきの才能をもっていることがわかった。それは偉大な芸術とはいえず、原始的で子供の芸術といったところだが、芸術にはちがいなかった。だが世間一般では、知的障害、イディオ・サバン、自閉症の者は、イマジネーションや遊び心や芸術とは無縁だと思われているのである。

私の友人で同僚のイザベル・ラパンは、私より何年も前にホセを診察していた。彼が手に負えない発作をたびたびおこすので小児神経科に入院していたときである。豊かな経験

にもとづいて、彼女はホセが「自閉症」にちがいないと考えた。一般的な自閉症について、彼女はつぎのように書いている。

自閉症児のうち少数ではあるが、文字言語の解読にきわめてすぐれ、数にかんする記憶が亢進し、数にとり憑かれた状態になる者がいる……自閉症児のなかにはパズルを組みたてたり、おもちゃの機械を分解したり、暗号を解読したりすることに異常にすぐれている者がいるが、それは、言語の学習をしないできた、あるいはする必要がなかったために、彼らの注意や学習が非言語的な視覚的、空間的作業にばかり偏った結果であろう（一九八二、一四六―五〇頁）。

ローナ・セルフも、すぐれた著書『ナディ

ア』（一九七七）のなかで、おなじような観察をとくに絵についておこなっている。セルフ博士が多くの文献・データから結論したところでは、イディオ・サバン、自閉症の天才が才能を発揮するのは、あきらかに計算や記憶の面においてであって、想像的、精神的な面においてではなかった。自閉症児がたとえ絵を描くことができたとしても——それはきわめてまれなこととされているが——彼らが描くものもまた、きまりきった機械的なものにすぎない。文献では、「孤島のようにひとつだけ残っている能力」とか「ばらばらの断片的な技術」としてしか認められていない。創造的な人格はもちろんのこと、個人としての人格すら考慮されていないのである。

　ではホセの場合はどうだったのだろうか？　私は自問せざるをえなかった。いったい彼はどのような存在だったのだろう？　彼の内面には何がおきていたのだろうか？　どうしてあのような状態になったのだろう？　それはいったいどのような状態なのか、そしてそれに対処する方法はあるのだろうか？

　手もとの情報、すなわちこの奇妙な病気が発病したときからの山のような記録やデータは、役に立ったと同時に不可解でもあった。私は発病初期のカルテを手に入れていた。それには次のように書かれていた。彼は八歳のときに高熱をだし、たえまない発作がつづいた。そして急性の脳損傷、自閉状態に陥ったのである（正確に何がおこっていたのかは、はじめからわからなかった）。

この初期の段階で、彼の髄液には異常が認められた。脳炎の一種だろうというのが大方の意見だった。彼の場合、発作の種類は実にさまざまだった。てんかんの小発作から大発作、無動症発作や精神運動発作などである。なかでも精神運動発作は、きわめて複雑でやっかいなものである。

精神運動発作の場合、とつぜん激情にかられて暴れることがあり、発作の合い間にさえ異常な行動がみられる（いわゆる精神運動性人格である）。それはいつもきまって、側頭葉の不調、もしくはその損傷にともなっておきる。数えきれないほど多くの脳波検査の結果から、ホセの場合にも両側頭葉に重い疾患があることがわかっていた。

側頭葉は聴力にかかわる場所でもある。とりわけ人がことばを話すのを聴きとったり、こちらから話したりする能力に関係している。ラパン博士は、ホセが自閉症であると考えたばかりでなく、彼の「言語聴覚失認症」は側頭葉疾患によるものではないかと考えた。「言語聴覚失認症」では、発話の音声そのものが認識できなくなる。彼がことばを理解できず、実際に話すこともできないのは、音声の認識理解ができないためではないかというのである。原因をどう見るにせよ（このほかに精神医学的、神経学的な説明もなされたが）、彼がまるで話せないというのは驚くべきことだった。以前は「正常」だったのに（両親ははっきりそう言った）、病気になったとたんに、ホセは沈黙し、他人に話しかけることをやめたのである。

しかし、どうやらひとつの能力だけはだめにならずに残り、おそらく代償として逆に高まったのだろう。それは絵を描くことにたいする異常な情熱と能力である。ごく幼いころから、彼は絵を描くことが好きでうまかった。これはある程度遺伝というか血筋だったのかもしれない。父親はいつもスケッチするのが好きだったし、はるか年上の兄は、成功した画家だったのである。発病後ホセには、手の施しようがないほどの発作がつづいた（一日に二十回から三十回もの大発作がおき、小発作は数えきれないほどだった。卒倒したり、意識を失ったり、夢幻状態に陥ったりしたらしい）。ことばを失い、知能と感情が退行するにつれて、彼は異常で悲劇的な状態に陥っていった。しばらくのあいだは家庭教師がつけられたものの、学校をつづけることはできなかった。彼はずっと家族のもとに居ることになった。そして一日中てんかんをおこし、自閉症で失語症でもある知的障害の子供となっていった。もはや教育も治療も見込みがなく、ほとんど絶望だと思われた。彼は九歳で「はみだしもの」になったのだ。学校を退学し、社会からはずれ、健康な子供が「現実」として経験するほとんどすべてのことからしめ出されたのだった。

以来十五年間、彼はほとんど家から出ないですごした。「手の施しようのない発作」のせいだった。母親は彼を外へ連れていかないようにしていた。さもなければ、毎日二、三十回もの発作を往来でおこしていたことだろう。あらゆる種類の抗痙攣剤が試されたが、てんかんを治すことはできないようだった。すくなくともカルテにはそう書いてあった。

ホセは末っ子で、兄と姉がいたがずっと年が離れていた。彼は五十歳に手のとどこうとする母親にとって、まさしく「大きな赤ん坊」だったのである。

この期間中の情報はきわめてすくない。事実、ホセは、世間から姿を消していた。ごく最近ひどく狂暴な発作をおこし、そのためにはじめて病院に連れてこられたのだが、そうでなければ、医学的な経過観察どころか暮らしぶりさえ知られることなく、地下室で発作をおこしながら閉じこめられ、永遠に忘れられてしまったことだろう。しかし彼は、地下室にいても内面世界をまったく失っていたわけではない。彼は写真雑誌、とくに『ナショナル・ジオグラフィック』のような博物をあつかったものにとても興味をしめした。そして、発作をおこしては叱責されるというくり返しのなかで、短くなった鉛筆を見つけては絵を描いたものだった。

おそらくそれらの絵は、彼と外界、とりわけ動植物などの自然界とを結びつける唯一のものだったのだろう。子供のころ父親とスケッチにでかけたときも、彼は自然がとても好きだった。このようなかたちでの自然とのかかわりが、彼に残された唯一の現実との絆だったのである。

これが、彼について私が知ったことである。カルテや報告書からかき集めつなぎ合わせたものだった。それらは、かつて彼の家をおとずれ、彼に興味はもったがなすすべのなかったケースワーカーと、年とって弱ってきた両親から得たもので、なかに含まれた内容もさることながら、十五年もあったのに実質的内容がなさすぎることもまた、私にはおどろきの種だった。だがこれすらも、あの突然のひどい発作がなかったら、明るみに出ることはなかったことだろう。その発作というのは、いまだかつてないほど激しく、物を投げつけるといった狂暴なもので、そこでホセははじめて州立病院へ連れてこられたのである。

何が彼を暴れさせたのかは、すこしもわからなかった。てんかんの発作による暴力だったのだろうか（これに似たものは、きわめて重い側頭葉発作の場合にもおこることがある）。あるいは入院時の報告書にそっけなく書いてあったように、たんなる「精神病」だったのだろうか？　それとも、話すことができないために、つらい立場や内心の欲求を直接表現できず苦悶していた魂が、救いをもとめて発した断末魔の叫びだったのだろうか。たしかに言えることは、入院して強力な新薬で発作がおさえられると、八歳で発病して以来はじめて、彼は生理学的にも心理的にも落ちつき、自由に解放された気分になったということだった。

アーヴィング・ゴフマンの見方によれば、病院とりわけ州立病院は、往々にして患者の人間としての尊厳を無視するようにつくられた「総合施設」である。そのようなことが実際に、それも大々的におきていることは否定できない事実だろう。だがゴフマンは認めようとしないだろうが、州立病院はいい意味で「保護施設」でもある。苦悶し、嵐のようにかき乱された魂にとっては避難所となる。そこでは、そのような状態の患者が必要とする秩序と自由がともに与えられる。ホセは混乱してひどい状態だった。それはてんかんという器質的な原因によるものだったが、いくぶんかは無秩序な生活のせいでもあった。てんかんのせいで、彼は肉体的にも精神的にも閉じこめられ、捕われの身として苦しんできた。病院は彼のためになった。おそらく、その時点では命の恩人だった。そのことは彼も十分に感じていたにちがいない。

家で発作をおこしながら、精神的には家族と深くつながって暮らしてきた彼は、とつぜん、他人の存在、家以外の世界、「専門的に」彼を気づかってくれる世界を知ったのである。病院の人たちは、批判したり道徳をふりかざしたりしない。非難もせず、公平だった。しかし同時に、彼自身と彼のかかえる問題について真剣に考えてくれる。そんなわけで、ここにきて彼は希望を抱きはじめた（入院してから四週間たっていた）。より生き生きとしてきて、前はけっしてなかったことだが、他の人たちに心をむけはじめたのである。すくなくともそれは、八歳で自閉症になって以来はじめてのことだった。

しかし、他の人々のほうをむいて交流したく思っても、しょせんそれは「許されぬ」願いだったのである。言うまでもないことだが、それはおそろしくこみ入ったことで、また「危険な」ことでもあった。ホセは十五年のあいだ、保護され、閉ざされた世界――ベッテルハイムのいう「空虚な砦」――に住んでいたからだ。もっともホセにとっては、まったく空虚だったわけではない。彼はいつも、自然を、動物や植物を愛していた。心のなかでは、自然への扉はいつも開かれていたのである。しかしいまの彼は、「交流したい」という誘惑と「交流しなくてはならぬ」という圧迫を感じていた。それはあまりにも強く、しかも来るのが早すぎた。これを感じたとき、病気はぶり返し、彼はなぐさめと安全を求めるかのように、最初の孤独な状態、原始的な興奮状態（体を前後にゆするしぐさ）へもどろうとしたのである。

三度目にホセに会ったときは、彼を診療室に呼びだしたのでなく、私のほうで予告なしに面会室へ出かけていったのである。例のおそるべきデイルームで、彼は腰をかけて体を前後にゆすっていた。目は閉じられ、ふさいだ表情をしていた。もとの病気に逆もどりしたさまがありありと見えた。私はおそろしい気がした。「順調な回復」ということを予想したり、いい気になって空想していたからだ。退行してもとどおりになってしまった彼を見て――この後もたびたび見ることになるのだが――はじめて私はさとった、そう単純な「めざめ」などあるものではない、ということを。彼の行く手に待ちうけているのは、わくわくするようなことばかりではない。それは恐ろしさに満ちたものでもある、ということを。

私が声をかけたとたん彼は椅子から飛びあがり、何かに飢えているかのようにいそいそと、私の後についてアートルームへやってきた。私は今度もまた、先のとがったペンをポケットから取りだした。彼は病棟であたえられるクレヨンがきらいなようだったからだ。

「このまえ描いた魚だけれど」彼がどれくらいことばが理解できるかわからなかったので、空中に身ぶりで魚を描いてみせながら私は言った。「あの魚思い出せるかい？　もう一度描けるかな？」彼は熱心にうなずくと、私の手からペンを取りあげた。あれから三週間たっていた。彼はなにを描くのだろう？

彼はしばらく目を閉じていた。イメージを呼びおこしているのだろうか？　それから描きはじめた。それは、まちがいなく虹色の斑点のあるにじますだった。からだをふちどる鰭。尻尾の先は二股にわかれていた。しかし今度の魚は、ひどく人間的だった。奇妙な鼻の穴をしていて（いったい魚に鼻の穴などあるのだろうか）、人間のような厚い唇をしていた。もう済んだと思って、あやうく私はペンを取りあげるところだった。だが待てよ、彼はまだ描きおえていない。いったいなにを考えているのだろう？　魚はできあがっている、だが絵全体としてはまだなのだ。前に描いたとき、魚はひとつの像として孤立した存在だった。今度の魚は、あるひとつの世界すなわちひとつの場面を構成する部分なのだ。彼はすばやく仲間の小さな魚を描きこんだ。それは水にもぐってはねまわり、あきらかに戯れていた。すると今度は、水面が激しく波立つように描かれた。波を描きながら彼は興奮し、奇妙で不思議な叫び声をあげた。

私はこの絵が象徴的なものであると（すこし甘いかもしれないが）思わずにいられなかった。小さな魚と大きな魚。彼と私のことだろうか？　しかし、ひじょうに重要でしかも感動的だったことは、その絵には、私の指示によらず彼自身の内側から生まれた衝動があらわれていたことである。新しい要素、生きた相互作用を入れたいという衝動である。これまで彼の絵には――彼の人生にも――相互作用がつねに欠けていた。だがこの日ようやく、遊びのなかで、しかも象徴的なかたちではあったが、相互作用がもどったのである。この解釈は誤っているだろうか？　では、あの怒りにみちた荒々しい波は何だったのだろう？

安全な場所にもどるのが一番だと私は感じた。自由勝手な連想はもうやめておこう。私は将来にむかっての可能性を見つけたが、危険にも気がついていた。安全な場所、エデンの園、堕落前の母なる自然へ早くもどろう。私はテーブルの上にクリスマスカードを見つけた。それには、木の幹にとまっている赤い胸毛のこまどりが描かれていた。あたりは一面の雪景色で、冬枯れの木々が立っている。私はこまどりを指さして、ホセにペンをわたした。鳥はみごとに描かれた。胸をぬるのに彼は赤ペンを使った。足は鉤爪で、しっかりと木の皮をつかんでいた（この時だけでなくあとでも気がついたことだが、ホセは接触を確実にしたいためか、つねにきまって手や足のつかむ力を強調する）。しかし、いったいどうしたというのか、幹のとなりの枯れ枝が、彼の絵では拡大され、美しい花をつけていた。はっきりとはわからないが、このほかにも、象徴的と言えそうなものがいろいろあった。しかしもっとも重要できわだった点は、ホセが季節を冬から春へ変えていたことである。

ついに彼は話しはじめた。ただし「話す」と言っていいものかどうか。実際は奇妙なたどたどしい音、ほとんど聞きとれない発話でしかなかったのだから。それにしてもわれわれはみな、彼自身もまた、おどろいた。なぜなら、ホセも含めわれわれはみな、能力がないためか、気乗りしないためか、あるいはその両方が重なったためか、彼はまったくしゃべれず、それを治すことはできないと思っていたからだ（しゃべらないということは、事実であると同時に精神的な構えでもある）。しかしこの点についても、どれくらいまでが器質的な原因によるもので、「動機」の問題がどれほどかかわっているのか見きわめるのは不可能だった。彼の側頭葉の不調を完全に取りのぞくことはできなかったものの、われわれはそれを減少させていた。しかし脳波はけっして正常にもどらなかった。脳波図は、側頭葉にまだ軽い電位のざわめきがあることを示していた。ときどき鋭波がゆっくりとあらわれる。だが入院当初にくらべれば格段によくなっていた。たとえ痙攣を完全に除くことができたとしても、側頭葉の損傷をもとにもどすことはできないだろう。

われわれが彼の生理学的な発話能力を向上させてきたことは確かだ。そうはいっても、彼には、発話する能力と相手の話を理解認識する能力に欠陥があり、これから先もたえずそれと闘わなくてはならないだろう。しかし重要なことは、彼が人の話を理解しようとし、自分も話せるようになろうと努力しはじめたということである（われわれ全員がそれを応援していたし、言語療法士による指導もおこなわれていた）。以前の彼は、話せないという状態を、希望もなく自虐的に受け入れていただけだった。だから、ことばやその他の手段による他人とのコミュニケーションすべてにそっぽをむいていたのである。話すことができないことと話すことを拒んできたことが、二重に病気を悪化させていた。今は発話能力も回復し、彼自身が話そうとしている。それらが幸いにも二重の力となって回復を助けている。しかし、どのような手段を用いても、ホセはけっして普通の話し方ができるようにはならないだろう。これはどんな楽天家の目にも明らかだった。彼自身も、話すことは真の自己表現の手段にはなりえず、たんに簡単な要求を表現するものでしかないと感じていたらしい。そこでしゃべろうとする努力はつづけながらも、自己表現の手段として、描

くことのほうにいっそう力を入れていたのである。

最後にひとつのエピソードを話そう。ホセは騒々しい入院病棟から、おだやかでもっと静かな特別病棟へ移った。そこは、病院内ではどこよりも家庭的で、牢獄のような感じもしなかった。職員の数が多く、質も良かった。愛情と献身的な心くばりを必要とする自閉症の患者にとって、ベッテルハイムの言う「心の家」となるように設計されていたのである。それができるような病院はほとんどない。私がここを訪れたときのことだが、彼は私を見つけるとすぐ元気よく手をふった。ほんとうに明るく晴れ晴れとした様子だった。以前は想像もできなかったことである。彼は鍵のかかったドアを指さした。あけて外へ出たかったのである。

彼は先にたって階段をおりると、外へ出た。そこは陽光があふれ、草や花が生い茂っていた。私の知るかぎり、彼は八歳のときに発病して家にひきこもるようになって以来、すすんで外へ出たことはなかった。この日は、ペンを出して描くようにすすめる必要はなかった。彼は自分でペンを持っていたからである。われわれは庭を散歩した。ホセはときどき空を見上げたり木を見たりしたが、おおかたは、足元にひろがる藤色や黄色の絨毯のようなクローバーやたんぽぽをながめていた。彼はすばやく草花のかたちや色を見わけ、めずらしい白いクローバーや、めったにない四つ葉のクローバーを見つけた。見つけた花は七種類にものぼった。そして、それらひとつひとつに、まるで友だちのように挨拶をする

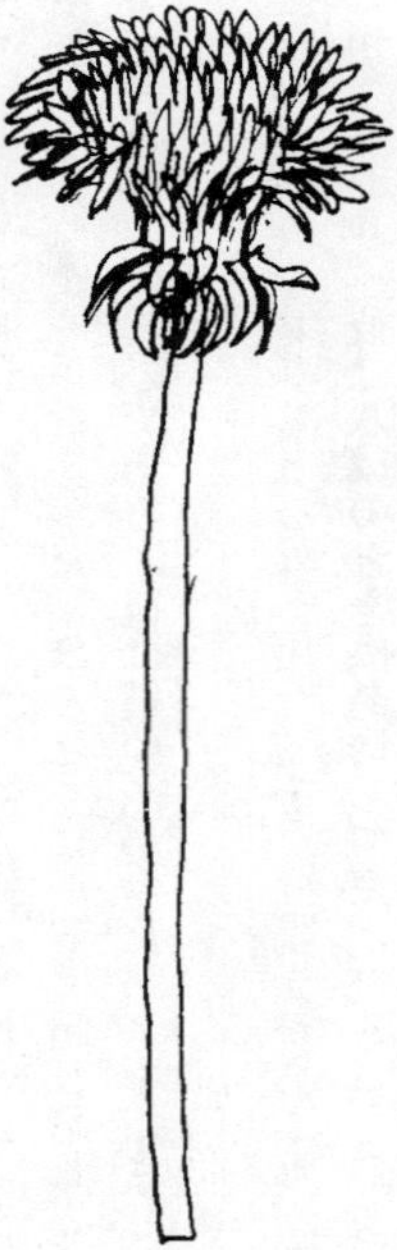

のだった。なかでも、大きな黄色のたんぽぽ、花びらを太陽にむけてすっかり開いているたんぽぽがお気に入りだった。ぼくの花はこれだ。彼はそう感じ、その気持をあらわすため描こうとした、描くこと、絵をとおして考えをあらわしたいという欲求は、直接的で強力だった。彼はひざまずくと画板を地面におき、そのたんぽぽを片手でにぎりながら描いた。

元気だった子供のころ、父に連れられてスケッチにいって以来、ホセが生きたものを描くのはこれがはじめてだったろう。それはすばらしい絵である。正確で生き生きとしている。そこには、彼の現実にたいする愛情、かたちこそちがうがひとつの生命にたいする愛があらわれている。それは、中世の植物学や薬草学の本にのっている克明な写生図にもひけをとらないものだった。ホセは植物学についての正式な知識をもっておらず、たとえ学ぼうとしても理解することはできなかったことだろう。しかし、彼の花は細心の注意をはらって描かれており、植物学的にも正確だった。彼の心は観念的・抽象的なものを理解するようにはつくられていない。抽象的なものをとおして真実を見いだすことはできないのだ。しかし、具体的な個々のものに熱中し、それを表現する能力をもっている。それらを愛し、直観的に理解し、再創造する。彼にとっては、具体的なものこそ真実と現実に通じる道なのである。

自閉症の者は、抽象的・範疇的なものには興味を抱かない。具体的なもの、個々のひとつひとつが大事なのである。それは能力的なものかもしれないし、気質の問題かもしれないが、いずれにせよ、自閉症の者はそれが顕著である。抽象性というものに欠け、あるいはそれにむいていないため、彼らの世界は具体的な個々の物で成りたっている。したがって、彼らはユニバース（単一の世界）に住んでいるのではなく、ウィリアム・ジェイムズのいうマルチバース（複合世界）に住んでいる。確固とした強烈な無数の「個」でできた世界なのである。それは、「一般化」することや科学的な考え方とはまったく正反対な心のありかたである。しかし、ありようこそちがうが、これだって同じようにリアルな現実的態度なのである。ボルヘスの「記憶の人フネス」で描かれているのが、まさしくそのような心である（ちょうどルリアの記憶亢進患者とおなじである）。

普遍的、プラトン的観念をもつことは、彼フネスにはほとんど不可能であった。このことを忘れてはなるまい……彼の世界には、ただ具体的な、直接的な、個々の細目があるのみだった……この不運なイレネオに夜となく昼となく押しよせたあくなき現実の熱と圧力を、これほどまでに感じた者はいまだかつていなかった。

ボルヘスのイレネオが現実の圧力を感じていたように、ホセもそれを感じていた。しかし、これはかならずしも不幸な状況ではない。個々の具体的なものから深い満足を感じることだってありうるからだ。とくにホセの場合のように、具体的な個々のものがすばらしく象徴的な意味をもっているような場合にはそれが言える。

自閉症で知的障害でもあるホセは、具体的なもの、そしてまた「かたち」について、すぐれた才能をもっている。彼は独自のスタイルをもった自然主義者、自然派の画家なのである。彼は世界を「かたち」として把握する。つまり、かたちをたちどころに、かつ強力に感じとり、それを表現するのである。彼は、すばらしい写実力と同時に寓意的な表現力ももっている。花や魚をきわめて正確に描くことができるが、同時にそれを擬人化したり、象徴化したり、夢にしたり、あるいは滑稽なふざけにしてしまうこともできる。それなのに通常世間では、自閉症は、イマジネーションや遊び心や芸術とは無縁の存在だと考えられているのだ。

ホセのような人間は存在するはずがないと思われている。ナディアのような自閉症児の芸術家は存在するはずがないと思われてきた。彼らは本当にそんなにまれな存在なのだろうか。それとも見過ごされてきただけなのだろうか。ナイジェル・デニスはナディアについてのすぐれた論文のなかで、世界中でどれだけ多くの「ナディアのような人物」が見過ごされていることかと述べている（一九七八年五月四日『ニューヨーク・レヴュー・オブ・ブックス』）。彼らのすばらしい作品が、くしゃくしゃに丸められごみ箱に捨てられているかもしれないし、ホセのようにふしぎな才能をもっていても、場ちがいで孤立した存在として、関心ももたれず、ぞんざいに扱われているかもしれないのである。だが自閉症の芸術家（そこまでいかないにしても、いたってすぐれた想像力の持ち主）は、けっしてまれな存在ではない。私はとくに意識して捜したわけではないが、そのような例を過去十二年間にちょうど十二くらい見てきている。

自閉症の者は、生来めったに外部からの影響をうけない。そのため孤立化する運命にある。しかし、だからこそ彼らには独自性がある。彼らのヴィジョンをもし垣間見ることができるとすれば、それは内側から生まれるもの、彼らがもともともっていたものであろう。彼らを知れば知るほど、彼らは他の人々とはちがって完全に内側にむいた存在、独自性のある不思議な存在であるという思いが強まるのである。

かつて自閉症は幼児の精神分裂病と考えられていた。だが症候学的には、これはまったく正反対である。精神分裂病の患者は、つねに外からの影響を訴える。消極的で他人の影響をうけやすいし、自分自身の存在をもちつづけることができない。一方、自閉症の者がもし不満をもらすとすれば――そういうことはありえないが――それは、他からの影響が欠落していること、完全に孤立した存在であること、であろう。

「誰ひとり、島のように孤立して存在することはできない」とダンは書いた。しかし、自閉症とはまさにそのような存在なのである。本土からきり離され孤立化した島のような存在である。「正統的」な自閉症なら、三歳までにはっきり出てくるものだから、この場合は「本土」の記憶がぜんぜんないことがある。一方、ホセのようにあとから脳障害によっておきた「二次的な」自閉症の場合は、記憶はいくらか残っている。その昔つながっていた本土にたいする郷愁があるかもしれない。だからホセは、ほかの自閉症の者よりも影響をうけやすく、すくなくとも彼の絵のなかには自分と外界との相互交流があらわれていたのである。

本土からきり離され、「島」のような存在でいることは、必然的に「死」を意味するのだろうか？　それは「ひとつの」死かもしれないが、かならずしもまったくの死ではない。なぜなら、他の人々や社会や、文化との「水平的」つながりは失われていても、生き生きとして強力な「垂直的」つながりは存在しうるからだ。つまり、他人の影響や接触はなくても、現実や自然とのあいだに直接的なつながりをもつことはできるのだ。ホセはそれをもっていた。彼の知覚はおどろくほど鋭く、描くものは直接的で明晰だった。まわりくどい曖昧さはかけらほどもない。そこにあるのは、他からの影響をうけない岩のような力である。

このように考えてくると、最後の疑問に行きあたる。島のような存在の人間、既存文化に同化できない人間、本土の一部になれない人間にとって、この世界に居場所があるのだろうか？　「本土」は、特殊なものをはたして受け入れるだろうか？　現実の社会や文化は、天才にたいしても、これと似た反応を見せている（自閉症の者がすべて天才だと言うつもりはもちろんないが、彼らは、特異であるという点では天才と共通している)。具体的に言おう、いったいホセにはどんな未来があるのだろうか？　本来の彼自身をそのまま保って、かつそれを生かす場が、この社会にあるのだろうか？

彼は植物がたいへん好きで、それにたいして優れた眼をもっているから、植物や薬草の研究用の図版を描くことができるのではないだろうか。動物学や解剖学の本の挿絵画家になるのはどうだろう(次ページの絵は、私が有毛上皮とよばれる層状組織の図を見せたときに彼が描いたものである)。あるいは科学探険に同行して、めずらしい標本の絵を描くことができるのではないか(彼は絵とおなじように上手に模型を作ることもできる)。目の前の物にたいする彼のあの純粋な集中力が、それには理想的ではないだろうか。かならずしも筋ちがいではないが少々飛躍して、次のようなことも考えられよう。個性的で特異であることを生かして、おとぎ話や聖書の物語の挿絵を描くのである。彼は読むことはできないが、文字を純粋に美しいかたちとしてとらえるから、祈禱書やミサ典礼書の絢爛たる飾り文字を書くのはどうだろう。彼は教会の祭壇背後の壁をモザイクや彩色した木で美しく飾ったことがある。また、墓石にすばらしい墓碑銘を刻んだこともある。現在の彼の仕事は、病棟で出すさまざまな「お知らせ」を手刷りすることである。彼は花文字や飾り文字を使い、まるでマグナカルタの現代版のようにつくっている。彼にはこれらすべてのことができた。それも、たいへん見事にやってのけたのである。このようなこと

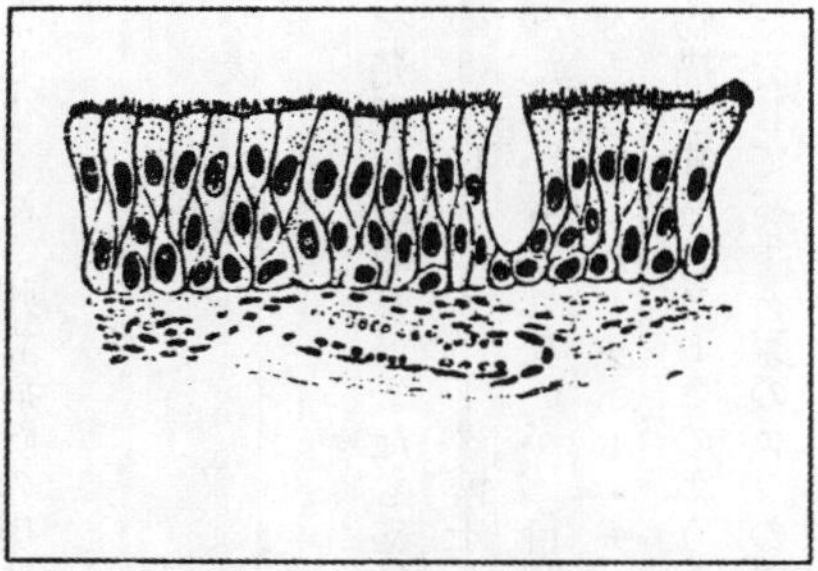

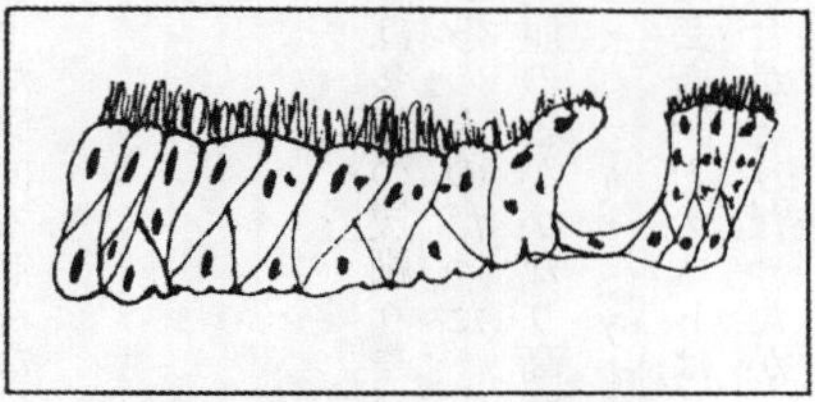

は、人々の役に立つばかりでなく、彼自身にとっても楽しいことである。彼は能力をもっていたのである。だがひじょうに理解のある人が彼を雇い、手段をあたえて指導してくれなければ、彼は何ひとつできないだろう。そのような機会がなければ、他の多くの自閉症の者とおなじように、州立病院の奥まった病棟で無為な日々を送ることになるだろう。

後　記

この話を発表したあと、またもや私は多くの抜刷りや手紙を受けとった。もっとも興味深かったのは、C・C・パーク博士からのものだった。ナディアはたしかにピカソのように特別だったのかもしれないが、自閉症の者がかなり高度な芸術的才能をもっていることはよくあることだ（ナイジェル・デニスもこれにはうすうす気づいていた）。グッドイナフの「人物描写知能テスト」のような芸術能力テストは、ほとんど無意味である。ナディア、ホセ、そしてパーク家のエラの場合がそうだったが、あっとおどろくような絵は、まったく自発的な潜在能力のあらわれにちがいない。

パーク博士の「ナディア」論（一九七八）はたいしたものであり、挿絵もたくさん収められているが、このなかで博士は、世界中の文献だけでなく自分自身の子供についての経験をもとに、自閉症の者が描く絵の主要な特徴といえるものをいくつかあげている。そのなかには、よくない点もあれば、逆にすぐれた点もある。前者の否定的な特徴とは、派生的であること、定形化していることであって、後者の肯定的な特徴とは、あとからでも思い出して描けること、対象を考えたようにではなく、見たままに描けるという異常能力である。そのために、おどろくほどの無邪気さ・純真さが彼らの絵には見られる。パーク博士はまた、自閉症児は他人がどう反応しようとそれにたいして比較的無関心であるとも述べている。そうだとすると、自閉症児は訓練してもむなしいことになるのかと思われがちだが、実際はそうではない。彼らは、教えられたり注意されたりすることにいつも反応しないわけではないのだ。なかにはまったく反応しない者もいるが、それは非常に特別なタイプの場合である。

パーク博士は、彼女自身の娘（いまは成人して優秀な芸術家）についての経験のほかに、日本人の治療経験を述べている。モリシマとモッギの例である。それらはすばらしい経験であるが、広く十分に認められているとはいえない。彼らは、指導をうけたこともない（とうてい指導が不可能に思われていた）自閉症児の才能を、専門的に完成された芸術に育てることに成功した。モリシマは特殊な指導テクニックを好んで用いている。高度な体系的技術トレーニングで、日本の伝統文化にみられる徒弟制度のようなものである。彼は絵を描くことを、コミュニケーションのひとつの手段として奨励している。しかしそのような形式的なトレーニングは、重要ではあるがそれだけでは十分ではない。親密な、心のかよいあった関係が必要なのである。パーク博士は論文を次のようなことばで結んでいる。それは、この第四部「純真」の結びとしてもふさわしいものといえよう。

成功の秘密は、もっと別のところにあるのだろう。モッギは、さらにこの知的障害の芸術家をわが家に引き取って、いっしょに暮らすことにしたのである。相手のためにその身を投げだすこの献身。秘密はそこにある。モッギはつぎのように書いている。「ヤナムラの才能を伸ばすために私がしたことは、彼の魂をわが魂とすることでした。教師は、美しく正直な知的障害の生徒を愛し、その清らかな世界をともに生きるべきなのです」

訳者あとがき

これは Oliver Sacks 著 *The Man Who Mistook His Wife for a Hat* の全訳である。この本は一九八五年に（Duckworth 社から）出版されてたちまち大評判となり、ベストセラーになった。医学界のみならず一般読書界にあたえたインパクトはたいへんなものだったようで、当時の研究誌・新聞・雑誌にのった数多くの書評から、その反響の大きさを容易に想像することができる。この翻訳は、その後加筆補正された一九八七年版（出版社は Harper & Row）を底本とした。

米英の読書界ではいまや知名人といっていいサックスだが、日本では案外まだ知られていない。一九九〇年十二月に『偏頭痛百科』が「サックス・コレクション」の一冊目として晶文社から出版されたが、これが邦訳された最初の著作ということになる。

だが、映画『レナードの朝』と聞けば、それなら知っているという人は多いのではないだろうか。九一年の春に日本でも封切られ、センセーションをまきおこした映画である。

ところはニューヨークのある病院のなか。三十年も昏睡状態にあった患者が、良心的な一医師が敢然として試みた新薬によって、奇跡的に記憶をとりもどし、ことばが話せるようになるという、ドラマチックで感動的な映画である。これは実際にあった話で、それを書いたのが、ほかでもないドクター・サックスなのである。彼の第二作『レナードの朝』がそれで、その本を土台にしてこの映画はつくられた。主人公の医師にはロビン・ウィリアムズが扮しているが、たくましい体軀で、眼鏡をかけて、濃いひげをはやしたあたり、実際のサックスにかなりよく似せてある。

オリバー・サックスは一九三三年ロンドンに生まれ、セント・ポールズ・スクールに学んだのち、オクスフォードで医学の学位をとった。専攻は、両親とおなじく神経学である。一九六〇年から合衆国に移り、カリフォルニア大学で三年間のインターンののち、ニューヨークに行き、ブロンクスにあるアルバート・アインシュタイン医科大学に職を得、ブロンクス州立病院に出入りするようになった。一九七〇年に最初の本を出したが、これが『サックス博士の片頭痛大全』(『偏頭痛百科』)である。一九六六年十月から、患者八十名ほどのベス・アブラハム慈善病院に勤めるようになり、知能障害、脳炎後遺症患者などのむずかしい治療に心血をそそいだ。一九六九年の春、患者たちに奇跡のような変化がおこった。劇的な事件だった。そのときの記録が『レナードの朝』(一九七三)で、これによって彼の名は一躍世に知られるようになった。詩人W・H・オーデンはこの本を「傑作」

としてたたえ、ハロルド・ピンターはこれに想を得て『いわばアラスカ』を書いたといわれている。サックスがつぎに書いたのは『左足をとりもどすまで』（一九八四）である。以前彼はノルウェーの山中で崖から落ち、片足の感覚がなくなるほどの大怪我をした。この本はそのときの、自己を対象としたくわしい症例報告といえよう。そのあと出されたのが、ここに訳出した『妻を帽子とまちがえた男』である。『レナードの朝』のさらに上をゆく問題作で、これによってサックスは、今世紀有数のノンフィクション・ライターとまで言われるようになったのである。このあと、もっとも新しい著書として、聾者の世界をあつかった『手話の世界へ』（一九八九）がある。

さて、この『妻を帽子とまちがえた男』だが、これが書かれた経緯や意図は、なかに――とくに冒頭の部分に――しるされているけれども、訳者からも、とくに本書のだいじな点を指摘しておきたい。

たしかにこれは、著者の言うとおり「奇妙」な話を集めたものである。脳神経になにか異常があるとき、奇妙なふしぎな症状があらわれ、一般の想像をこえた動作や状態がおこる。ここに語られた二十四篇の話はいずれもそうした例といっていい。しかしわれわれがこれらをただ好奇の目でながめ、興味本位に読むのだったら、それはたいへんな誤りで、著者の意図と真情を正しく理解したことにはならないだろう。病気の挑戦をうけ、正常な機能をこわされ、通常の生活を断念させられながらも、患者はその人なりに、病気とたたかい、人間としてのアイデンティティをとりもどそうと努力している。勝てなくても戦いつづけている。たとえ脳の機能はもとどおりにならなくても、それで人間たることが否定されるのではない。このことこそ、サックスがくり返し述べているところであって、ここが問題の核心というべきであろう。「魂《ソウル》」というのは科学的でないことばだから、彼はためらいがちに、わずかな個所でのみ用いているけれども、そうとしか言いようのないあるものを、彼は信じている。二十四篇の話のどれを読んでもひたひたと伝わってくる患者への愛情は、彼のこの信念とけっして無関係ではない。もし彼の関心が病気にだけあるのだったら、これほどの感動はなかっただろう。病気よりも人間のほうに関心のつよい医師であるからこそ、これは傑作となることができたのだ。本書は、医者の研究余話だとか診療こぼれ話といったものと同じように見てはならないのである。

翻訳は、高見と金沢とが共同ですべての部分にあたった。章別に分業したり、責任の範囲を分けることはしなかった。文字どおり、協同作業に終始したといっていい。原書に医学の専門用語が多いのは当然だが、その一方で、著者は文学・哲学その他にも関心がきわめて広く、そうした旺盛なエネルギーが、言葉ももどかしいくらいに、どろどろした状態のままで噴き出している個所が少なくない。日本語に移しかえるのに容易でない部分もあり、慎重を期したつもりだが思わぬ誤りがあるかもしれない。読者のご叱正とご教示をお願いする次第である。

医学上の専門的なことにかんしては、新津信愛病院長の長谷川まこと博士にいろいろとお教えいただいた。厚くお礼を申し上げる。また本書が出版されるまでには、晶文社編集部の原浩子さんにひとかたならぬお世話になった。心からお礼を申し上げたい。

一九九二年十一月　　高見幸郎

文庫化にあたって

本書『妻を帽子とまちがえた男』を、このたびハヤカワ文庫から刊行することになった。

本書の単行本が晶文社から出版されてから、『レナードの朝』、『左足をとりもどすまで』につづき『手話の世界へ』、『火星の人類学者』、『色のない島へ』、『タングステンおじさん』、『オアハカ日誌』が邦訳された。日本でもすっかりオリヴァー・サックスは脳神経科医、作家として知られる存在になっている。

サックスは七十代になった現在も、コロンビア大学の教授として精力的に活躍を続け、二〇〇七年に最新作 *Musicophilia: Tales of Music and the Brain* を発表している。音楽と脳の不思議な症状の関係を扱った作品で、近く邦訳の予定だそうだ。

高見幸郎

二〇〇九年六月

参考文献

ヒューリングズ・ジャクソン，クルト・ゴールドスタイン，ヘンリー・ヘッド，A. R. ルリア――この四人は神経学の父といっていい。彼らは，現代われわれがとり組んでいるのとさして変るところのない問題や患者に生涯を賭け，精力的に研究をおこなった。彼らは私自身の考え方や本書の基軸ともなっている。とかくわれわれは，簡単に割りきれない複雑な人物をも単純化してタイプ分けしようとする。彼らの思考のなかにある豊かな矛盾を許容したがらない。私もその例にもれず，しばしば「古典的なジャクソン派神経学」などという言い方をしてきたけれども，「夢幻状態」や「追想」について語るときのヒューリングズ・ジャクソンは，すべて思考を「命題論」と見たジャクソンとはちがう。前者は詩人であり，後者は論理学者である。だがそれでいて，両者は同じひとりの人間だった。図表が好きで図式化に熱心だったヘンリー・ヘッドは，「情感的調子《フィーリング・トーン》」を切々たる文章で叙述したヘッドとはちがうのである。ゴールドスタインは，「抽象的なもの」をいたって抽象的に述べたけれど，その一方で，個々の具体的なケースがもつ豊かな具体性をじゅうぶんに評価していた。最後にルリアだが，彼の場合は，二重性がはじめから自覚され，意図されていた。彼は，二種類の本を書かなければならないと自分で感じていた。ひとつは，いわゆる研究書らしく形式も構造も整った著作，もうひとつは，小説に近い伝記ふうの物語である。彼は，前者を古典的科学と呼び，後者をロマンチック・サイエンスと名づけた。

ヒューリングズ・ジャクソン

ジャクソン以前にも，個々の症例研究としてすばらしいもの（たとえば 1817 年に Parkinson によって書かれた “Essay on the Shaking Palsy”）はあったが，神経機能を全般的にとりあげ，系統立った見方

をしたものはなかった。ジャクソンは，神経学をはじめて科学として確立した人物といえよう。ジャクソンの神経学の全貌を伝えるものは，Taylor, J., *Selected Writings of John Hughlings Jackson*.(London: 1931; repr. New York: 1958）である。示唆に富み，いたって明快な個所はあるというものの，この本は難解で，通読は容易でない。もっとみじかくまとめたものとしては，Purdon Martinが死の直前に九分通り編集をおえた一冊がある。これにはジャクソンの談話や回想記もふくまれており，彼の生誕150年を期して出版されることになっている。

ヘンリー・ヘッド

ヘッドは，6章にでてくるウィア・ミッチェルのように筆力にすぐれ，彼の大部な著作はわかりやすく，読んでたのしめる。

Studies in Neurology. 2 vols. Oxford:1920.

Aphasia and Kindred Disorders of Speech. 2 vols. Cambridge:1926.

クルト・ゴールドスタイン

ゴールドスタインの代表作は*Der Aufbau des Organismus*(The Hague:1934), translated as *The Organism:A Holistic Approach to Biology Derived from Pathological Data in Man*(New York:1939). そのほか一読に値するものとしては，Goldstein, K. and Sheerer, M.,"Abstract & concrete behaviour," *Psychol. Monogr*.53（1941）.

A．R．ルリア

ルリアの著作は，現代の神経学にとってもっとも貴重な財産といっていい。そのほとんどは英訳されている。そのうち入手容易なものをあげれば次のとおりである。

The Man with a Shattered World. New York: 1972.（本訳書では『こなごなになった世界の男』，邦訳『失われた世界』杉下・堀口訳，海鳴社）

The Mind of a Mnemonist. New York:1968.（本訳書では『偉大な記憶力の物語』，邦訳，天野清訳，文一総合出版）

Speech & Development of Mental Processes in the Child. London: 1959. 精神的欠損，発声，遊び，双生児を研究したもの（本訳書では『こど

ものことばと精神発達』)。
Human Brain and Psychological Process. New York;1966. 前頭葉症候群の症例研究（本訳書では『脳と心理作用』)。
The Neuropsychology of Memory. New York:1976.（本訳書では『記憶の神経心理学』)
Higher Cortical Functions in Man. 2nd ed. New York:1980. ルリアの著作中もっとも本格的かつ大部な代表作。神経学にかんして今世紀最大の研究（本訳書では『人間における高次中枢機能』)。
The Working Brain. Harmondsworth: 1973. 上記の大作を簡潔にまとめたもの。神経心理学の最適の入門書（本訳書では『働く脳』)。

章別の参考文献

1　妻を帽子とまちがえた男

Macrae, D. and Trolle, E."The defect of function in visual agnosia." *Brain* (1956) 77: 94-110.
Kertesz, A."Visual agnosia:the dual deficit of perception and recognition." *Cortex* (1979) 15:403-19.
Marr, D. 15 章参照。
Damasio, A. R."Disorders in Visual Processing,"in M. M. Mesulam（1985),pp.259-88. 8 章参照。

2　ただよう船乗り

コルサコフの場合，1887 年の論文もその後の著作も英訳されていない。彼の全著作リストは，ルリアの *Neuropsychology of Memory* のなかにある。一部の抄訳，論評ものせてある。なおルリアのこの本には，「ただよう船乗り」に似た記憶喪失の症例が多く書かれている。

アントン，ペーツル，フロイトの三人に私は本書でふれたが，このうちでフロイトの論文だけは英訳されている。ひじょうに重要な論文である。

Anton, G."Über die Selbstwarnehmung der Herderkrankungen des

Gehirns durch den Kranken."*Arch. Psychiat*.（1899）32.

Freud, S. *Zur Auffassung der Aphasia*. Leipzig: 1891. Authorized English tr., by E. Stengel, as *On Aphasia : A Critical Study.* New York:1953.

Pötzl, O. *Die Aphasielehre vom Standpunkt der klinischen Psychiatrie : Die Optische-agnostischen Störungen*. Leipzig: 1928. ペーツルがここで書いている症候群のなかには，たんに視覚的なものばかりでなく，身体の一部または半分がぜんぜん当人に知覚されないものもある。したがってこの研究は，３章，４章，８章にも関係する。

３　からだのないクリスチーナ

Sherrington, C. S. *The Integrative Action of the Nervous System.* Cambridge:1906. esp. pp.335-43.

—— .*Man on His Nature.* Cambridge:1940. Ch.11, esp. pp.328-9.

本書は，この章の患者の症状ととくに関係の深い問題をあつかっている。

Purdon Martin, J. *The Basal Ganglia and Posture*. London:1967. これは重要な本で，７章の問題といっそう関係がふかい。

Weir Mitchell, S. ６章参照。

Sterman, A. B. et al."The acute sensory neuronopathy syndrome." *Annals of Neurology* (1979) 7: 354-8.

４　ベッドから落ちた男

Pötzl, O. Op. cit.

５　マドレーヌの手

Leont'ev, A. N. and Zaporozhets, A. V. *Rehabilitation of Hand Function*. Eng. tr. Oxford:1960.

６　幻の足

Sterman, A. B. et al. Op. cit.

Weir Mitchell, S. *Injuries of Nerves*.1872; Dover repr. 1965. 本書は，アメリカ南北戦争からあとウィア・ミッチェルが接した幻影肢や反射麻痺などの諸例を書いている。彼は，神経学者であると同時に小説家でもあった。想像力ゆたかな彼の論文は（「ジョージ・デッドロ

ウのケース」もそうだが)，科学誌でなく，1860年代，70年代の『アトランティック』誌によく発表された。

7 水準器

Purdon Martin, J. Op. cit. esp. ch. 3, pp. 36-51.

8 右向け、右！

Battersby, W. S. et al."Unilateral 'spatial agnosia'(inattention)in patients with cerebral lesions."*Brain*(1956)79:68-93.

Mesulam, M. M. *Principles of Behavioral Neurology*(Philadelphia: 1985),pp.259-88.

9 大統領の演説

「調子《トーン》」にかんするフレーゲの考えを知るには，次のものが最適である。

Dummett, M., *Frege:Philosophy of Language*(London:1973),esp. pp.83-89.

スピーチと言語，とくに「情感的調子《フィーリング・トーン》」にかんするヘッドの考えは，失語症を論じた彼の著書（前掲）にもっともよく表されている。スピーチにかんするヒューリングズ・ジャクソンの研究は，いくつもの論文に分散して発表されたけれど，彼の死後，主要なものは次のかたちでまとめられている。"Hughlings Jackson on aphasia and kindred affections of speech, together with a complete bibliography of his publications of speech and a reprint of some of the more important papers," *Brain*(1915) 38: 1-190.

聴覚的失認は，いまだに判然としない複雑で比較的未踏の領域だが，この問題にかんしては，Hecaen, H. and Albert, M. L., Human Neuropsychology pp.265-76.(New York:1978) が参考になる。

10 機知あふれるチック症のレイ

1885年にジル・ド・ラ・トゥレットは，2部からなる論文を発表した。彼の名をとって今日トゥレット病とよばれる症候群をみごとに述べたものである（彼は神経学者であるばかりでなく，劇作家でもあった)。"Etude sur une affection nerveuse caracterisée par l'incoordination motrice accompagnée d'écholalie et de coprolalie,"Arch. Neurol.

9:19-42,158-200 (英訳, Goetz, C. G. and Klawans, H. L., *Gilles de la Tourette on Tourette Syndrome*, New York,1982)

メージュ Meige とファンデル Feindel による大作 *Les Tics et leur traitement*（1902）は，1907 年に Kinnier Wilson によって英訳された。本書の冒頭には，一患者による個人的回想記（“Les Confidences d'un tic-queur”）があるが，これは他に類例のないユニークな文章といえよう。

11　キューピッド病

トゥレット症候群の場合とおなじように，年代は古くても，臨床的研究にきわめてすぐれたものがある。フロイトと同時代のクレペリン Kraepelin は，神経梅毒について，短いけれどすばらしいものを多く書きのこしている。興味のある読者には Kraepelin, E., *Lectures on Clinical Psychiatry*（Eng. tr. London:1904）をすすめたい。この 10 章と 12 章では，誇大妄想と全身麻痺における譫妄があつかわれている。

12　アイデンティティの問題

Luria（1976）を参照。

13　冗談病

Luria（1966）を参照。

14　とり憑かれた女

10 章参照。

15　追想

Alajouanine, T.“Dostoievski's epilepsy.” *Brain*(1963)86:209-21.

Critchley, M. and Henson, R. A., eds. *Music and the Brain: Studies in the Neurology of Music*. London:1977. esp. chs.19 and 20.

Penfield, W. and Perot, P. “The brain's record of visual and auditory experience:a final summary and discussion.” *Brain*(1963)86: 595-696. これは 100 ページにおよぶ大論文で，30 年間の深い観察と実験と思索の結晶である。神経学において最も独創的かつ重要な研究で，1967 年に『サックス博士の片頭痛大全』*Migraine* を書いている間じゅう本書のことがたえず私の頭にあった。この 15 章を

書くさいにも，つねに私の想像力の源といってもいいほどだった。ふつうの小説などよりははるかに面白く，奇抜で豊かな題材をあつかっている。

Salaman, E. A *Collection of Moments*. London:1970.

Williams, D.“The structure of emotions reflected in epileptic experiences.” *Brain* (1956)79:29-67.

ヒューリングズ・ジャクソンは，「精神的発作」に注目し，それがおこるさまをさながら小説のごとく克明に叙述し，脳のどの位置におこるかをつきとめた最初の人だった。この問題について数篇の論文を書いたが，そのうちで本章に関係の深い論文は，彼の *Selected Writings* の Vol.1 p.251ff., p.274ff. にある。次の論文は Vol.1 のなかにはないが，これもひじょうに参考になる。

Jackson, J. H.“On right-or left-sided spasm at the onset of epileptic paroxysms, and on crude sensation warnings, and elaborate mental states.” *Brain* (1880) 3:192-206.

——.“On a particular variety of epilepsy(‘Intellectual Aura’).” *Brain* (1888) 11: 179-207.

パードン・マーチン Purdon Martin は，ヘンリー・ジェイムズについて興味深いことを書いている。ジェイムズがヒューリングズ・ジャクソンに会ったとき，二人のあいだで本章にあるような発作が話題になった。のちにジェイムズが小説『ねじの回転』のなかであやしげな幽霊を書いたとき，ジャクソンとの対話から得た知識がもとになっていたという。Martin, P., “Neurology in fiction:*The Turn of the Screw,” British Medical J.* (1973) 4: 717-21.

Marr, D. Vision: *A Computational Investigation of Visual Representation in Man*. San Francisco:1982. ひじょうに独創性のある重要な研究。死後出版（マーは若いうちから白血病だった)。ペンフィールドは，脳における表現の最終的な形態（図像性）を明らかにしているのにたいし，マーは，脳における表現の原初的な形態——直観でそれとわかるようなものでもなく，ふつうの意味での経験とは言えないよ

うなもの——を示そうとしている。マーについては，1章でふれるべきだったかもしれない。なぜならば，音楽家Pの場合は，いわば「マー的な」欠損に類するものだったのだから。Pには顔貌失認もあったけれど，そればかりでなく，マーのいう「原初的スケッチ」"primal sketch"を形成することができなかったのだと考えられる。神経学で心像や記憶を考えるさいに，マーがおこなった考察を無視することはできない。

16　おさえがたき郷愁

Jelliffe, S. E. *Psychopathology of Forced Movements and Oculogyric Crises of Lethargic Encephalitis*. London:1932. esp. p.114ff. discussing Zutt's paper of 1930.

拙著『レナードの朝』*Awakenings*(London:1973;3rd. ed.1983）のなかの Rose R にかんする個所を参照。

17　インドへの道

この章と同じような問題をあつかったものが他にあるかどうか不明。だが私自身，よく似た例をもうひとつ経験している。その患者もまた神経膠腫で，頭蓋内圧力が増し，発作が多くなり，ステロイドを投与せざるをえなかった。死が近づくにつれて，やはり彼女にも，なつかしい故郷の光景が見えてきた。ただし彼女の場合，その故郷はアメリカ中西部だった。

18　皮をかぶった犬

Bear, D."Temporal-lobe epilepsy:a syndrome of sensory-limbic hyperconnection." *Cortex*(1979) 15:357-84.

Brill, A. A. "The sense of smell in neuroses and psychoses."*Psychoanalytical Quarterly*(1932)1:7-42. いささか冗長なこの論文は，表題に示されていることよりむしろ，それの裾野にあたる問題に多くのページをさいている。とりわけ，多くの動物・未開人・子供の嗅覚は強く重要であることをくわしく書いている。嗅覚は，人間の場合おとなになると弱くなる，という。

19　殺人の悪夢

これに類似した話は知らない。だが私の経験からいうと，ごくまれなことではあるが，前頭葉損傷，前頭葉腫瘍，前頭葉内発作，あるいはロボトミーの場合，強迫追想におそわれることがある。ロボトミーは，こうした「追想」がおこらないようにおこなわれるものだが，ときにはそれを悪化させることがある。Penfield and Perot の前掲書参照。

20　ヒルデガルドの幻視

Singer, C."The visions of Hildegard of Bingen" in *From Magic to Science*(Dover repr.1958).

拙著『サックス博士の片頭痛大全』（1970;3rd. ed.1985）のとくに第３章「前兆と典型的片頭痛」参照。

ドストエフスキーのてんかんについては，Alajouanine の前掲論文参照。

第四部　純真

Bruner, J."Narrative and paradigmatic modes of thought,"presented at the Annual Meeting of the American Psychological Association, Toronto, August 1984. Published as "Two Modes of Thought," in Actual Minds, Possible Worlds(Boston:1986), pp.11-43.

Scholem, G. On the Kabbalah and its Symbolism. New York:1965（邦訳『カバラーとその象徴的表現』小岸・岡部訳，法政大学出版局）

Yates, F. *The Art of Memory*. London:1966.

21　詩人レベッカ

Bruner, J. Ibid.

Peters, L. R."The role of dreams in the life of a mentally retarded individual." *Ethos* (1983):49-65.

22　生き字引き

Hill, L."Idiots savants : a categorisation of abilities." *Mental Retardation*. December 1974.

Viscott, D."A musical idiot savant : a psychodynamic study, and some speculation on the creative process."*Psychiatry*(1970)33(4): 494-515.

23　双子の兄弟

Hamblin, D. J. "They are 'idiots savants' — wizards of the calendar." *Life 60*(18 March 1966):106-8.

Horwitz, W. A. et al."Identical twin'idiots savants' — calendar calculators." *American.J. Psychiat.*(1965) 121: 1075-79.

Luria, A. R. and Yudovich, F. la. *Speech and the Development of Mental Processes in the Child*. Eng. tr. London:1959.

Myers, F. W. H. *Human Personality and Its Survival of Bodily Death*. London:1903.3 章参照。"Genius," esp. pp.70-87. この本の第 1 巻はすばらしい傑作である。この部分はウィリアム・ジェイムズ William James の『心理学原論』*Principles of Psychology* にしばしば比せられる。

Nagel, E. and Newmann, J. R. *Gödel's Proof*. New York:1958.

Park, C. C. and D. 24 章参照。

Selfe, L. *Nadia*. 24 章参照。

Silverberg, R. *Thorns*. New York:1967.

Smith, S. B. *The Great Mental Calculators : The Psychology, Methods, and Lives of Calculating Prodigies, Past and Present*. New York: 1983.

Stewart,I. *Concepts of Modern Mathematics*. Harmondsworth:1975.

Wollheim, R. *The Thread of Life*. Cambridge, Mass.:1984. とくに，iconicity（図像性）と centricity（中心性）を論じた第 3 章を参照。私がこれを読んだのは，ちょうどマーチンと双子の兄弟とホセのことを書いているときだった。したがって本書は，22 章，23 章，24 章すべてに関係する。

24　自閉症の芸術家

Buck, L. A. et al. "Artistic talent in autistic adolescents and young adults." *Empirical Studies of the Arts* (1985)3 (1):81-104.

——."Art as a means of interpersonal communication in autistic young adults." *JPC* (1985)3:73-84.

上記の 2 論文は，ともに，Talented Handicapped Artist's Workshop（ニューヨーク，1981 年設立）の助成により刊行された。

Morishima, A."Another Van Gogh of Japan:The superior art work of a retarded boy." *Exceptional Children*(1974)41:92-6.

Motsugi, K."Shyochan's drawing of insects." *Japanese Journal of Mentally Retarded Children* (1968) 119: 44-7.

Park, C. C. *The Siege:The First Eight Years of an Autistic Child.* New York:1967(paperback:Boston and Harmondsworth:1972).

Park, D. and Youderian, P."Light and number : ordering principles in the world of an autistic child." *Journal of Autism and Childhood Schizo-phrenia* (1974) 4 (4): 313-23.

Rapin, I. *Children with Brain Dysfunction:Neurology, Cognition, Language and Behaviour* New York:1982.

Selfe, L. *Nadia*: *A Case of Extraordinary Drawing Ability in an Autistic Child.* London:1977. 特殊才能をもった少女のことを研究したこの本は，出版と同時に注目をあび，多くの批評や書評がよせられた。そのうちとくに重要なもの二つをあげておく。Nigel Dennis, *New York Review of Books*, 4 May, 1978 と C. C. Park, *Journal of Autism and Childhood Schizophrenia*(1978)8:457-72. 後者は，自閉症の画家の面倒をみた日本人のすばらしい努力のあとを書いている。私はそこからの引用文をもって，本書の結びのことばとした。

本書は、一九九二年一月に晶文社より
刊行された作品を文庫化したものです。

〈数理を愉しむ〉シリーズ

「無限」に魅入られた天才数学者たち

The Mystery of the Aleph

アミール・D・アクゼル

青木　薫訳

ハヤカワ文庫ＮＦ

数学につきもののように思える無限を実在の「モノ」として扱ったのは、実は一九世紀のＧ・カントールが初めてだった。彼はそのために異端のレッテルを貼られ、無限に関する超難問を考え詰め精神を病んでしまう……常識が通用しない無限のミステリアスな性質と、それに果敢に挑んだ数学者群像を描く傑作科学解説

〈訳者略歴〉
高見幸郎　1930年生。東京大学文学部卒業。津田塾大学教授、帝京大学教授を歴任。訳書『逃走の方法』グリーン（早川書房刊）他
金沢泰子　1952年生。津田塾大学大学院修士課程修了。新潟国際情報大学講師。訳書『左足をとりもどすまで』サックス他

HM=Hayakawa Mystery
SF=Science Fiction
JA=Japanese Author
NV=Novel
NF=Nonfiction
FT=Fantasy

妻《つま》を帽子《ぼうし》とまちがえた男《おとこ》

〈NF353〉

二〇〇九年七月十五日　発行
二〇二二年六月十五日　七刷
（定価はカバーに表示してあります）

著者　オリヴァー・サックス
訳者　高《たか》見《み》幸《ゆき》郎《お》
　　　金《かな》沢《ざわ》泰《やす》子《こ》
発行者　早川浩
発行所　株式会社早川書房
郵便番号　一〇一 - 〇〇四六
東京都千代田区神田多町二ノ二
電話　〇三 - 三二五二 - 三一一一
振替　〇〇一六〇 - 三 - 四七七九九
https://www.hayakawa-online.co.jp

乱丁・落丁本は小社制作部宛お送り下さい。
送料小社負担にてお取りかえいたします。

印刷・株式会社精興社　製本・株式会社明光社
Printed and bound in Japan
ISBN978-4-15-050353-6 C0111

本書は活字が大きく読みやすい〈トールサイズ〉です。